Les Éditions du Boréal
4447, rue Saint-Denis
Montréal (Québec) H2J 2L2
www.editionsboreal.qc.ca

UN LIEN FAMILIAL

DU MÊME AUTEUR

Les gens fidèles ne font pas les nouvelles, nouvelles, Boréal, 1999 ; Boréal, coll. « Boréal compact », 2001.

Scrapbook, roman, Boréal, 2004 ; Boréal, coll. « Boréal compact », 2006.

Êtes-vous mariée à un psychopathe ?, nouvelles, Boréal, 2009 ; Boréal, coll. « Boréal compact », 2018.

La Princesse Beau Dodo (illustrations d'Annie Carbonneau), jeunesse, La Bagnole, 2014.

Nadine Bismuth

UN LIEN FAMILIAL

roman

Boréal

Dépôt légal : 4e trimestre 2018
Bibliothèque et Archives nationales du Québec

Diffusion au Canada : Dimedia
Diffusion et distribution en Europe : Interforum

Catalogage avant publication de Bibliothèque et Archives nationales du Québec et de Bibliothèque et Archives Canada

Bismuth, Nadine, 1975-, auteur

Un lien familial / Nadine Bismuth.

ISBN 978-2-7646-2563-7

I. Titre.

PS8553.I872L53 2018 C843'.54 C2018-942219-X

PS9553.I872L53 2018

ISBN PAPIER 978-2-7646-2563-7

ISBN PDF 978-2-7646-3563-6

ISBN ePUB 978-2-7646-4563-5

*Si les choses doivent se passer comme ça,
pourquoi a-t-il plu au Tout-Puissant de
créer des familles ?*

GEORGE ELIOT, *Middlemarch*

Mercredi 10 août

Mathieu,
Impossible de me remettre du choc de ce qui nous est arrivé hier. J'ai cru qu'on allait mourir. Que ton homme de ménage était un voleur entré chez vous par effraction et qu'il allait nous tuer. Je suis traumatisée. Pas capable de dormir ni de manger. Pourquoi tu n'es pas revenu au bureau après ta plaidoirie cet après-midi ? Je t'ai attendu.

T'attendre, je ne fais que ça. Je comprends ta situation (malgré ce que tu penses, je te jure que oui), mais tu ne serais pas le premier père de famille à quitter sa blonde. Et ta fille, même à cinq ans, a sûrement plein d'amies dont les parents sont déjà séparés et qui vivent en garde partagée sans pour autant avoir besoin d'un suivi psychiatrique. Tu me dis souvent que je suis incapable de mesurer ce qu'une telle décision implique pour toi parce que je n'ai pas d'enfant. Comme rhétorique, c'est poche. Avec ou sans enfant, tout le monde survit à une séparation. Ce n'est pas le cancer. On est bien placés pour le savoir, avec tous les clients qui débarquent au bureau pour que Trépanier les accompagne dans leur divorce : ils ont des faces d'enter-

rement, mais quand on les revoit un an plus tard, ils sont méconnaissables, tellement heureux et mieux dans leur peau, même si ça leur a coûté cent mille dollars d'honoraires, ce qui ne risque pas d'être ton cas puisque Magalie et toi êtes seulement conjoints de fait et que le condo est à ton nom.

Je me demande parfois laquelle de nous deux est la plus à plaindre : elle ou moi ? Je ne suis pas certaine que Magalie aimerait savoir que tu restes avec elle simplement parce qu'elle est la mère de ta fille et que c'est moins compliqué comme ça. Une solution pratique ! Et quand je te demande pourquoi tu as eu un enfant avec elle, et que tu me dis que c'était un accident, que ça ne faisait même pas un an que vous sortiez ensemble quand elle est tombée enceinte, mais qu'en raison du décès de son père survenu peu de temps avant votre rencontre, elle a voulu garder le bébé afin de ne pas aller « contre la vie » et aussi afin de ramener un peu de joie dans l'existence de sa mère endeuillée, je trouve ça hyper déprimant comme séquence d'événements. Je ne comprends pas pourquoi tu es incapable de te sortir d'une relation dans laquelle tu t'es retrouvé coincé contre ton gré, car à moins que tu ne me racontes pas toute la vérité, c'est l'impression que ça donne. Tu ne rends service à personne en agissant comme un lâche, ni à elle, ni à moi, ni à toi.

L'incident d'hier avec ton homme de ménage ne se serait jamais produit si nous étions un vrai couple, et j'imagine que c'est ce genre de cataclysme dont j'avais besoin pour me rendre compte que je ne veux plus être ta maîtresse. Je n'en peux plus des cachotteries, des men-

songes, des noms de code ésotériques sur nos écrans de cellulaire quand on se texte ou qu'on s'appelle. C'était excitant au début, mais plus maintenant. Je veux être avec toi tout le temps, Mathieu, devant tout le monde, et c'est ce que tu dois vouloir toi aussi puisque tu dis que tu m'aimes. Et il n'y a pas que ça : j'ai trente-trois ans, et bien que ma mère me répète que c'est jeune, je me suis fixé quelques objectifs que j'ai bien l'intention d'atteindre dans la vie, dont celui d'avoir des enfants, même si parfois, à t'entendre parler, c'est une aventure qui semble avoir été inventée uniquement pour multiplier par vingt le coefficient de lourdeur de l'existence et priver les gens de leur libre arbitre. En tout cas, si tu crois ne jamais trouver la force de quitter Magalie, ou bien si tu crois que même si tu la quittes un jour tu ne voudras pas pour autant partager ton ADN avec moi (c'est quand même bizarre que tu t'entêtes à mettre une capote quand je t'assure que je ne suis pas dans mes jours dangereux), j'aimerais le savoir tout de suite et on restera amis. OK, pas vraiment amis, je n'en aurais pas la force, mais mettons.

Autrement, tu ne vas pas aimer ce que je m'apprête à te dire. Tu as horreur des ultimatums, mais je t'en donne un pareil, et c'est Noël. Ça te laisse presque cinq mois pour te brancher. Katia trouve que c'est beaucoup trop long comme délai et elle a raison. Mais comme un automne complètement dingue nous attend à la firme et que je serai souvent à Londres, à Paris et à Barcelone à cause de la fusion avec Magenta, et que toi-même tu es sous haute pression avec Fabrice et la signature de Blue Bird, je suis prête à faire ce compromis pour te permettre de bien y réfléchir. Je suis consciente que cette séparation va bouleverser la structure de ton quotidien, Mathieu, et que tu dois faire les choses en douceur pour le bien-être de ta fille. Toutefois, je ne peux plus laisser cette situation perdurer au-delà de cette date. Noël. Christmas. Navidad. Capisce ?

J'espère que tu me comprends comme je sais, moi, te comprendre et t'attendre depuis plus d'un an.

Je t'aime, mon legal beagle.

Sophie

P.-S. – Ma coloc sera au chalet de ses parents ce weekend, tu passes quand tu veux.

P.-P.-S. – Panique pas pour Katia. Mais elle t'a surpris en train de me pogner les fesses dans l'ascenseur vendredi et voulait te dénoncer aux ressources humaines, alors je n'ai pas eu le choix de lui raconter pour nous deux.

1

Magalie

Lundi 29 août

Comment en suis-je arrivée là ?

Il est huit heures moins quart, le soir du premier jour d'école de Charlotte, mais au lieu d'être auprès de ma fille à recueillir ses impressions sur cette étape si importante, j'écoute tousser un obèse assis trois chaises devant la mienne dans la salle d'attente de la clinique médicale. Derrière le comptoir de la réception protégé par une vitre aux reflets graisseux, la secrétaire aux cheveux frisés qui m'a accueillie un peu plus tôt a les yeux rivés sur l'écran de son téléphone cellulaire, dont l'étui rose bonbon présente la seule touche de couleur dans ce décor trop beige et trop gris. Elle sourit et tapote fébrilement sur le clavier, comme je le ferais sans doute si, comme elle, j'avais environ vingt-cinq ans, terminais bientôt ma journée de travail et donnais rendez-vous à des copains dans un bar ou un restaurant. À moins qu'elle soit en train de discuter avec un inconnu vers qui les algorithmes d'une application l'ont guidée, et dont la photo lui a plu. Les possibilités sont infinies ; à n'en pas douter, cette fille mène une vie aussi imprévue, spontanée et folâtre que les boucles de ses cheveux, de sorte que ce n'est pas seulement une vitre qui nous sépare, mais un mur de béton. Je n'ai qu'à songer à toute la logistique qui a été nécessaire pour rendre possible ce rendez-vous chez le médecin. Appeler ma mère et lui demander si elle pouvait se libérer quelques heures en soirée pour garder Charlotte puisque Mathieu avait un souper avec des clients : « Oui, sans problème, ma chérie ! » Puis, la voiture de ma mère étant au garage jusqu'à demain pour une mise au point, demander à Mathieu de me laisser la sienne afin que je puisse aller chercher ma mère chez elle à Ahuntsic après être allée récupérer Charlotte à l'école dès la fin de ma journée de boulot chez Penture : « Ça me dérange pas, je vais prendre le métro. » Mais pour être certaine de quitter le bureau à cinq heures pile au plus tard et de ne pas être retenue par des conversations qui s'étirent avec des indécis à l'autre bout de la ville, veiller à déplacer en matinée mon rendez-vous prévu en après-midi chez notre client de la rue Notre-Dame, celui qui remet en question tous ses choix précédents dès qu'il doit en faire un nouveau : « D'accord, madame Breton, je vous attendrai à dix heures au lieu de quatorze heures, merci de m'avoir avisé. Par ailleurs, j'hésite maintenant pour l'emplacement de mon micro-ondes. Si je le cache dans le garde-manger comme vous le suggérez, c'est plus joli, mais du coup j'ai moins d'espace de rangement, alors peut-être devrais-je sacrifier ma hotte cheminée pour avoir des armoires au-dessus de ma cuisinière, qu'en dites-vous ? » À travers tout ça, penser à acheter des plats cuisinés à l'épicerie afin de ne pas devoir préparer moi-même le repas, car cela me priverait du temps nécessaire pour donner le bain à Charlotte avant de la laisser seule avec ma mère, dont la récente tendinite l'empêcherait de s'acquitter confortablement de cette tâche. Bref, un simple changement à l'horaire entraîne toujours une multitude d'ajustements, de requêtes, de collaborations forcées, de sorte que ce soir j'en oublie presque la raison initiale de tout ce chambardement.

— Alors, qu'est-ce qui t'amène ici aujourd'hui, Magalie ? me demande la docteure Bédard une fois que je suis assise devant elle.

Sa voix est douce et invite aux confidences. Elle plisse les yeux derrière ses lunettes de lecture tout en fixant l'écran de son ordinateur sur lequel s'affiche mon dossier. La docteure Bédard approche certainement de la soixantaine. Elle est ma médecin de famille depuis une quinzaine d'années, époque où mes parents, qui étaient déjà ses patients, lui avaient demandé si elle pouvait m'accepter parmi sa clientèle. Je ressens envers elle un attachement particulier, car de tous les médecins qui ont suivi mon père durant sa maladie, la docteure Bédard n'est peut-être pas celle qui, cliniquement, en a fait le plus, ce qui se comprend puisqu'elle n'est pas gastro-oncologue, mais peu importe : c'est celle qui a fait preuve de la plus grande compassion envers lui, envers nous. Dès les premiers symptômes de sa maladie, mon père, pour rassurer ma mère, était allé consulter la docteure Bédard. Elle avait écouté les explications de mon père, qui mettait ses maux de ventre sur le compte du stress occasionné par sa retraite imminente, mais après lui avoir palpé l'abdomen, elle l'avait envoyé d'urgence à l'hôpital passer des tests d'imagerie médicale. Tout au long de la maladie de mon père, quand les médecins spécialistes étaient trop difficiles à joindre à l'hôpital, nous savions que nous pouvions appeler la docteure Bédard n'importe quand pour qu'elle ajuste sa médication ou renouvelle telle ordonnance d'anti-inflammatoires ou d'analgésiques. Lorsque l'échec des traitements avait été évident, elle avait encouragé mon père à faire partie d'un groupe de recherche – au cas où, on ne sait jamais, une percée médicale, un miracle ; comme nous, elle espérait. Rétrospectivement, j'ai l'impression que cette complicité nous a beaucoup aidés, même si elle n'a sauvé personne. Quelques jours après les funérailles, la docteure Bédard avait appelé ma mère pour lui offrir ses condoléances et savoir comment elle se portait. Fait-elle preuve du même dévouement avec ses autres patients ? Je l'ignore. En tout cas, je ne crois pas me tromper en interprétant le fait qu'elle me tutoie comme un signe du caractère spécial de notre relation.

La docteure Bédard passe une main dans ses cheveux courts et grisonnants et lit les dernières notes inscrites à mon dossier.

— L'orgelet pour lequel tu m'as consultée au début de l'été, c'est guéri ?

— Oui, j'ai mis la crème que vous m'aviez prescrite.

Elle pianote sur son clavier d'un air satisfait. Je profite de ce moment où son regard est ailleurs pour lui annoncer que je veux passer un test de dépistage des maladies transmissibles sexuellement. Elle lève les yeux de son écran, semble surprise, mais son ton demeure très factuel.

— As-tu des symptômes ?

Je regrette tout à coup d'être venue. En effet, avant de m'inquiéter, n'aurais-je pas dû attendre que ça me pique quelque part ? Si Olivier était porteur de quelque saleté de virus, Isabelle l'aurait forcément elle aussi, ce qui me semble inimaginable : cette fille est trop parfaite pour que son corps héberge quoi que ce soit d'aussi abject. Mais si Olivier m'a dit la vérité, et qu'il n'a pas couché avec Isabelle depuis plus d'un an, celle-ci peut très bien ne pas être contaminée sans que cela empêche Olivier de m'avoir transmis quelque chose. Après tout, qu'est-ce qui me garantit que je suis la seule fille avec qui il s'amuse ? Tout cela porte à confusion.

— Rougeurs, lésions ? m'encourage la docteure Bédard.

— J'ai eu un autre partenaire.

— Ah bon, je vois, laisse-t-elle tomber, et tandis qu'elle continue de pianoter sur son clavier, elle fronce légèrement les sourcils. Tu as eu une seule relation sexuelle avec lui ?

— Je dirais plus… Une douzaine, peut-être ? On

s'est protégés toutes les fois, sauf la dernière, il y a quelques jours. Je veux juste être certaine de ne rien avoir attrapé. Pour me rassurer, mais aussi pour ne rien refiler à Mathieu.

La docteure Bédard opine de la tête, pensive. Après m'avoir rencontrée, Mathieu aussi a fini par se retrouver dans sa banque de patients. La docteure Bédard nous a même déjà vus ensemble, toute la famille, il y a de cela un peu moins d'un an. Le pédiatre de Charlotte était en vacances et la docteure Bédard avait accepté de nous recevoir pour examiner ma fille, qui souffrait d'une gastroentérite sévère.

— Et est-ce que le mode de vie de cet autre partenaire le rend plus susceptible de t'avoir transmis quelque chose ? Est-ce qu'il est toxicomane, par exemple ?

— Oh non ! C'est mon associé.

La docteure Bédard écarquille les yeux. Certes, au chapitre des micro-organismes pathogènes, mon associé doit lui paraître plus rassurant qu'un junkie. Mais sans doute juge-t-elle que ces histoires où le sexe et le travail s'entremêlent ne se terminent jamais bien, et peut-être redoute-t-elle de me voir courir ainsi un autre risque. Celui, par exemple, de nuire à ma vie professionnelle. Je la rassure :

— C'est vraiment fini.

— Bien, je comprends, glisse-t-elle. Allons voir ça.

Elle se lève, va changer le papier de la table d'examen, puis revient à son bureau et m'invite à me retirer derrière le rideau. J'enlève mes ballerines, relève ma robe jusqu'à la taille, ôte ma petite culotte, enroule la jaquette verte autour de mes hanches et m'étends. Le papier croustille sous le poids de mon corps. Je regarde le plafond dont la peinture est craquelée et je nous revois, Olivier et moi, vendredi dernier, nous éclipser de la salle d'exposition de Penture où grouillaient les invités du lancement de *Sous la dent*, le livre de recettes d'Isabelle, et où Romane allait et venait entre mes différents modèles de cuisine les bras chargés d'exemplaires. « Il faut que ça arrête, Maggy, s'était plaint Olivier en baissant son pantalon une fois dans mon bureau. J'en peux plus. » Nous avions bu beaucoup d'alcool. « Moi non plus, lui avais-je assuré. C'est la dernière fois. As-tu verrouillé la porte ? » J'avais encore nos condoms dans la pochette secrète de mon sac à main, vestiges de cette liaison à laquelle nous avions jugé sage de mettre un terme quelques semaines plus tôt, avant la fermeture annuelle de Penture pour les vacances de la construction. Mais mon sac était resté quelque part en bas, au milieu de la fête, et il était hors de question que je redescende le chercher. Quant à Olivier, il n'avait même pas semblé remarquer cette entorse à notre routine ; d'habitude, il mettait pourtant sans rechigner le condom que je lui refilais.

— Tu as toujours ton stérilet ? me demande la docteure Bédard de son côté du rideau.

— Oui, oui.

— Donc, on ne fera pas de test de grossesse.

Elle tire sur le pan de tissu qui a dû être blanc dans ses plus belles années. Le son froid des anneaux métalliques qui glissent sur la tringle me rappelle la turpitude de ma situation : Charlotte a vécu sa toute première journée d'école, et moi, au lieu d'être avec elle, en train de la mettre au lit, de la border, de la cajoler, je suis à la clinique médicale afin de m'assurer de ne pas avoir attrapé une maladie indigne d'une jeune maman. Pendant que la docteure Bédard prépare ses instruments, je sens le besoin de me justifier. Sans détourner mes yeux du plafond, je lui explique que c'est Mathieu qui a sauté la clôture le premier, me laissant dans un tel état de détresse et de désarroi que j'ai cru que ma seule consolation serait de faire pareil, comme si le trahir de mon côté me permettait de contrôler une partie de cette histoire qu'il avait décidé d'écrire sans moi. J'entends la docteure Bédard émettre un claquement de langue désapprobateur, mais comme l'expression de son visage m'échappe, j'ai du mal à saisir qui elle désapprouve : Mathieu, qui m'a trompée, ou moi, qui ai cru en un remède illusoire ?

— Avez-vous essayé la thérapie de couple ? s'informe-t-elle.

— Oh non. Pour l'instant, il ne sait même pas que je suis au courant qu'il me trompe.

— Ah bon ?

— Je l'ai découvert par hasard. Je m'accroche : tant qu'il ne m'en parle pas, ça ne doit pas être sérieux.

— Ça va pincer, me prévient-elle.

Je sens quelque chose de froid et ferme les yeux pour chasser la douleur.

L'appartement est impeccable quand je rentre chez moi, rue Saint-Vallier. Les jouets de Charlotte ont regagné leur coffre près du téléviseur, le jeté en tricot est plié sur le bras du canapé, les magazines forment une pile bien nette sur la table basse, le granit de l'îlot et des comptoirs scintille de propreté. À travers la porte-fenêtre, assise sur la terrasse parmi les guirlandes de lanternes chinoises qui égaient la nuit, j'aperçois ma mère et m'empresse d'aller la rejoindre. Elle boit un verre de vin rouge et feuillette mon exemplaire de *Sous la dent*, sur la couverture duquel Isabelle apparaît dans cet atelier de cuisine blanc épuré que j'ai dessiné. Devant un plateau rempli de ses fameux brownies santé-et-sans-sucre – recette qui jusqu'à ce jour a récolté plus de cent vingt mille clics sur le site Internet de Penture –, la tête légèrement inclinée, Isabelle sourit. Ses cheveux couleur de blé tombent en cascades autour de son visage à la peau de porcelaine. Ma mère m'accueille en me faisant la bise, puis elle met le livre de côté et se plaint de ne pas connaître la moitié des ingrédients utilisés par Isabelle dans ses recettes.

— Du chia, du farro, du kimchi ?

Je lui explique qu'il s'agit de la nouvelle norme.

— La norme de quoi ? De se compliquer la vie ?

Fidèle à son habitude, ma mère se lance dans un compte rendu détaillé de la soirée passée avec sa petite-fille : Charlotte a été sage, elle semble apprécier Stéphanie, sa professeure de maternelle, ils ont un terrarium rempli d'escargots dans la classe, et elle a bien mangé son couscous au poulet, sans toutefois finir son assiette.

— Je lui ai chanté des comptines en plus de lui lire une histoire avant de la mettre au lit. J'avais peur que ça la stimule, mais au contraire, elle s'est écroulée de sommeil.

— Merci, maman. Je suis certaine que Charlotte a adoré sa soirée. Mais tu n'avais pas besoin de tout ranger comme ça.

— Ça me fait plaisir. Tu es tellement occupée. Je me suis même donné la permission de passer un petit coup de balai. Ce n'était pas un luxe.

— Je sais. Il faut qu'on se trouve une nouvelle femme de ménage.

— Vous n'en aviez pas une ? Ou plutôt, *un* ?

— Oui, mais il nous a ghostés.

— Il vous a quoi ?

— Il ne répond plus à mes messages depuis trois semaines. Il s'est volatilisé, sans explication. Il a cessé d'exister. Un fantôme !

— Franchement. Il y a des gens qui manquent de manières.

Je donne raison à ma mère : « Tellement ! »

Pourtant, je n'ai aucune idée de ce qui a pu motiver Sylvain à nous abandonner ainsi. À son entrevue d'embauche, et les quelques fois où je l'ai croisé, son sens des responsabilités, son organisation et sa discrétion m'avaient plutôt inspiré confiance. Sylvain ne semblait jamais contrarié lorsque je l'avisais, souvent à peine deux ou trois jours d'avance, du moment idéal où il pourrait passer faire le ménage durant la semaine. Peut-être a-t-il égaré son téléphone et n'a-t-il plus accès à sa boîte vocale ni à sa liste de contacts. Peut-être est-il retourné vivre en Abitibi, où il est né, sans juger opportun de m'en informer. Peut-être a-t-il trouvé un emploi plus stable et plus payant, et a-t-il été trop mal à l'aise de me l'annoncer. Il y a quelques jours, j'ai pensé contacter Marie-Ève Norbert, cette amie du secondaire qui m'avait refilé les coordonnées de Sylvain après mon appel à tous sur Facebook, pour lui demander s'il lui avait fait le même coup, mais j'ai renoncé à l'idée, n'étant pas convaincue qu'il valait la peine d'engager la conversation avec une fille que je n'avais pas vue depuis plus de vingt ans dans le simple but d'éclaircir cette mésaventure domestique.

Ma mère se lève, replace sa jupe et son chemisier. Elle prend son verre de vin et l'exemplaire de *Sous la dent*, et nous rentrons dans la cuisine. En arrivant chez moi quelques heures plus tôt, elle avait insisté pour enlever ses chaussures malgré mes protestations : « Mais tes voisins d'en bas ? » s'était-elle inquiétée. « Tes semelles sont toutes minces, avais-je rétorqué. Ça ne fait pas de bruit. » Mais elle ne m'avait pas écoutée et je remarque maintenant le rouge vermeil qui flamboie sur ses ongles d'orteils bien taillés. Ce détail a dû m'échapper tout à l'heure parce que j'avais Charlotte dans les bras.

— Jolie couleur, lui dis-je en éteignant les guirlandes de lanternes chinoises.

— Tu trouves ? Alors, est-ce que tes clients sont satisfaits de leur nouvelle cuisine ?

Même si je lui avais dit que j'allais consulter la docteure Bédard pour un torticolis ou une verrue plantaire, ma mère se serait inquiétée. J'avais donc jugé préférable d'évoquer des raisons professionnelles pour justifier mon absence de ce soir.

— Ils l'adorent, lui dis-je.

— C'était dans quel coin ?

— Oh… Outremont.

Un tintement en provenance de son téléphone cellulaire me dispense de pousser plus loin ma comédie. Ma mère fonce vers son appareil, qui repose sur l'îlot, et ajoute distraitement :

— Il y a de belles cabanes dans ce coin-là. J'y allais souvent.

Le métier de ma mère, comme le mien, l'a amenée à pénétrer au cœur de l'intimité des gens, c'est-à-dire dans leurs maisons. Durant plus de trente ans, elle a travaillé pour les magasins Linen Chest. Son titre officiel était celui de décoratrice d'intérieur, mais concrètement, son rôle était plus précis. Elle se spécialisait dans l'habillage des fenêtres : stores, toiles, rideaux, persiennes. Elle assistait ses clients dans le choix des meilleurs produits qui, tout en s'agençant au cadrage et au type de leurs fenêtres et en respectant le style de chaque pièce, allaient tantôt préserver leur intérieur des regards indiscrets, tantôt bloquer les rayons de soleil qui gâchaient leur sommeil ou altéraient la couleur de leur mobilier. C'est chez un de ses premiers clients, au début des années 1970, dans une maison de Rigaud encore en chantier, qu'elle avait rencontré mon père : il installait les fenêtres. Un an plus tard, ils étaient mariés, et trois ans plus tard, je venais au monde.

— Je file ! lance-t-elle.

— Déjà ? Attends. Je te paie le taxi.

Elle refuse, mais je proteste : il est hors de question qu'elle prenne le métro et l'autobus jusqu'à Ahuntsic à cette heure tardive. Il fait noir. A-t-elle donc passé la semaine sur la Lune pour ne pas avoir entendu parler d'Annabelle Juneau, cette femme sans histoire disparue dimanche dernier au Carrefour Laval et dont on n'a toujours pas retrouvé la trace ? Ma mère pose sa main sur la mienne, signe qu'elle veut m'interrompre, et malgré la candeur de son sourire, je lis un peu d'inquiétude dans les rides qui se dessinent autour de ses yeux.

— Magalie, j'ai quelque chose à t'annoncer.

Mon cœur s'emballe et mes jambes deviennent toutes molles. La dernière fois que j'ai entendu cette phrase sortir de la bouche de ma mère – « j'ai quelque chose à t'annoncer » –, elle a été suivie des mots *ton père, cancer, estomac*. Un jour ou l'autre, que ce soit à soixante-quatre ou à quatre-vingt-dix ans, ma mère finira bien par m'annoncer une mauvaise nouvelle qui la concerne. Je revois mon père sur son lit d'hôpital, tout maigre, les yeux vides, les lèvres sèches comme du papier sablé. Ma voix tremblote :

— Qu'est-ce qu'il y a, es-tu correcte ?

— Je suis amoureuse.

Je me sens étourdie.

— Quoi ? De qui ?

— Il s'appelle André. On a fait connaissance sur Internet.

— Maman !

— Quoi ? Un site de rencontre pour les retraités actifs.

— C'est une blague ?

Ma mère hoche doucement la tête, puis elle me prend dans ses bras. « Oh, Maggy », souffle-t-elle. Je recommence à respirer. Ma mère n'est donc pas malade ; du moins, pas pour l'instant. Elle ne va pas, comme mon père, souffrir jusqu'à m'implorer de la tuer en me citant en exemple un film de Denys Arcand dans lequel le personnage principal avale une potion préparée par ses proches pour mettre fin à son agonie. J'essaie toutefois de comprendre la portée de son annonce, car il y en a une, certes moins tragique que celle que je me suis d'abord imaginée, mais quand même. Jamais ma mère ne m'a parlé d'un autre homme depuis la mort de mon père. Depuis presque sept ans, je tiens pour acquis qu'elle va demeurer veuve et célibataire pour le restant de ses jours.

Des coups de klaxon mettent fin à notre étreinte. Ma mère se précipite à la fenêtre du salon, écarte les rideaux et gesticule.

— C'est lui !

Une lueur brille dans ses yeux quand je lui apporte son sac à main. Elle enfile délicatement ses chaussures. Ma mère a toujours été une femme coquette, mais je comprends à présent pourquoi elle semble tout juste sortir de chez la pédicure même si l'été tire à sa fin.

— On va organiser un souper bientôt, m'informe-t-elle en pinçant quelques mèches de ses cheveux pour leur donner du volume. Il a un fils lui aussi, ton âge environ, et une petite-fille, un peu plus vieille que Charlotte. Je te tiens au courant.

Elle m'embrasse au son du klaxon qui retentit de nouveau dans la rue. Tandis qu'elle descend les escaliers du duplex, son foulard de soie flottant derrière elle, je jette un œil à la voiture stationnée en double dans ma rue. Un véhicule utilitaire sport de couleur sombre duquel un homme descend. Il est un peu bedonnant et il semble chauve, c'est tout ce que je peux dire, je ne discerne même pas la marque de la voiture car il fait noir. Après avoir embrassé ma mère sur la bouche, il lui ouvre la portière du passager et elle disparaît dans l'habitacle. L'homme regagne sa place derrière le volant et la voiture s'ébranle dans la nuit. Seigneur ! Ma mère a-t-elle invité cet individu chez elle, à Ahuntsic, dans le bungalow familial, pour dormir dans le lit qu'elle a partagé avec mon père ? Ou bien s'en vont-ils chez lui, Dieu sait où ? Je reste plantée devant la porte avec toutes ces questions en tête avant de me consacrer à l'alignement des chaussures qui traînent dans le vestibule : les bottes de pluie de Charlotte, mes innombrables paires de ballerines, les richelieus de Mathieu. Je trouve cet homme si vulgaire d'avoir utilisé le klaxon pour signaler son arrivée à ma mère. N'aurait-il pas pu lui envoyer un second message texte ? Car j'imagine que celui de tout à l'heure était de lui. On aurait dit qu'il sifflait un chien.

Tandis que je replace les rideaux du salon, des cris attirent mon attention et j'aperçois Valérie Delorme qui sort de chez elle. Son appartement est situé au rez-de-chaussée du deuxième duplex au sud du nôtre. Une veste à rayures jetée sur les épaules, le dos cambré, elle tient son énorme ventre à deux mains et sa poitrine se gonfle à chacune de ses respirations. Elle crie si fort que malgré la distance et le double vitrage qui nous séparent, je distingue clairement les « câlisse » et les « tabarnak » qui ponctuent ses paroles. De toute évidence, ses contractions ont commencé. Xavier parvient à esquiver les coups de poing de Valérie tout en l'aidant à traverser la rue jusqu'à leur nouvelle fourgonnette, où il la fait monter sur le siège du passager. Une fille vêtue d'une robe longue à bretelles spaghetti sort de leur appartement en courant et en transportant un sac de type fourre-tout : la valise de Valérie pour son séjour à l'hôpital, sans doute. Xavier s'en saisit, le jette sur la banquette arrière, puis il saute derrière le volant et démarre en trombe. Valérie et Xavier ont déjà deux enfants, dont la petite Clara qui est dans la même classe de maternelle que Charlotte. L'inconnue à la robe longue a dû être dépêchée afin de veiller sur eux pendant que leur mère allait accoucher, mais pour l'instant, elle est encore au beau milieu de la rue, les mains en prière devant sa bouche.

Un drôle de sentiment m'envahit soudainement : il y a un peu plus de cinq ans, lorsque Mathieu et moi avons quitté l'appartement pour nous rendre à l'hôpital Saint-Luc, où je donnerais naissance à Charlotte, nous étions si calmes. Sept jours s'étaient écoulés depuis la date prévue de mon accouchement, de sorte que j'avais un rendez-vous en bonne et due forme à neuf heures du matin avec mon obstétricien afin qu'il m'injecte une substance pour provoquer le début du travail. Or, il me semble que si Mathieu et moi avions vécu cet événement de façon plus chaotique, plus paniquée, plus imprévue et plus sauvage, cela nous aurait peut-être rapprochés : nous aurions affronté ensemble la peur, la perte de contrôle, l'inconnu. Au lieu de cela, nous nous étions dirigés vers l'événement le plus important de notre vie de la même manière ordonnée que s'il s'était agi d'une balade au Jardin botanique. Mathieu s'était même arrêté en chemin pour mettre de l'essence parce qu'elle n'était pas chère et je lui avais demandé de me rapporter deux ou trois bouteilles d'eau en allant payer. Et si je lui avais hurlé dessus comme Valérie venait de le faire avec Xavier ? Si je l'avais mordu, griffé ? Est-ce que cela aurait fait éclater cette espèce de civilité qui règne entre nous depuis que nous nous connaissons ? Nos rapports par la suite auraient-ils été plus francs, plus vrais ? Comment savoir ? Je ferme les rideaux.

Rarement un souper m'avait paru plus ennuyeux que celui où Mathieu et moi avions fait connaissance, chez des amis communs. Les discussions tournaient à vide et le four à raclette était défectueux, ce qui prolongeait ce repas trop salé. Aussi ce jeune homme de six pieds aux cheveux châtains et vêtu d'un costard – « Je suis venu directement du bureau », avait-il déclaré à son arrivée en déposant une bouteille de vin rouge sur la table, pour expliquer soit son retard, soit son habillement, ce n'était pas clair – n'avait pas semblé s'intéresser à moi, à supposer qu'on calcule l'intérêt que nous porte un inconnu d'après les regards qu'il jette sur nous, ce qui me paraît un instrument de mesure généralement assez fiable. Pour ma part, j'avais remarqué son rire spontané, cette assurance qu'il dégageait, une sorte de confiance en lui qui semblait à toute épreuve et qui se notait dans sa façon, par exemple, de s'excuser pour aller à la salle de bain tout en s'arrêtant au retour devant les étagères d'une bibliothèque pour lire les titres sur le dos des livres, ignorant les conversations qui bourdonnaient à deux mètres de lui. Mathieu flottait quelque part au-dessus de nous tous et je trouvais un certain charisme à son indifférence sophistiquée. Quelques mois plus tard, en rencontrant plusieurs de ses collègues, j'allais me rendre compte qu'à peu près tous les avocats possèdent ce genre d'aplomb teinté de nonchalance, attitude qui leur vient peut-être de l'obligation de paraître solides, sûrs d'eux et imperturbables aux yeux de leurs pairs, patrons et clients.

Le lendemain de ce souper, l'appel de Mathieu m'avait surprise. Il avait obtenu mon numéro de téléphone par l'entremise de nos amis communs. Avec cette même assurance détachée dans la voix, il m'avait invitée au restaurant. Assis au comptoir du bistro Chez Roger, il avait l'air plus jeune, vêtu d'un simple jean et d'une chemise. Il pratiquait le droit dans le domaine des litiges commerciaux et municipaux ; de son propre aveu, il n'était pas ce qu'on appelle dans son milieu un *rainmaker.* Mais il ne s'en portait pas plus mal et affirmait ne pas avoir envie de se tuer à l'ouvrage comme certains associés de sa firme. Son ambition, disait-il, avait ses limites, et ce qu'il désirait par-dessus tout, c'était une famille. Je traversais alors une période où je ne me sentais guère intéressante. Si la mort de mon père ne m'avait pas fait sombrer dans la dépression, elle m'avait amenée à considérer tout ce qui m'entourait comme sans importance et éphémère, voire irréel. Après quelques verres de vin, j'avais tenté d'expliquer cet état d'esprit à Mathieu qui, même s'il disait ne jamais avoir encore perdu un être cher, semblait me comprendre : « Tu es en deuil, avait-il glissé en fixant son regard dans le mien. Ça ne fait même pas deux mois que c'est arrivé. Ces processus-là prennent du temps. » Je savais qu'il avait raison – c'est ce que je répétais presque chaque jour à ma mère, que le temps allait nous aider ; le temps, rien d'autre que le temps. Plus la soirée avançait, plus la présence de Mathieu m'était agréable et réconfortante. À l'époque, j'étais travailleuse autonome, le bouche-à-oreille suffisant à m'amener des clients. Afin de ne pas paraître totalement dénuée d'aspirations malgré la phase douloureuse que je traversais, j'avais fait part à Mathieu de mon projet de me rendre au cours de l'année dans le Suffolk, en Angleterre, pour un stage dans l'une des firmes de design de cuisine les plus reconnues au monde. Qui sait, peut-être que je m'installerais là-bas ? Mathieu avait paru impressionné, et il l'avait été encore plus quand je lui avais appris que c'était moi qui avais conçu la nouvelle cuisine au style rustique-chic de nos amis communs, qu'il avait pu admirer la veille pour la première fois. « Ç'a dû leur coûter un bras », avait-il remarqué. « Pas loin de trente-cinq mille », lui avais-je confié. « Ah, c'est pour ça qu'ils nous ont reçus avec des patates bouillies pis du fromage, avait-il blagué. Ils n'ont plus une cenne ! » Il me faisait rire.

On était en plein mois de février. Dehors, les flocons de neige virevoltaient dans les faisceaux des lampadaires de la rue Beaubien. La salle à manger du restaurant était déserte au moment où nous avions réglé l'addition. Mathieu m'avait invitée chez lui. Nous nous étions engouffrés dans un taxi en direction de la rue Saint-Vallier, et c'est ainsi que notre histoire avait commencé.

Charlotte est blottie contre moi lorsque je m'éveille ; à cinq ans, il lui arrive encore de se lever la nuit pour venir nous rejoindre dans notre lit. Baboune, sa peluche de singe hirsute adorée, repose au creux de sa nuque. Je sens des pincements douloureux au bas du ventre, résultat, sans doute, des prélèvements faits un peu plus tôt. Le réveil sur la table de chevet du côté de Mathieu indique une heure et demie. Il en a sûrement profité pour emmener ses clients dans des bars à vin du centre-ville et pour boire lui-même plus qu'à son habitude puisqu'il n'est pas en voiture. Une chose est certaine, il est impossible qu'il soit avec elle ; je n'aurai donc aucun mal à me rendormir. Sophie Hyndman parcourt les rues de Barcelone. Hier, elle a dégusté sur la plage une paella garnie de crustacés énormes, comme me l'a appris une photo publiée sur sa page Facebook. Cette grande brune ne travaillait pas encore pour le cabinet de Mathieu il y a deux ans, lorsque les associés de Blitt Cantin Ségur avaient organisé un week-end familial au mont Tremblant. Je ne l'ai jamais rencontrée, ce qui la rend encore plus mystérieuse. Tout ce que je sais à son sujet – hormis qu'elle se spécialise dans le domaine des fusions et acquisitions, et qu'elle prend des photos d'elle à poil pour ensuite les offrir à Mathieu –, c'est qu'elle est la fille d'une juge de la Cour d'appel du Québec. Est-ce pour cela que Mathieu entretient une liaison avec elle ? Est-il impressionné par ses origines qui portent le sceau de la haute bourgeoisie, lui qui vient, comme moi, d'une famille de la classe moyenne ? Au début de notre relation, Mathieu m'avait raconté à quel point il lui était arrivé de se sentir comme un *outsider* durant ses études de droit à l'Université de Montréal, dans une faculté dont le corps étudiant fourmillait d'héritiers de juristes de renom et de figures politiques de la province. Pour Mathieu, né d'un père mécanicien et d'une mère secrétaire, cette jeunesse dorée avait pu paraître un brin intimidante. Et même s'il s'est classé parmi les meilleurs de sa promotion aux examens du barreau, et malgré l'assurance qu'il dégage, il entretient peut-être toujours ce sentiment d'infériorité par rapport à ses pairs. En couchant avec la fille d'une juge, peut-être cherche-t-il à étancher sa soif de distinction et de reconnaissance qu'il lui est impossible d'assouvir avec moi. Comment savoir ce qui se trame dans son inconscient ?

Je prends Charlotte dans mes bras. Durant le court trajet qui nous conduit de ma chambre à la sienne, j'enfouis mon nez dans ses cheveux et je me sens apaisée : certes, ce n'est plus son odeur de bébé, mais c'est encore un parfum unique. J'étends soigneusement ma fille dans son lit et je remonte les couvertures sur sa poitrine, puis je dépose son petit Baboune à ses côtés.

En quittant la chambre, j'aperçois mon cellulaire dans la pénombre, sur l'îlot de la cuisine. Je m'en approche et allume l'écran ; peut-être Mathieu m'a-t-il écrit pour ne pas que je m'inquiète de son retour tardif. J'ai bien reçu deux messages textes, mais aucun ne porte sa signature. Le premier vient de ma mère. Il a été envoyé à minuit moins dix : « *Bonne nuit Maggy, je t'aime xxx* » Évidemment, ma mère a deviné le trouble dans lequel m'a plongée son annonce de tout à l'heure. « *Je t'aime aussi* », que je lui réponds, bien que je l'espère endormie depuis longtemps à cette heure de la nuit.

Le deuxième message a été envoyé à minuit et demi, d'un numéro que je ne connais pas. « *Tu ne devrais pas faire ça.* » Je me demande s'il s'agit d'un nouveau client dont je n'aurais pas encore eu le temps d'entrer les coordonnées dans mon répertoire de contacts, mais cette idée me semble saugrenue : à quoi rimeraient ces mots ? Par courtoisie, je pianote « *Mauvais numéro* » et j'appuie sur la touche d'envoi. Puis je regagne mon lit dont les draps froissés, en quelques minutes à peine, se sont complètement refroidis.

Jeudi 8 septembre

Guillaume,

Monique et moi, on souhaite organiser une rencontre entre nos deux familles dimanche soir : un souper convivial. On est à la dernière minute, mais la météo s'annonce belle et un barbecue dans la cour, c'est toujours agréable. Es-tu libre ou tu travailles ? Est-ce que ça tombe sur un jour où tu es avec Julianne ? Sinon, peux-tu t'arranger avec Karine ? C'est tellement dur à suivre des fois, vos histoires de garde partagée. À l'époque où ta mère et moi on a divorcé, c'était plus simple : deux semaines chez l'un, deux semaines chez l'autre, on ne passait pas notre temps à se tricoter des horaires. Remarque qu'avec ton métier, ça se comprend. Mais je m'égare. C'est qu'on aimerait ça que tout le monde fasse connaissance, et donc que Julianne et toi, vous puissiez être là. La fille de Monique va venir avec son conjoint et leur fille. Dis-moi ça rapidement, s'il te plaît. Sinon, on s'y prendra plus d'avance, pour un autre soir.

Ton père

P.-S. – T'es-tu enfui avec un de mes pinceaux, lundi ? Si oui, merci de me le rapporter.

2

Guillaume

Dimanche 11 septembre

Ils sont en retard de presque une demi-heure.

Monique nous apporte des bières sur la terrasse et nous assure qu'ils arriveront d'une minute à l'autre. Un doute la taraude malgré tout, qu'elle ne tarde pas à exprimer : aurait-elle fait l'erreur de leur indiquer six heures au lieu de cinq heures ? Elle saisit son téléphone sur la table et vérifie ses messages textes. C'est la deuxième fois que je vois la nouvelle compagne de mon père. La première, c'était lundi dernier, à la fête du Travail. J'étais venu aider mon père à peinturer le porche de sa maison. En fin d'après-midi, Monique était arrivée dans sa petite Toyota rouge, une bouteille de rosé à la main. Mon père m'avait offert de rester avec eux pour l'apéro, mais je m'étais inventé un match de balle molle avec des copains et les avais laissés seuls, ce qui n'avait pas paru trop les décevoir.

Je ne connais donc pas encore vraiment Monique. Cependant, je la regarde défroisser sa longue jupe couleur kaki et demander à mon père pour la deuxième fois s'il est certain d'avoir acheté suffisamment de viande pour le souper, et je devine très bien son état d'esprit : Monique est nerveuse. Pas la nervosité des gens qui ont quelque chose à cacher, comme ce revendeur de drogue que j'ai arrêté hier matin devant l'édicule du métro Mont-Royal, et dont la transpiration perlait jusqu'à la racine des cheveux. Non, c'est plutôt la nervosité des gens qui se demandent s'ils sont en train de faire la bonne chose tout en étant conscients qu'il est trop tard pour reculer. Le genre de sentiment qui prend d'assaut certains passagers d'un avion juste avant le décollage : ils regrettent d'être là, se tordent les pouces, toussotent, repèrent les sorties de secours ; jamais ils n'auraient dû entreprendre ce périple, pensent-ils, tout à coup persuadés que l'avion va s'écraser. Et pourtant, ils n'ont plus le choix. Leurs valises ont été jetées au fond de la soute, on leur a joué la vidéo des mesures d'urgence, les portes de la cabine sont verrouillées, celle du cockpit aussi, les agents de bord ne se promènent plus dans les allées pour recueillir leurs doléances – ils sont, comme tous les voyageurs, ligotés à leur siège, silencieux – et l'avion roule lentement vers la piste de décollage. Il est impossible de descendre : il faut accepter son choix et se contenter de prier pour qu'il ne soit pas fatal. Et c'est sans doute ce que Monique fait en ce moment. En apparence, elle prend des gorgées de vin blanc et s'extasie devant la vigueur des touffes d'anémones dans la cour du voisin, mais en silence, dans son âme, elle prie pour que l'avion à bord duquel elle nous a tous fait embarquer ne s'écrase pas, autrement dit : pour que toutes les personnes qu'elle a cru bon de réunir ici ce soir s'approuvent mutuellement.

Même si l'événement a lieu chez lui, au cœur du quartier Notre-Dame-de-Grâce, et même s'il semblait enthousiaste dans son courriel d'invitation, mon père n'est certainement pas l'organisateur de ce souper. André Hamelin est un homme sociable, oui, mais compte tenu de la manière dont sa précédente relation amoureuse s'est terminée il y a deux ans, ce n'est pas lui qui a demandé à sa nouvelle flamme de rencontrer sa progéniture. Du moins, je l'espère. Je doute d'ailleurs qu'il ait raconté à Monique la conclusion de cette dernière union : avouer ses torts ou se montrer sous un jour défavorable, ce n'est pas son genre. Je n'aurais d'ailleurs jamais rien su moi-même de cette affaire lamentable si la malheureuse Estelle ne m'avait pas contacté, éplorée, furieuse, choquée, pour savoir s'il n'y avait pas moyen de porter plainte contre mon père. Qu'elle me demande cela à moi, le fils de l'homme qui lui avait brisé le cœur, montrait à quel point elle avait été blessée. J'avais dû la décevoir en lui apprenant que mon père n'avait pas enfreint la loi. Bafoué la morale, sûrement, la décence et la bienséance aussi, mais le Code criminel, non. Quant à moi, cet épisode peu glorieux de la vie de mon père ne me concernait pas. Je n'avais donc pas rompu mes liens avec lui. Toutefois, l'estime que je lui portais en avait pris un coup, et cela, je n'y pouvais rien.

Soudain, le carillon de la porte d'entrée résonne. Monique bondit sur ses jambes, mais laisse mon père la précéder à l'intérieur. Même si c'est sa famille que nous attendons, j'imagine qu'elle ne se sent pas encore assez à l'aise pour répondre à la porte d'une maison qui n'est pas la sienne.

Écrasée sur le transat au bout de la terrasse, ma fille n'a pas bronché. Je tempête un peu :

— Juju, la visite arrive, lâche ton téléphone. *Tout de suite.*

Ma fille me répond par un monosyllabe et je dois me lever pour aller lui arracher son appareil des mains. Elle éteint son téléphone, mais pas assez vite pour m'empêcher de voir le logo d'une application à laquelle nous lui avons pourtant interdit de s'abonner.

— Donne-le-moi, sinon je te le confisque pour toute la semaine !

— Tu peux pas, je vais être chez maman !

Julianne cache son téléphone dans son dos et me défie du regard en lâchant un « ha ha ». Je comprends que nous ne sommes plus seuls, qu'ils sont derrière nous sur la terrasse et qu'il serait ridicule que je m'entête dans ma démarche disciplinaire, d'autant plus que les premières impressions sont souvent déterminantes et que je ne voudrais pas passer pour un policier qui élève son enfant avec une rigueur militaire. N'empêche : depuis quand ma fille est-elle devenue ce monument d'ingratitude et de fainéantise ? Le téléphone cellulaire : une autre idée brillante de sa mère. « Je préfère toujours savoir où elle est. » Où elle est ? Elle est dans des mondes parallèles de pixels et de mégabits, le cerveau en bouillie, alors qu'hier encore elle me suppliait pour qu'on construise des villes en Lego dans le sous-sol. Comme si j'y croyais moi-même, je secoue un doigt dans les airs et pige dans mon répertoire de menaces : « On va en reparler plus tard. »

Monique fait les présentations et tout le monde se serre la main, sauf la petite Charlotte, qui se cache sous son chapeau de paille et refuse de quitter les bras de sa mère. La fille de Monique, Magalie, est une grande brune, mince et jolie. Elle porte une robe noire dont elle a roulé les manches jusqu'aux coudes et des ballerines léopard. Ses joues sont parsemées de taches de rousseur et elle a les traits un peu fatigués, mais derrière ses cernes bleutés, son regard gris perle est vif et intelligent. Mon père m'a dit qu'elle était designer de cuisine pour une petite compagnie montréalaise à la mode. Mathieu, son mari, est avocat dans un cabinet du centre-ville. « Mais il n'est pas criminaliste, avait ajouté mon père, comme si cela pouvait me déranger. Il est en droit des affaires. » Jeune quarantaine, il est plutôt bien mis : malgré un jean délavé, il porte des chaussures de cuir brun, une chemise blanche au col impeccable, et il dégage une odeur d'eau de Cologne boisée. Il retire ses verres fumés et les plante dans ses cheveux châtains, geste de politesse qui semble toutefois l'embêter, si je me fie à son regard hautain qui part se promener sur le mobilier de la terrasse et s'attarde sur le parasol avant de revenir vers moi : « Enchanté. » Il me flanque une bouteille de vin rouge dans les mains.

— Tiens, un petit pinot, lance-t-il.

Julianne a quitté son transat et rangé son téléphone pour venir échanger une poignée de main molle avec Magalie et Mathieu. Elle réprime une grimace en direction de Charlotte : l'enfant, il faut dire, pleure à s'en fendre le gosier et refuse de déménager des bras de sa mère à ceux de sa grand-mère, qui les lui ouvre pourtant bien grands.

— Viens ici, ma chérie ! Viens !

— Elle est super fatiguée, nous explique Magalie. Il a fallu qu'on interrompe sa sieste. C'est pour ça qu'on est en retard.

Je tente d'enterrer les décibels :

— Elle a quel âge ?

Je pose cette question pour les mettre à l'aise, du genre : des enfants braillards, vous savez, tout le monde passe par là, il ne faut pas que ça nous empêche de discuter.

— Cinq ans, lâche Magalie, qui semble si chamboulée qu'on dirait qu'elle va se mettre elle aussi à pleurer.

Elle fait des « chut-chut » à sa fille en la berçant, mais Charlotte continue de hurler et lance son chapeau de paille par terre.

— Mon doux, est-ce qu'elle couve un virus ? s'inquiète Monique, une main posée sur le front de sa petite-fille, avant de conclure : Elle n'est pas chaude, pourtant.

Mathieu a l'air agacé. Il ramasse le chapeau de sa fille.

— As-tu apporté Baboune ? demande-t-il à Magalie en se relevant.

— Je sais plus. Regarde.

Elle pivote pour lui donner accès à la fermeture éclair du fourre-tout qu'elle porte en bandoulière. Mathieu plonge un bras à l'intérieur, creuse un peu et en ressort, triomphant, une peluche de singe à la tête chevelue. « Ha ! ha ! C'est qui ça ? » demande-t-il à sa fille. Charlotte s'empare de sa peluche et la presse contre son cœur.

Ses pleurs cessent instantanément.

Une boule au ventre, je prends les commandes du barbecue. J'aligne les brochettes de poulet, de bœuf et de légumes, je les retourne de temps à autre, je garde la flamme basse : il ne faut rien carboniser. Cinq ans, c'est l'âge qu'avait Julianne quand Karine et moi avons pris la décision de nous séparer. Encore que *décision* me semble un grand mot. Cette conclusion, après neuf ans de vie commune, s'était plutôt présentée de façon toute naturelle, résultat d'un processus silencieux, imperceptible à l'œil nu, une sorte de dérive des continents : nous étions sur le même bout de terre jusqu'au moment où nous nous sommes rendu compte que des milliers de kilomètres d'eau nous séparaient, des eaux froides et profondes dans lesquelles nous n'avions pas envie de nous tremper les orteils. J'avais racheté sa part de notre bungalow de la rue Lapointe à Sainte-Julie et elle avait fait l'acquisition d'un condo situé à moins de trois kilomètres de la maison, dans un nouveau développement immobilier près du boulevard Armand-Frappier, l'idée étant de ne pas trop déraciner Julianne et de ne pas trop nous compliquer la vie avec la garde partagée.

Jusqu'à l'âge de neuf ans, Julianne aussi avait un toutou dont elle était inséparable et qui pouvait la consoler de n'importe quel chagrin. Si Karine ou moi avions le malheur d'oublier de glisser Fanfan dans la valise de Julianne pendant les changements de garde, notre fille s'en rendait compte une fois au lit et c'était le drame, car elle ne pouvait pas dormir sans son petit éléphant bleu. Bien entendu, j'étais coupable de cette négligence plus souvent que Karine – une fanatique des *to do lists* – et j'ai payé pour. Un dimanche soir, en me rendant en jogging au condo de Karine, place de Chambord, Fanfan coincé sous l'élastique de mon short parce que j'avais oublié de le mettre dans le sac de Julianne un peu plus tôt, j'avais trouvé François assis sur le canapé du salon en train de boire une bière et de regarder le match de football opposant les Packers de Green Bay aux Broncos de Denver, le même match que je regardais quand Karine m'avait appelé quelques minutes plus tôt pour déverser sa voix pleine de mécontentement dans mon téléphone : « Je te gage que Fanfan est encore chez vous ? » François était venu me serrer la main, « Ça va, *man* ? » Son regard était un mélange de pitié et d'impassibilité, il semblait vouloir dire : « On n'a rien à cacher, tu l'aurais appris tôt ou tard. » Karine devait retourner border Julianne, je lui avais donné Fanfan et elle avait eu le culot de se plaindre que ma sueur avait mouillé la fourrure synthétique. J'avais eu envie de crier : « Tu couches avec un gars que je t'ai présenté pis tu me donnes de la marde pour un toutou? » Au lieu de cela, j'avais regagné la maison en faisant un détour de plusieurs kilomètres par le chemin du Fer-à-Cheval, sans m'arrêter de courir une seule fois pour reprendre mon souffle. Je savais que Karine ne m'avait jamais trompé avec François. C'était impossible puisque je l'avais mise en contact avec lui après notre séparation. Ce n'était pas un sentiment de trahison qui m'avait fait remonter le cœur dans la gorge. François n'était même pas un ami, c'était une connaissance, le frère de l'agent Hamel, maître-chien au sein de l'escouade canine. François participait parfois à nos matchs de balle molle, après lesquels on avait l'habitude d'aller souper ou boire des bières. C'étaient là les seules occasions où j'avais un peu discuté avec lui. Comme son frère, il était un passionné des chiens, ça courait dans la famille, ils avaient grandi dans une ferme dans le coin de Joliette. Il habitait aujourd'hui près du mont Saint-Hilaire et faisait fortune grâce à ses chiens dressés pour la détection des punaises de lit. Plus ces bestioles devenaient un problème de santé publique, plus il était en demande : hôtels, hôpitaux, cinémas, bibliothèques municipales, logements sociaux. Le premier automne de notre séparation, l'école où enseignait Karine avait été infestée et, bien entendu, Karine se réveillait chaque nuit pour se gratter et inspecter ses draps, persuadée d'en avoir rapporté chez elle. Je la trouvais complètement névrosée – ce qui n'était pas nouveau –, mais j'avais quand même demandé à Hamel de me refiler le numéro de téléphone de son frère. Si trois cents dollars suffisaient à ramener mon ex à la raison, pourquoi pas ? François était donc allé inspecter le condo de Karine avec Puck, un caniche royal, et comme je m'en doutais, la pauvre bête n'avait rien trouvé d'intéressant à renifler, contrairement à son maître, comme j'allais l'apprendre de façon aussi déplaisante qu'inopinée six mois plus tard. À partir de ce moment-là, la cassure s'était vraiment faite de mon côté. Est-ce que j'avais espéré revenir un jour avec Karine ? Je ne sais pas. À quelques reprises après notre séparation, il m'était arrivé de remettre notre décision en question. Avions-nous agi trop vite ? N'est-ce pas la tragédie qui guette tous les couples de jeunes parents, se perdre dans la routine ? Ne suffirait-il pas de reconstruire les ponts ? Est-ce que ce ne serait pas préférable pour Julianne ? Karine n'était pas parfaite, mais je ne l'étais pas non plus, et il faut dire que les quelques filles que j'avais dénichées sur un site de rencontre et avec qui j'étais allé prendre un verre durant les premiers mois de mon célibat s'étaient toutes révélées moins jolies que sur leurs photos et assez ennuyeuses pour me convaincre de supprimer mon profil. Plus tard, il y avait eu une infirmière de liaison de l'hôpital Notre-Dame, Geneviève, dont j'avais fait la connaissance en accompagnant à l'urgence un schizophrène en phase de décompensation trouvé dans ses excréments au sous-sol d'une pizzeria de l'avenue Papineau. Geneviève et moi avions couché ensemble à quelques reprises et notre histoire semblait bien partie, mais quelques semaines plus tard, elle avait accepté un poste dans un hôpital gaspésien, là où la clientèle promettait d'être moins difficile. C'était il y a trois ans. Depuis, j'erre dans un désert sexuel et sentimental.

Un bras chaud m'entoure, une petite tête se dépose près de mon aisselle. Les élans d'affection de Julianne sont de plus en plus rares, mais ils n'ont pas complètement disparu.

— Ça sent bon, papa, est-ce qu'on mange bientôt ?

Je caresse les cheveux de ma fille et lui demande de m'apporter les assiettes, mais Monique m'entend et déclare qu'elle va s'en occuper. Autour de la table de la terrasse, mon père débouche la bouteille de vin apportée par Mathieu. Je les entends discuter de cépages italiens, mon père se prétendant fin connaisseur. Magalie est dans le jardin avec Charlotte, près d'un bosquet de fleurs jaunes qui ressemblent à des tournesols mais n'en sont pas. Elle lui montre quelque chose sur une tige.

— Je le veux, je le veux ! pépie Charlotte.

— C'est une chenille ? dis-je.

Magalie lève les yeux vers moi, surprise de mon incursion dans leur intimité. Elle penche la tête :

— Non, un escargot.

Nous échangeons un sourire et j'éteins la bonbonne de gaz du barbecue.

Comme c'est toujours le cas lorsque je rencontre de nouvelles personnes, on me pose plusieurs questions sur mon métier de policier, ou bien on me raconte le dernier délit dont on a été soit victime, soit témoin. Ainsi, au mois de juillet dernier, Magalie est allée rejoindre Mathieu près de son bureau au centre-ville pour luncher avec lui. Ils avaient à peine commencé à manger que des enquêteurs en civil armés de pistolets bondissaient entre les tables pour se saisir des deux clients assis à côté d'eux.

— Ils leur ont lu leurs droits au milieu de la terrasse, les ont menottés, puis les ont fourrés dans deux voitures différentes, raconte Mathieu.

— En cinq secondes, tout était terminé, précise Magalie en coupant un cube de bœuf pour sa fille. C'était vraiment impressionnant. Tiens, Chacha, mange.

— On a regardé les nouvelles le soir pour voir s'ils en parleraient, pour savoir qui c'était, des motards, des mafieux, mais on n'a rien vu passer là-dessus, ajoute Mathieu.

Magalie m'interroge du regard, en quête d'un indice : « Ça te dit rien ? »

Je hausse les épaules :

— Il y a tellement d'escouades spéciales en service.

Elle semble déçue, et je me sens tout à coup incompétent, un petit flic ignorant tout des arrestations spectaculaires qui se déroulent dans les hautes sphères de son corps de métier. Pourtant, la scène qu'ils viennent de me décrire n'a rien d'exceptionnel et fait partie du quotidien de bien des enquêteurs. Lorsque Julianne nous demande la permission d'emmener Charlotte dans le sous-sol afin de lui montrer quelques-uns de ses vieux jouets conservés par mon père, et que mon père et Monique profitent de l'absence des enfants à la table pour me questionner sur l'enquête dont tout le monde parle ces temps-ci et qui concerne la disparition d'Annabelle Juneau survenue il y a une vingtaine de jours au Carrefour Laval, je saisis l'occasion de me rattraper et je mets le paquet : je leur raconte tout ce dont j'ai eu vent, ne leur épargnant aucun détail sur cette affaire mystérieuse. Même si le dossier a été confié au Service de police de Laval, celui de Montréal, dont je fais partie, collabore bien entendu à l'enquête. Je sens tous les regards braqués sur moi tandis que je leur apprends que le conjoint d'Annabelle Juneau a été écarté de la liste des suspects puisque des dizaines de témoignages ont confirmé qu'il était en train de disputer une partie de soccer au parc Jarry avec des copains au moment même où Annabelle a disparu.

— Ah oui ? Je travaille juste en face du parc Jarry ! s'exclame Magalie.

Je marque une pause et la regarde, surpris : partir de Villeray pour aller luncher sur une terrasse du centre-ville avec Mathieu, est-ce que ça ne lui fait pas toute une trotte ? Je retrouve toutefois ma concentration en prenant une gorgée d'eau puis je poursuis mon récit : les enquêteurs ont aussi rencontré la vendeuse de la section pour enfants de la boutique Gap où Annabelle Juneau a fait une transaction en fin de journée. Selon cette vendeuse, trente minutes avant l'heure estimée de sa disparition, Annabelle Juneau n'était pas plus agitée que la moyenne des mamans en quête de vêtements pour leur progéniture à la veille de la rentrée scolaire. Elle avait échangé un pantalon acheté dans cette même boutique un peu plus tôt cette semaine-là contre un autre, identique mais d'une taille plus grande, et, en plus, elle avait acheté trois t-shirts et un pyjama. Ces articles ont été découverts dans leur sac sur le siège du passager dans la voiture d'Annabelle Juneau, tout comme son téléphone cellulaire, son portefeuille, sa trousse de maquillage et les clés de sa maison.

— Et où étaient ses enfants si leur père jouait au soccer au même moment ? s'enquiert Monique.

— Ils passaient la fin de semaine chez leurs grands-parents.

— Mais il n'y a pas de caméras de surveillance dans le stationnement ? demande mon père.

— Elles étaient défectueuses, lui répond Mathieu. Ils l'ont dit aux nouvelles.

Mais tandis qu'il ressert du pinot à chacun d'entre nous, je le corrige :

— Elles n'étaient pas défectueuses. Elles étaient en train de se faire remplacer par des nouvelles, plus performantes. C'est pour ça qu'il n'y avait aucune caméra de surveillance qui marchait au Carrefour Laval ce jour-là, ni à l'intérieur ni à l'extérieur.

Ce hasard malheureux provoque des hochements de tête tout autour de la table. « Quelle ironie ! » finit par s'exclamer Monique.

— Vous n'avez aucun suspect ? me demande mon père.

Je hoche la tête. Annabelle Juneau travaillait depuis des années comme agente de voyage dans un bureau à LaSalle. Parmi ses collègues interrogés par les enquêteurs, aucun ne lui connaissait de relation extraconjugale, de fréquentation louche, de problème d'argent ou de consommation. C'était apparemment une femme fiable, ponctuelle, dynamique.

— C'est sûrement un psychopathe, glisse Magalie avec un froncement de sourcils.

Je lui confirme que les enquêteurs du Service de police de Laval vérifient en ce moment les alibis de tous les délinquants dangereux de la Rive-Nord. Et bien sûr, il y a ces hurluberlus qui se rendent au poste de commandement installé dans le stationnement du Carrefour Laval, ou qui appellent la Sûreté du Québec, persuadés d'avoir aperçu Annabelle Juneau tantôt au Subway de Gatineau, tantôt dans une station d'essence à Rimouski, tantôt dans le cabanon au fond de leur cour.

— L'enquête progresse, dis-je. Au poste, on suit ça de près.

— Tu travailles dans quel quartier ? me demande Mathieu.

— Sur le Plateau. Poste 38. Pour l'instant, j'habite à Sainte-Julie, mais d'ici un an je compte racheter en ville. Le trafic, je suis plus capable.

Quelques soupirs de compassion s'élèvent autour de la table. Puis Monique disparaît dans la cuisine avec des assiettes sales, suivie de Magalie, qui insiste pour l'aider. Après deux ou trois allers-retours, elles reviennent avec une tarte au citron garnie de pics de meringue mousseuse. « Café ? Thé ? » demande mon père à la cantonade. Une fois nos commandes passées, Magalie suggère d'aller chercher les filles et je me porte volontaire pour l'accompagner, ne serait-ce que pour lui montrer le chemin : après tout, elle ne connaît pas la maison. On traverse la cuisine, puis le couloir, on longe l'escalier qui mène à l'étage (« Quelles belles boiseries ! » remarque Magalie en caressant le pilastre), on prend le corridor où se trouve la salle d'eau et qui débouche sur l'escalier menant au garage et au sous-sol. Chaque fois que je viens chez mon père, je m'étonne des dimensions de sa maison, dont il a fait l'acquisition après son divorce avec ma mère. Même quand j'y vivais deux semaines par mois, elle était beaucoup trop grande pour lui et moi ; tout seul, il doit y tourner en rond.

— Chacha, viens manger la bonne tarte de mamie, glisse doucement Magalie à sa fille, qui se balance sur le vieux cheval à bascule de Julianne.

Charlotte court tout de suite se blottir dans les bras de sa mère. Julianne est couchée sur le canapé, son attention divisée entre son téléphone et le concours de danse diffusé à la télévision.

— Maman vient de me texter, m'annonce-t-elle. Elle veut savoir à quelle heure tu vas me reconduire chez elle.

— Réponds-lui neuf heures, gros max.

— Elle dit aussi de ne pas oublier le chèque pour mon cours de natation.

— Je l'ai dans l'auto, que je soupire, un peu agacé, puis je me tourne vers Magalie et j'ajoute : Les joies de la garde partagée.

Ces dernières paroles m'ont échappé ; j'espère ne pas avoir l'air du gars qui se complaît dans sa structure familiale éclatée. Mais Magalie ne semble pas me juger trop sévèrement :

— Ça doit demander pas mal d'organisation.

— Oui, et beaucoup de patience.

Elle sourit, puis on regagne le rez-de-chaussée avec nos enfants, mais une fois franchi le seuil de la cuisine, on s'arrête net : au milieu d'une montagne de vaisselle sale, sur le bord de l'évier, mon père et Monique s'embrassent. Un long baiser, passionné et presque obscène. Mon père malaxe les seins de Monique. Vu que la machine à espresso est en train de rugir et de cracher son liquide dans une tasse, ils ne nous ont pas entendus. Magalie cache le visage de sa fille et se tourne vers moi, pétrifiée, les yeux écarquillés. Si j'avais à traduire la demande pressante derrière son expression, je dirais quelque chose du genre : « On est chez ton père, c'est ton territoire, c'est toi qui dois hurler pour les avertir de notre présence ! »

Mais Julianne me devance : « *Get a room !* » crie-t-elle au moment même où la machine termine son vacarme.

Je lui donne une petite claque derrière la tête, car je n'ai aucune idée d'où ma fille tient cette expression vulgaire. Monique et mon père mettent immédiatement fin à leur étreinte. Monique replace son chemisier. Le visage cramoisi, sans nous regarder, elle lâche un faible : « Je suis désolée » avant de sortir sur la terrasse avec une poignée de fourchettes à dessert. Mathieu est toujours assis dehors, il tripote son cellulaire et n'a rien vu de la scène. Charlotte demande à sa mère pourquoi elle lui a caché les yeux et Magalie dit qu'il y avait une énorme araignée.

— Mais on l'a tuée, ne t'inquiète pas, mon cœur, ajoute mon père avec un rire.

J'ai envie de lui dire que rien de cela n'est drôle, mais peut-être est-il mal à l'aise après tout, car sans détacher son regard du plancher, il prend le carton de lait dans le réfrigérateur et l'emporte dehors. Julianne sort, suivie de Charlotte. Sa mère ne bouge pas. Soudain, ses yeux se gonflent de larmes.

— Ça va ? que je lui demande sans pouvoir me retenir de poser ma main sur son bras.

— Ton père est le premier chum de ma mère depuis que mon père est mort, laisse-t-elle tomber au bout de quelques secondes.

— Je suis désolé.

— C'est pas de ta faute. Faut juste que je m'habitue.

Magalie renifle et parvient à retenir ses larmes, mais juste au cas où, je déchire une feuille d'essuie-tout du rouleau sur le comptoir et la lui tends. Elle la plaque sur ses yeux et appuie fort, comme pour stopper une hémorragie.

Bien entendu, Karine ne manque pas de me signifier que je suis en retard lorsque je raccompagne Julianne chez elle à dix heures moins quart. J'ai beau lui dire que le pont Champlain était congestionné et qu'il y avait un accrochage sur l'autoroute 30, elle me rappelle les faits : avec la rentrée au secondaire de Julianne, n'étions-nous pas convenus de faire en sorte qu'elle soit au lit au plus tard à neuf heures trente tapantes tous les soirs ?

— À quoi ça sert de s'entendre sur des choses si, après, on ne les respecte pas ?

— Relaxe, *mom* ! lui dit Julianne. Je suis pus un bébé.

Karine soupire, puis elle se penche pour examiner le visage de Julianne d'un peu plus près. Une dizaine de pustules rouges gonflent son épiderme, principalement sur son front et ses joues.

— Lâche-moi, proteste Julianne en reculant pour échapper au regard de sa mère.

— Vous êtes-vous encore bourrés de charcuteries toute la fin de semaine ? me demande Karine, mécontente. C'est pas bon pour sa peau.

Ma fille me serre dans ses bras et me souhaite une bonne nuit, puis elle se dirige vers sa chambre avec sa valise, mais je sais très bien ce qu'elle s'en va faire et j'exerce mon autorité paternelle pour la dernière fois de la semaine :

— Ju ! Laisse ton cell dans le salon !

Elle me fusille du regard, sort son appareil de la poche arrière de son jean, le lance sur le canapé, puis la porte de sa chambre claque derrière elle. Je fais les gros yeux à Karine :

— Elle s'est réabonnée à Snapchat.

— Ça l'aide à oublier son acné.

— Eille ! tonne Julianne en rouvrant brusquement la porte de sa chambre. J'ai pas tant de boutons que ça ! C'est vous qui m'en donnez.

Sa porte claque de nouveau.

— Toutes ses amies sont là-dessus, continue Karine. Et puis on va devoir lâcher prise un moment donné.

— C'est-tu ça qu'ils disent dans tes livres d'éducation moderne ?

— C'est quoi ton ostie de problème ?

Je hausse les épaules. Même après sept ans de séparation, notre aptitude à communiquer convenablement stagne encore dans sa phase de rodage. Toutefois, j'interviens assez souvent dans des cas de violence conjugale pour savoir qu'il y a des situations pires que la nôtre : chez certains ex-conjoints, le sang coule pour de vrai. Or il serait étonnant que Karine et moi, nous nous foutions des baffes un de ces jours puisque nous avons été capables de nous en abstenir jusqu'ici. Dans son petit condo, il flotte une odeur d'oignons frits et de bœuf haché. Karine est vêtue d'un pantalon de yoga et d'une camisole ; je devine qu'elle est rentrée de chez François en fin de matinée, qu'elle a pris un bain après avoir fait un saut au gym, puis qu'elle a passé le reste de la journée à accomplir différentes tâches ménagères, comme faire une sauce à spaghetti ou une soupe aux légumes pour pouvoir garnir la boîte à lunch de Julianne durant la semaine. Je lui refile le chèque pour le cours de natation ; elle vérifie le montant avant de le glisser sous la taille élastique de son pantalon.

— Merci, dit-elle. Ju t'a annoncé la nouvelle pour le club de compétition ?

— Quel club de compétition ?

— Tu te souviens pas que des coachs sont allés voir

son groupe nager au mois de juillet ? Je t'avais transféré le courriel. Eh bien, finalement, elle a été acceptée. Elle commence la natation de compétition en janvier.

— On en reparle ?

— Pourquoi ? Sa décision est prise. Ça lui tente. Tu vas pas empêcher ta fille de faire du sport ?

Le chemin à parcourir entre chez Karine et chez moi est court, cinq ou six minutes de voiture, mais ce laps de temps est suffisant ce soir pour me laisser mesurer à quel point je n'ai aucun contrôle sur ma vie. Un club de compétition de natation, mais pour quoi faire ? Depuis quand devient-on un espoir olympique à douze ans ? Une vraie lubie. J'essaie d'être fier de Julianne, de me réjouir de son ambition : la discipline exigée par le sport lui mettra les valeurs à la bonne place, et chaque minute passée dans l'eau sera une minute de moins dans les limbes de son téléphone. Certes. Mais moi, là-dedans ? Mon projet de quitter Sainte-Julie et de retourner vivre à Montréal n'est plus réaliste. Je m'étais dit que j'attendrais sa deuxième année de secondaire, afin qu'elle soit vraiment à l'aise de prendre le métro et l'autobus toute seule pour se rendre à son collège de Saint-Lambert. Mais si, dès janvier prochain, ma fille doit se lever plus tôt que le soleil plusieurs matins par semaine pour aller s'entraîner au complexe sportif de Sainte-Julie avant d'aller à l'école, ce scénario n'est plus envisageable. Me voilà de nouveau enchaîné à la Rive-Sud, ce territoire où pullulent les jeunes familles, où il est bien difficile de convaincre une fille rencontrée en ville de venir passer la nuit, et où les embouteillages sur les ponts créent des problèmes de santé mentale.

J'essaie tout de même de voir le bon côté des choses quand je stationne ma voiture dans le garage. Je me dis : « Un garage double, mon gars, tu pourrais jamais te payer ça en ville ! » Je coupe le moteur, monte l'escalier, traverse le salon, cale un verre d'eau dans la cuisine. Julianne a oublié de ranger le pot de mayonnaise au réfrigérateur quand elle s'est préparé un sandwich à la mortadelle ce midi : je ne prends aucun risque et le jette à la poubelle. Par la baie vitrée, je vois l'eau de la piscine onduler au clair de lune, et bien que l'air soit frais et que j'aie éteint le chauffe-eau ce matin, je me déshabille, laisse mes vêtements en tas devant la cuisinière, fais coulisser la porte-fenêtre, avance sur le patio et plonge. « Pas juste une piscine, mon gars, mais une piscine à l'abri des regards de tes voisins pour te permettre de te baigner tout nu quand tu veux, ça non plus tu pourrais jamais te payer ça en ville. » L'eau est froide, je fais quelques longueurs pour me réchauffer, puis m'immobilise en faisant la planche, le regard perdu dans le ciel troué d'étoiles.

Il y a quelques années, à l'occasion d'une sortie scolaire, j'avais accompagné la classe de Julianne à l'Observatoire du Mont-Mégantic. Le scientifique responsable de l'animation nous avait appris que plusieurs étoiles qu'il admirait la nuit à l'aide de son télescope étaient en réalité déjà mortes, car même si la lumière voyage à une vitesse folle, à l'échelle de l'Univers, c'est-à-dire des milliards de kilomètres, cela équivaut à des pas de tortue.

Entre le moment où l'étoile émet de la lumière et celui où celle-ci nous parvient, il s'est peut-être écoulé des milliers d'années, de sorte que nous pouvons seulement observer l'étoile comme elle était à l'époque, et non comme elle est à présent, car il y aurait alors de fortes chances que nous n'apercevions plus rien, l'étoile étant peut-être disparue depuis longtemps. Quelques jours plus tard, j'avais partagé cette leçon d'astronomie avec Jérémie, mon *partner*, durant une patrouille de nuit aux abords du parc La Fontaine. « C'est fucké en maudit », avait-il soupiré en observant le firmament.

Je reste là, à flotter, à regarder ces centaines de points lumineux suspendus à des milliards de kilomètres au-dessus de mon corps, et tout à coup, je me demande si je ne suis pas mort depuis belle lurette, moi aussi, même si les gens autour continuent de me voir.

Puis je ferme les yeux. Le ciel étoilé demeure imprimé sur ma rétine, à la seule différence que s'y superpose maintenant le visage de Magalie.

Jeudi 22 septembre

Romane,

Peux-tu relire cette recette ? Il faudrait qu'elle paraisse sur le blogue de Sous la dent *demain après-midi au plus tard (et qu'elle figure en gros titre dans la* newsletter*).*

Merci,

Isa

Biscuits sans farine au beurre d'arachide et aux pépites de chocolat noir

Végétalien, sans gluten, sans œuf, sans lactose (mais plein de fun !), option sans noix, option sans soya, parfait pour les enfants (et votre homme), se congèle

Temps de préparation : 15 minutes
Temps de cuisson : 12 à 14 minutes
Quantité : 12 biscuits

Quand j'ai rencontré Olivier, il y a quatre ans, il mangeait des Reese's Pieces tous les jours. Beurk. Mais au lieu de voir ça comme un deal breaker, j'ai mis au point cette recette pour lui offrir un en-cas tout aussi savoureux qui marie les goûts onctueux du beurre d'arachide et du chocolat, mais qui est exempt de tous ces mauvais sucres et glucides raffinés, colorants et agents de conservation que l'on retrouve dans les confiseries industrielles. Pour la petite histoire, mon homme m'a demandée en mariage moins de vingt-quatre heures après avoir goûté pour la première fois à ces merveilles. Un hasard ? Noooon ! Par ailleurs, si vous craignez d'en avoir trop, ils se congèlent. (Transparence totale : vous n'en aurez JAMAIS trop ! Perso, je pourrais engloutir les douze biscuits à leur sortie du four.)

Il va sans dire que la réussite de cette recette dépend de la qualité du beurre d'arachide que vous utilisez. Idéalement, faites votre beurre d'arachide maison dans un mélangeur puissant de type Vitamix (cet appareil n'est pas donné, mais il en vaut la peine : c'est comme avoir le Saint Graal dans sa cuisine). Si vous n'avez pas le temps ou si vous n'êtes pas outillée pour faire votre beurre d'arachide maison, alors de grâce, optez pour un beurre d'arachide biologique et naturel et remuez-le bien avant de le mesurer afin que les gras se mélangent à la matière solide. Gardez en tête que si vous utilisez du beurre d'arachide fabriqué en usine, du genre auquel on ajoute des sucres et des huiles, ces biscuits ne seront pas aussi divins. Une femme avertie en vaut deux.

P.-S. – Pour une version sans noix (pensons aux boîtes à lunch des enfants !), on substitue au beurre d'arachide de la tartinade de fèves de soya grillées, qui imite presque parfaitement le goût du beurre d'arachide. Essayez-le.

Ingrédients

- 1 c. à soupe de graines de lin moulues
- 3 c. à soupe d'eau
- ½ tasse de noix de coco râpée non sucrée
- ½ tasse de flocons d'avoine à cuisson rapide sans gluten
- ½ tasse de sucre de noix de coco
- 1 c. à thé de levure chimique sans aluminium
- ½ c. à thé de sel fin
- ¼ tasse de pépites de chocolat noir mi-amer sans lactose
- ½ tasse de beurre d'arachide crémeux naturel (voir introduction)
- 1 c. à thé d'extrait de vanille de Madagascar
- 2 c. à soupe de sirop d'érable du Québec

Préparation

1. Préchauffez le four à 180 °C (350 °F). Tapissez une plaque à biscuits de papier parchemin brun (le papier brun n'est pas blanchi à la dioxine, donc il est plus écolo).

2. Mélangez l'eau et les graines de lin moulues. Laissez reposer quelques minutes. J'en conviens, cette substance n'est pas très appétissante, mais elle remplace les œufs dans la recette.

3. Dans un autre bol, mélangez les flocons de noix de coco, les flocons d'avoine, le sucre de noix de coco, la levure chimique, le sel et les pépites de chocolat.

4. Ajoutez le beurre d'arachide, la vanille et le sirop d'érable au mélange de graines de lin et brassez. La pâte sera très épaisse.

5. Ajoutez les ingrédients humides aux ingrédients secs et mélangez jusqu'à l'obtention d'une belle pâte. Comme votre grand-mère, vous aurez sûrement besoin de la pétrir avec vos mains !

6. Formez 12 petites boules avec la pâte obtenue et disposez-les délicatement sur votre plaque à biscuits en prenant soin de laisser 2 ou 3 pouces entre chacune (elles vont prendre de l'expansion en cuisant, tout comme votre ego après la réalisation de ces biscuits).

7. Enfournez de 12 à 14 minutes et vérifiez la cuisson en cours de route (rappelez-vous toujours que les fours sont comme les enfants : ils sont tous différents !). Laissez tiédir quelques minutes sur la plaque. Un truc pour vous aider à patienter : prenez ces merveilles en photo et faites des jalouses sur Instagram, LOL. Et puis voilà : savourez.

Conservation : dans un contenant hermétique, au réfrigérateur, 4 ou 5 jours. Ou enveloppés individuellement dans du papier aluminium, au congélateur, jusqu'à un mois.

Allô Isa,

Wow ! Ces biscuits ont l'air super bons !

J'ai corrigé quelques fautes d'orthographe ici et là. Mais c'est surtout un autre détail qui m'embête : dans l'intro, tu dis qu'Olivier t'a demandée en mariage moins de vingt-quatre heures après avoir goûté à ces biscuits. Or, dans ton livre, tu dis dans l'intro de ta recette d'orgetto à la courge musquée et à la sauge que c'est après avoir goûté à ce plat qu'Olivier s'est mis à genoux. Je ne pousserai pas l'indiscrétion jusqu'à te demander laquelle de ces deux anecdotes est vraie, mais je te recommande évidemment de supprimer de l'intro de la recette de biscuits l'allusion à la demande en mariage, sinon tes lectrices pourraient se rendre compte comme moi de cette petite redondance romantique.

J'ai reçu les chiffres concernant l'affluence sur le blogue de Sous la dent *cette semaine : plus de 83 462 visiteurs. Incroyable : c'est 12 % de plus que la semaine dernière. Je crois que l'effet de ton livre commence à se faire sentir. Nous avons également 18 309 nouveaux abonnés à la* newsletter *hebdomadaire. Bien entendu, ils ont presque tous répondu à notre petit sondage de bienvenue afin de se prévaloir des 10 % de réduction sur le prix d'achat du livre en ligne. La tendance se confirme : plus de 82 % de ces nouveaux abonnés sont des femmes âgées de 25 à 45 ans et elles ont au moins un enfant. Bref, des jeunes mères de famille, qui semblent voir en toi un modèle inspirant.*

J'attends tes indications avant de procéder à la coupure mentionnée plus haut. Entre-temps, bravo encore pour cette nouvelle recette. Je vais faire ces biscuits ce week-end, même si je n'ai pas d'homme à la maison pour me demander en mariage après y avoir goûté.

Sérieusement, un mari qui t'aime, un bébé en bonne santé, une entreprise en plein essor : te pinces-tu, des fois ?

Ciao,

Romane

3

Magalie

Vendredi 30 septembre

Olivier et moi quittons la demeure centenaire sise aux abords du lac Massawippi. Alain et Robert, le couple de propriétaires, sont ravis. Leur cuisine est telle qu'ils l'avaient rêvée : fonctionnelle tout en conservant ce look hybride mi-urbain, mi-campagnard, qui s'accorde au style colonial de la maison, dans une aire ouverte inondée de lumière. Il y a eu un pépin avec leur lave-vaisselle, résultat d'une mauvaise manipulation de leur plombier ; rien à voir, donc, avec le travail effectué par les installateurs de Penture et notre équipe de sous-traitants. Nous leur avons remis le panier de cadeaux réservé à nos clients VIP, c'est-à-dire une planche à découper en bois de cerisier, une bouteille d'huile d'olive espagnole, et deux tabliers en lin ornés du logo de la compagnie ; à ce paquet, nous avons ajouté un exemplaire de *Sous la dent* autographié par Isabelle.

Olivier a pris plusieurs photos, lesquelles iront illustrer la section « Nos réalisations » du site Internet de Penture et notre compte Instagram. Il ne me les a pas encore montrées, mais avec le soleil d'automne qui dardait ses rayons sur les armoires et les tablettes en noyer, l'évier tablier en porcelaine, la cuisinière à double voûte bordeaux La Cornue aussi large qu'un piano, la cheminée à hotte en cuivre et les comptoirs en pierre de savon, elles sont sans doute très jolies. Je pressens que nos futurs clients seront nombreux à me demander de m'inspirer de ce projet pour concevoir leur cuisine.

Le tableau me semble idyllique : encadrés par deux pots de chrysanthèmes orangés et accompagnés de Victoria, leur golden retriever, qui sautille et se roule dans des feuilles mortes dont les reflets ocre s'accordent à son pelage, Alain et Robert nous font un salut de la main. Olivier et moi leur rendons la pareille tandis que la jeep de Penture recule dans l'allée bordée de conifères géants. Les cailloux crépitent sous les pneus.

— Ils ont l'air heureux, glisse Olivier.

— Vraiment.

Nous le sommes aussi : avec une facture s'élevant à plus de quatre-vingt-cinq mille dollars, cette cuisine figure parmi nos projets les plus importants de l'année. Règle générale, pour peu qu'on souhaite récupérer cet argent à la vente de sa maison, on ne devrait pas investir plus de dix pour cent de son coût total dans la rénovation de sa cuisine. J'ignore si Alain et Robert ont respecté cette règle non écrite ; rares sont mes clients à le faire. Car peu importe le type d'habitation dont il s'agit

– cottage, condo, chalet –, la cuisine, bien souvent, en est le cœur. Dès lors, il est logique que les gens soient prêts à débourser pour cette pièce maîtresse de leur maison beaucoup plus d'argent que le bon sens ne le prescrit. Du moins, c'est ce que j'observe au quotidien : le plaisir finit toujours par l'emporter sur la rentabilité. D'ailleurs, la semaine dernière, une nouvelle étude nous apprenait – un journaliste en a même parlé à la radio – que les Américains dépensent chaque année pour leur cuisine (depuis le thermomètre à viande jusqu'aux comptoirs en marbre) plus de soixante-sept milliards de dollars. Un chiffre énorme, équivalant au double de ce qu'ils paient en frais de garde d'enfants. Pour toutes sortes de bonnes et de mauvaises raisons – fonctionnalité, esthétique, rang social –, les gens sont de plus en plus obsédés par leur cuisine, et si j'aime tant les accompagner dans cette folie, c'est parce que cet espace, au-delà de son design, incarne à mes yeux la quintessence du foyer. Comme l'affirmait un de mes professeurs d'université : c'est dans la cuisine, plus que dans toute autre pièce d'une maison, que les gens non seulement se rassemblent, mais prennent plus de la moitié des décisions importantes de leur vie. Quand je conseille des clients, j'ai toujours cela en tête : c'est peut-être devant ce garde-manger aux tablettes coulissantes qu'ils vont choisir le prénom de leur bébé ou la destination de leur prochain voyage. Ainsi, même si certains peuvent juger mon métier superflu – après tout, il est vrai que depuis la domestication du feu, il y a de cela des centaines de milliers d'années, aucune *réelle* révolution n'est survenue en cuisine –, moi, je le trouve assez important pour vouloir encore sortir de mon lit tous les matins.

— As-tu envie d'écouter quelque chose en particulier ? me demande Olivier.

Je prends le iPod dans le compartiment entre nos deux sièges et je fais défiler la liste d'artistes, puis je sélectionne Daft Punk. Les premières notes électroniques coulent des haut-parleurs. Je remets l'appareil à sa place puis, tout à coup, Olivier saisit ma main et la dépose sur sa cuisse.

— Tu fais quoi ?

Il sourit et exerce une pression sur ma main pour que je ne la retire pas.

— Je sais pas, dit-il sans quitter la route des yeux. Quand je te regardais leur remettre les cadeaux... dans ta robe rouge... j'y pense depuis tantôt.

— On a dit qu'on voulait arrêter ça.

— Ça me rappelle trop de souvenirs. Tu portais la même robe quand on est venus ici la première fois.

— Je l'ai achetée la semaine dernière.

— En tout cas, le rouge te va bien.

Je parviens à dégager ma main.

— Charlotte commence un rhume. Elle toussait beaucoup ce matin. Je veux aller la chercher à l'école avant quatre heures.

— On va être en ville à trois heures, gros max, promis. *Com'on*, Maggy. C'est la dernière fois qu'on va venir ici.

— On n'a pas de condoms.

— Y a une pharmacie au village.

— Tu sais que j'ai passé un test de dépistage pour les MTS ?

— Pourquoi ? Quand ça ?

— Après qu'on a baisé pas de condom au lancement d'Isa.

— Je couche avec personne d'autre que toi.

— J'ai vu comment la fille des comptoirs de granit te regardait l'autre jour.

— Je peux pas contrôler l'effet que je fais aux femmes. C'est de ton chum que tu devrais te méfier.

— La dernière fois que j'ai vérifié, il traînait toujours des capotes dans son sac de gym. Mathieu a eu une chlamydia à l'université et ça l'a traumatisé. C'est la fille de la ministre de la Condition féminine qui la lui avait refilée.

— Très drôle. Au moins, c'était pas l'herpès : il en aurait eu pour toute sa vie. Le cousin d'Isabelle est médecin et il disait l'autre jour qu'il y a de plus en plus de gens qui ont ça maintenant. C'est dégueulasse.

— Vous avez de belles discussions dans vos soupers de famille. En tout cas, mon médecin m'a dit que j'avais rien, donc sans doute que toi non plus.

— Alors pas besoin de détour à la pharmacie ? Oui ? On arrête à l'auberge. Juste pour boucler la boucle.

Olivier tourne à gauche. Une autre route de campagne, un peu plus étroite celle-là, s'allonge devant nous. Des arbres, dont les feuilles ont déjà pris les teintes rouillées de l'automne, la bordent comme un rideau, lequel s'ouvre ici et là sur des maisons de plain-pied à la peinture écaillée, aux allées jonchées de jouets d'enfant décolorés et de tas de ferraille. Un autre visage de la vie rurale, loin des résidences secondaires cossues. Doucement, je redépose ma main sur la cuisse d'Olivier ; sous son jean, ses muscles tressautent. Nous nous sourions. Ses joues sont picotées de poils drus, ses yeux bleus pétillent de désir et j'ai soudain envie de lui donner raison. On ne reviendra sans doute pas de sitôt dans ce coin des Cantons-de-l'Est, et puisque c'est ici que notre histoire a commencé, pourquoi ne pas *vraiment* y mettre un terme au même endroit ? Je fais glisser ma main entre ses jambes et il pousse un gémissement. Je ne déteste pas avoir un tel pouvoir sur Olivier, surtout depuis que ce même pouvoir m'échappe avec Mathieu. Ce n'est pas que Mathieu et moi ne faisons plus l'amour. Mais depuis ma découverte de son infidélité, nos ébats me semblent contribuer simplement au maintien des apparences. Au loin, j'aperçois le panneau de bois peint à la main indiquant qu'il ne nous reste que deux kilomètres à parcourir pour atteindre l'auberge.

C'est une tempête de neige qui nous avait contraints à nous y arrêter au mois de février dernier. Nous sortions de notre première visite chez Alain et Robert, qui avaient entendu parler de Penture par des copains dont nous avions rénové la cuisine dans le Vieux-Montréal. Nos futurs clients avaient été honnêtes avec nous : ils comptaient demander des soumissions à trois autres cuisinistes, dont l'un avait pignon sur rue dans le chic quartier new-yorkais de SoHo. Dans quelques années, ils vendraient leur cottage du Mile End et s'installeraient ici à temps plein : ils étaient donc très tatillons et recherchaient la perle rare. Olivier et moi étions assez rompus à ces visites inaugurales chez des clients pour ne pas nous laisser démonter par l'évocation de quelque concurrent. Fils d'un entrepreneur général qui lui avait tout appris de son métier, Olivier, dans nos projets, avait pour rôle d'identifier les éléments structuraux des maisons qui étaient susceptibles d'influer sur la rénovation de la cuisine. Par exemple, ce matin-là, il avait appris à Alain et Robert qu'il ne serait peut-être pas si simple d'abattre l'arche qui séparait leur cuisine de la salle à manger, car il s'agissait d'un mur porteur. Même chose pour le plafond, dont le décroché dissimulait un conduit de cheminée : quelques travaux supplémentaires seraient nécessaires s'ils souhaitaient l'éliminer. Quant à moi, j'avais expliqué à Alain et Robert comment j'imaginais la métamorphose de leur espace. À mon avis, il faudrait percer le mur du fond pour agrandir la fenêtre avec vue sur le lac et pouvoir jouir de la plus belle lumière naturelle possible. Je leur recommandais également d'arracher les panneaux de gypse qui recouvraient les murs pour exposer la pierre des champs qui se trouvait derrière. Ouvrir le plafond afin que les solives en bois de pruche soient apparentes était aussi une idée qui s'accordait bien avec l'esprit champêtre qu'ils souhaitaient donner à leur cuisine. Pour la surface de travail de leur îlot – îlot que j'imaginais surdimensionné puisque l'espace le permettait –, Alain et Robert s'étaient montrés intrigués par la pierre de savon, dont ils n'avaient jamais entendu parler. Il avait suffi que je leur explique que cette pierre était un matériau pour ainsi dire vivant puisqu'il changeait de teinte au fil des ans pour les voir écarquiller les yeux d'émerveillement. Bref, Olivier et moi étions ressortis de cette rencontre avec le sentiment de leur avoir fait bonne impression. Aussi, un peu grisés par la somme que ce contrat nous rapporterait si nous le décrochions, nous n'avions pas fait grand cas de l'épaisse couche de neige qui s'était accumulée sur la jeep en moins de deux heures. Le ciel était sombre, la route glissante, et des giclées de neige fondante s'abattaient sur le pare-brise. Olivier conduisait lentement, les essuie-glace à fond, et la hauteur de la jeep nous procurait un certain sentiment, sinon d'invulnérabilité, du moins de sécurité. Toutefois, après avoir dérapé sur une plaque de glace et failli nous retrouver au fond d'un fossé, nous avions jugé plus sage de nous réfugier dans n'importe quel lieu où il nous serait possible d'attendre l'accalmie. L'auberge était d'un style vieille Angleterre, un peu vétuste mais sympathique : des photographies en noir et blanc de matchs de polo et de cricket ornaient les murs du bar et sur des tablettes des services à thé en porcelaine ébréchée accumulaient la poussière. À part un couple d'Américains grisonnants à la taille ceinturée de sacs banane, les lieux étaient déserts, et le barman, un homme sans âge qui s'occupait aussi de la réception, nous avait préparé des sandwichs et des gin tonics. Si j'avais encore été l'employée d'Olivier, comme à mes débuts chez Penture quatre ans plus tôt, les choses se seraient déroulées autrement; je me serais peut-être, comme on dit, gardé une petite gêne. Mais depuis bientôt trois ans, j'étais devenue leur associée, à Isabelle et à lui, de telle sorte qu'après mon deuxième gin tonic j'avais raconté à Olivier ce qui m'était arrivé la veille. Mathieu m'avait laissé la voiture afin que je puisse accompagner Charlotte chez le dentiste, dans le quartier Côte-des-Neiges, après sa journée à la garderie. En chemin, elle avait renversé sur son manteau la quasi-totalité du tube de boisson au yogourt que je lui avais donné comme collation. Immobilisant la Passat dans le stationnement d'une boucherie halal, j'avais cherché des mouchoirs dans mon sac pour éponger le dégât, en vain, me surprenant moi-même d'être si mal équipée pour ce genre d'incident, qui survenait pourtant fréquemment avec ma fille. J'étais donc allée vérifier si nous n'avions pas des chiffons dans le coffre de la voiture. En voyant le sac de sport Adidas que Mathieu utilisait pour aller au gym, je n'avais pas hésité à l'ouvrir, persuadée d'y trouver une serviette de bain. Les pleurs de Charlotte s'intensifiaient tandis que ma main fouillait les entrailles du sac. Un emballage cartonné avait attisé ma curiosité ; j'avais tiré dessus, et c'est ainsi que j'avais découvert cette boîte de Trojan déjà bien entamée, et qui contenait, outre les quelques spécimens restants, la photo d'une fille nue dans le contre-jour d'une fenêtre. Ses cheveux ondulés lui couvrant partiellement le visage, une main dans la bouche, l'autre cramponnée à son sexe, elle bombait sa petite poitrine aux mamelons durcis. Dans le stationnement, un homme venait de descendre d'une camionnette et transportait des carcasses d'animaux sanguinolentes suspendues aux crochets d'un chariot à roulettes. S'il n'y avait pas eu les cris de Charlotte, j'ignore combien de temps je serais restée ainsi au beau milieu de ce décor à me demander quel tournant ma vie allait prendre, car c'était clair que plus rien ne serait jamais pareil. J'avais tout remis en place dans le sac, fait claquer le coffre de la voiture plus fort que nécessaire, puis essuyé finalement avec mon foulard de laine le manteau et le cou de Charlotte. Moins de vingt-quatre heures plus tard, tandis que je faisais le récit de cette mésaventure à Olivier, des larmes s'étaient mises à couler sur mes joues. « Tu es la première personne à qui j'en parle. Je ne sais pas quoi faire. J'ai regardé le site Internet du cabinet d'avocats de Mathieu et j'ai reconnu la fille de la photo : c'est une de ses collègues. » Olivier était un peu gêné, et après m'avoir consolée de son mieux – « C'est sûrement un feu de paille » –, il avait admis être bien mal placé pour me conseiller sur ma vie de couple puisque la sienne, contrairement aux apparences, ne pouvait en aucun cas être considérée comme un modèle de réussite : « La dernière fois qu'on a baisé, Isa était enceinte de deux mois. Mikaël va avoir un an la semaine prochaine. Es-tu bonne en maths ? » Dehors, la neige se déchaînait et opacifiait comme un store la fenêtre à carreaux. L'horloge en fer forgé près de la patère indiquait presque trois heures. Olivier s'était levé pour appeler Isabelle et lui faire savoir qu'il ne serait pas de retour pour souper en raison des mauvaises conditions routières ; j'avais avisé Mathieu de la même situation par message texte, en me tamponnant le coin des yeux à l'aide d'une serviette de table, et lui avais demandé d'aller chercher Charlotte à la garderie. Olivier était revenu s'asseoir avec un petit panier en osier rempli d'arachides en écales et nous avions commandé d'autres gin tonics. Ses yeux étaient d'un bleu horizon très doux, et ses cheveux bruns tout ébouriffés, dans lesquels il passait sa main sans arrêt, lui donnaient l'allure d'un mauvais garçon. Ce détail contrastait avec le style propret de Mathieu, que sa profession lui imposait. Aussi je ne sais plus lequel de nous deux, Olivier ou moi, avait eu l'idée environ une heure plus tard de louer une chambre à l'étage pour aller y faire une sieste, mais je me souviens qu'en montant les escaliers en bois qui craquaient sous nos pas, je ne pensais pas trop à dormir. Et Olivier pas plus que moi, comme j'allais l'apprendre une fois la porte de la chambre refermée derrière nous. « On peut se rendre service, m'avait suggéré Olivier en m'attirant contre lui. Ton couple, c'est de la chnoute, le mien aussi. On a juste à ne pas s'attacher. » Cette proposition m'avait semblé honnête, et elle avait tenu le coup plusieurs mois. Notre liaison n'était soumise à aucune logistique sophistiquée de dissimulation : elle dépendait si peu des moyens de communication modernes qu'on se serait crus dans les années 1950. Olivier et moi saisissions simplement les occasions de rapprochement lorsqu'elles se présentaient, par exemple quand nous venions superviser les travaux de notre projet du lac Massawippi, ou encore quand nous étions les derniers à quitter les bureaux de Penture. Ce secret était devenu mon refuge : dès que montait en moi la rage de savoir que Mathieu me trompait, je pensais à Olivier, à notre dernière rencontre et à celle qui viendrait, et je me sentais apaisée. Étrangement, j'avais parfois l'impression que mon histoire avec Olivier me rapprochait de Mathieu : cette liaison, après tout, ne m'accordait-elle pas une fenêtre avec vue sur la psyché masculine et toute sa complexité ? En juillet, avant les vacances de la construction, Olivier m'avait fait part de son désir de mettre un terme à notre relation. Il souhaitait profiter d'un voyage familial en Italie pour, disait-il, « reconnecter avec Isabelle ». À la réouverture de Penture au début du mois d'août, je m'étais bien doutée que la passion n'avait pas été au rendez-vous. Isabelle m'avait raconté avoir passé ses vacances à arpenter les marchés publics de Toscane en quête de l'olive parfaite et à apprendre, auprès d'une authentique *mama* italienne, comment faire sécher des tomates au soleil selon une méthode ancestrale. Et puis Mikaël avait souffert d'une otite.

Olivier pousse quelques gémissements sous les pressions de ma main, qu'il saisit ensuite pour l'emmener à sa bouche. Il embrasse mes doigts délicatement, un à un, et la tiédeur de son souffle caresse ma peau. Sophie Hyndman est rentrée d'Espagne la semaine dernière et je me demande si Mathieu a rendez-vous avec elle aujourd'hui. Il y a longtemps que je n'essaie plus de l'en empêcher avec des méthodes désespérées, comme aller le rejoindre à l'improviste dans sa tour du centre-ville sous prétexte que je suis dans le coin et que ce serait chouette qu'on aille luncher. Je les imagine en train de s'arracher leurs vêtements dans un recoin sombre de la Place-Ville-Marie, un escalier de secours peut-être, car ils ne doivent pas se payer chaque fois une chambre au W – j'ai déjà trouvé une facture de cet hôtel, et sans doute en existe-t-il d'autres, mais quand même pas des masses, car à ce prix-là la location mensuelle d'un condo dans Griffintown, à quelques minutes du centre-ville, leur reviendrait moins cher. Olivier dépose sa main sur mon genou et remonte le tissu de ma robe jusqu'à ma taille, et tout à coup, je me rends compte que je n'aurais envie d'être nulle part ailleurs que dans cette voiture, et cela me donne presque la force de pardonner à Mathieu. Car je me demande si, à quarante ans, avec toutes ces responsabilités qui nous déboulent dessus quand on devient parent, l'utilité principale d'avoir un boulot à l'extérieur de la maison, au-delà de nous fournir un revenu stable, n'est pas de nous permettre de cultiver un territoire personnel, un territoire dont on demeure le maître, qui n'appartient qu'à nous, et à l'intérieur duquel on peut régresser, être libre, séduire, et s'offrir des aventures extraconjugales ; comme une sorte de terrain de jeux. C'est en tout cas une théorie à laquelle mon esprit s'agrippe soudainement, car je ne suis pas amoureuse d'Olivier, mais rien ne me garantit que Mathieu n'est pas amoureux de Sophie Hyndman.

La jeep tourne à droite et s'enfonce dans l'allée en gravier ; à travers les arbres, on distingue vaguement les corniches de l'auberge. Un frisson me parcourt le corps et je me cale davantage dans mon siège, mais le téléphone se met à sonner, interrompant à la fois la musique électro dans les haut-parleurs et les caresses d'Olivier. Il retire sa main de ma petite culotte et appuie sur le bouton Bluetooth de son volant :

— Allô ?

— Oli ? T'es où ?

La voix d'Isabelle est survoltée, gorgée de nervosité.

— Je suis en voiture avec Magalie. Qu'est-ce qui se passe ?

— Allô Magalie !

— Allô !

— Je vais faire la couverture du numéro de Noël du *Châtelaine* ! Je capote ! *Sous la dent* est vraiment en train de devenir *big*. Romane est partie acheter du champagne, venez-vous-en, on va fêter ça.

— Wow, félicitations, que je lui dis.

— C'est super ! lâche Olivier.

— Je capote, je capote, c'est comme un rêve ! Dans combien de temps allez-vous être là ?

Olivier m'interroge du regard. Je redescends le tissu de ma robe sur mes cuisses pour lui signifier que le changement de programme n'est pas si grave. Il fait un virage dans le stationnement de l'auberge où ne se trouvent que deux autres voitures, puis on reprend l'allée en gravier en direction de Montréal.

— Dans à peu près une heure et quart, dit-il. On va se grouiller.

— Oui, grouillez-vous ! Je capote ! Bye !

La musique se remet à sortir des haut-parleurs. Je saisis mon téléphone dans mon sac et réponds à quelques courriels de clients et de fournisseurs. Un peu avant d'atteindre l'autoroute, Olivier brise le silence et me demande :

— C'est quoi au juste, le *Châtelaine* ?

— Tu me niaises ?

— Ben quoi ?

Je soupire :

— C'est un magazine.

Un tintement me fait sursauter ; j'ai dû m'assoupir. La jeep file sur le pont Champlain, au-dessus des eaux noires du fleuve Saint-Laurent. À notre droite, des ouvriers aux habits jaune criard s'activent sur les plate-formes de construction du futur pont, au milieu de grues et de pylônes de béton qui sortent de l'eau comme autant d'ailerons de requins géants. J'observe la Place-Ville-Marie, qui scintille sous le soleil. J'essaie de repérer le cabinet de Mathieu. J'y suis allée une fois, à l'occasion d'une fête de Noël, je sais que les bureaux de Blitt Cantin Ségur sont situés au vingt-huitième étage, dans l'aile ouest de la tour. Peut-être Mathieu est-il assis à son bureau, en train de regarder le pont. Peut-être pense-t-il à moi, regrettant son égarement. Peut-être est-ce lui qui m'a envoyé ce message qui vient de me réveiller. Peut-être veut-il me suggérer de faire garder Charlotte ce soir pour qu'on aille au restaurant en tête-à-tête.

Je cherche mon téléphone. Il a glissé sous mes fesses. Le message ne provient pas de Mathieu. Pour la troisième fois en deux semaines, c'est encore ce numéro inconnu. Je lis : « *C'est vrai que tu es une mauvaise personne.* »

— Bien dormi ? demande Olivier. Ça va ?

Il m'a sans doute vue grimacer en lisant le message. Je tente de cacher mon trouble et émets un faible « oui, oui ». Pourtant, je ne comprends pas ce qui se passe. Après avoir reçu un premier message texte en provenance de ce numéro inconnu il y a trois semaines – « *Tu ne devrais pas faire ça* » –, j'en ai reçu un deuxième quelques jours plus tard : « *Nos actions sont le reflet de nos valeurs; les tiennes sont laides.* » Cette fois, je n'avais pas hésité à répondre : « *Vous avez le mauvais numéro et la mauvaise personne, SVP arrêtez de m'envoyer vos messages.* » Ceux-ci avaient cessé, me laissant croire que le problème était réglé. Le fil de la conversation est affiché sur l'écran de mon téléphone. Pourquoi cette personne persiste-t-elle à m'écrire bien que je l'aie avisée de son erreur ? Est-ce réellement à moi que s'adressent ces messages ? Je lève la tête vers Olivier :

— Es-tu certain qu'Isa ne se doute de rien à propos de nous deux ?

Les muscles de son visage se contractent et des crevasses très fines apparaissent sur ses joues, sous ses petits poils de barbe.

— Absolument certain. Pourquoi ?

— Je me demandais, c'est tout.

— J'ai effacé les rares textos qu'on s'est envoyés. Toi aussi ?

— Ben oui.

— Ça fait qu'on n'a pas laissé de traces.

Olivier marque une pause, puis il lance, un peu baveux :

— As-tu peur de perdre ta job ?

J'essaie de garder un ton léger, même si je suis outrée de le voir s'aventurer dans cette zone. Un sourire dans la voix, je glisse à mon tour :

— Avez-vous les fonds nécessaires pour racheter mes parts ?

Je connais la réponse. Il y a trois ans, Isabelle et Olivier ont fait l'acquisition d'un cottage près du marché Atwater. Une construction neuve, sur trois étages, pourvue de fenêtres pleine hauteur en acier avec vue sur le canal Lachine. C'est d'ailleurs pourquoi, à la même époque, ils ont accueilli avec joie mon offre d'être leur associée chez Penture. Les soixante mille dollars que j'ai investis dans l'achat des parts leur ont permis de rehausser la mise de fonds pour l'achat de leur maison. Or, les taux d'intérêt ont beau être bas, j'entends souvent Isabelle se plaindre que leur hypothèque les étrangle, à quoi s'ajoute depuis quelques mois le salaire d'une nounou à temps plein pour prendre soin de leur fils.

Olivier glisse un œil doux dans ma direction.

— C'était une joke plate, désolé. Mais je te le jure, Maggy, si Isabelle savait quelque chose, elle m'aurait déjà fait une crise.

Il s'interrompt et hoche la tête avant d'ajouter :

— Elle n'est pas comme toi.

Son expression est à mi-chemin entre la fascination et la désolation ; la phrase reste en suspens entre nous. Je n'ai pas envie de m'étendre sur les raisons pour lesquelles je ne fais pas de crise à Mathieu. N'ai-je pas déjà expliqué tout cela à Olivier ? Que dans mon silence, je garde espoir ? Je range mon téléphone dans mon sac et me dis qu'il faudrait que j'appelle le soutien technique de Bell pour demander qu'on bloque ce numéro inconnu de mon téléphone.

— C'était con de te faire des avances tantôt, déclare Olivier. Il faut qu'on arrête. On s'est fait du bien, mais là, c'est fini.

Je lui donne raison. Pourtant, savoir si on s'est vraiment fait du bien ces derniers mois demeure une question à laquelle je ne saurais répondre. Après tout, pour peu que j'en aie saisi les enjeux, notre liaison n'était qu'une manière, autant pour Olivier que pour moi, de rendre la réalité tolérable, à défaut de pouvoir la fuir.

Quelques mois après la naissance de son fils, Mikaël, Isabelle a installé son atelier de cuisine dans la salle d'exposition de Penture. Elle ne pouvait plus, disait-elle, ni imaginer ses recettes, ni cuisiner, ni photographier ses réalisations à la maison, car son fils la réclamait à tout bout de champ malgré la présence de la nounou. Je lui ai donc conçu un espace à son image – quelques armoires avec des portes shaker blanches, des comptoirs en *butcher block* et un îlot en granit – au fond de l'aire ouverte du rez-de-chaussée, derrière nos autres modèles de cuisine en démonstration. Nous avons procédé au branchement des électroménagers et au raccordement de la plomberie, et pour l'inauguration de cet espace, nous avons fait cadeau à Isabelle d'un néon blanc fabriqué sur mesure et qui annonce en grosses lettres attachées : *Sous la dent.* Ce néon est accroché au mur au-dessus de son réfrigérateur. La présence de l'atelier d'Isabelle dans la salle d'exposition de Penture a sans contredit rehaussé ce que les experts en marketing appellent de nos jours « l'expérience client en magasin » : il suffit qu'Isabelle soit à ses fourneaux en train de travailler à la dernière version de son bouillon dashi ou de son chili blanc au chou-fleur pour que la salle d'exposition se remplisse d'odeurs alléchantes qui permettent à nos clients de se projeter dans leur future cuisine où ils concocteront eux-mêmes des délices. « C'est presque un argument de vente », avait déclaré Olivier quelques jours après l'installation de l'atelier d'Isabelle.

Aujourd'hui, quand Olivier et moi franchissons les portes de Penture peu après deux heures, c'est un parfum sucré qui nous accueille dans la salle d'exposition. Un groupe, d'où s'élèvent des éclats de rire, est réuni dans l'espace atelier d'Isabelle. Dès qu'elle nous aperçoit, elle court vers nous dans ses bottillons à talons et se jette dans les bras d'Olivier. Il lui plaque un baiser sur le front.

— Le *Châtelaine* ! C'est débile, chérie. Bravo !

— Je capote, je capote, je pense que je fais rien que dire ça depuis ce midi. Je le réalise pas encore.

Les joues toutes rouges, elle se tourne vers moi. Elle ressemble à une enfant avec ses cheveux blonds bouclés et ses yeux de biche couleur marron. Je lâche un « hiiiiiii » et je la serre dans mes bras.

— C'est vraiment génial !

Olivier détourne le regard. Sans doute lui est-il

intolérable de nous voir ainsi, Isabelle et moi, dans les bras l'une de l'autre. Pour ma part, malgré ce que mon comportement peut laisser penser, j'aime bien Isabelle. Néanmoins, le détachement émotif que je ressens envers elle repose sur une phrase qu'elle a prononcée peu de temps après que j'ai commencé à travailler ici. Nous parlions de nos familles – ses parents sont tous les deux photographes –, et je venais d'apprendre à Isabelle que mon père était mort d'un cancer de l'estomac. Après avoir fait une moue désolée, elle avait hoché la tête en pinçant les lèvres et, comme celle qui détient la clé des mystères de l'humanité, elle avait lâché : « Ton père mangeait sûrement très mal. » Cette remarque m'avait troublée. Non seulement Isabelle n'avait aucune idée de ce que mon père avalait tous les jours – en vérité, il était un adepte du régime méditerranéen et s'alimentait plutôt bien –, mais en plus, une telle remarque rejetait sur lui la responsabilité de la maladie qui l'avait emporté, ce qui me semblait témoigner d'un manque grossier d'empathie. Bref, j'avais trouvé Isabelle odieuse, de sorte qu'il m'avait paru aller de soi que jamais je n'éprouverais de réelle amitié pour cette fille bardée de convictions qui lui inspiraient des déclarations cruelles sans même qu'elle s'en rende compte.

— Venez avant qu'il ne reste plus de bulles ! lance-t-elle.

Nous lui emboîtons le pas. Debout derrière l'îlot en granit, Romane porte par-dessus sa robe un tablier en lin dont le logo de Penture est recouvert de farine. Elle nous accueille avec des flûtes de champagne.

— Il manquait juste vous !

Romane, c'est le bras droit d'Isabelle. Détentrice d'une maîtrise en littérature, laquelle n'avait d'abord su la conduire ailleurs qu'au troisième sous-sol de Radio-Canada, au département du sous-titrage pour les malentendants, Romane avait abandonné ce travail pour devenir correctrice à son compte. Pour cela, elle avait entrepris d'écumer les sites Internet de petites compagnies québécoises afin d'y dénombrer toutes les fautes d'orthographe. Elle écrivait ensuite aux propriétaires de ces entreprises et leur expliquait à quel point, malgré le fait que nous vivions dans une société à moitié analphabète et de plus en plus allophone, un français bien maîtrisé et soigné était important pour l'image de leur compagnie. Neuf fois sur dix, ces entreprises finissaient par retenir ses services de correctrice. L'Araignée inc. – parce qu'elle exerçait sa profession uniquement sur la Toile, Romane avait baptisé ainsi sa compagnie – avait fini par lui rapporter à peu près autant que son emploi à Radio-Canada. C'est quelques mois après le lancement du blogue *Sous la dent* que Romane a fait la connaissance d'Isabelle ; elle corrigeait les recettes de celle-ci avant leur mise en ligne. Puis, à mesure que *Sous la dent* gagnait en clics et en popularité, le rôle de Romane se précisait. L'Araignée inc. a cessé ses activités ; Isabelle a embauché Romane à temps plein et lui a délégué la gestion des commandites ainsi que celle des interventions de *Sous la dent* sur les réseaux sociaux. Sous l'identité d'Isabelle, Romane a aussi la responsabilité de répondre aux questions et aux commentaires de plus en plus nombreux laissés par les internautes. Il n'y a pas si longtemps, j'ignorais qu'Isabelle avait une assistante personnelle; mais depuis quelques mois, Romane a elle aussi déménagé son bureau dans l'immeuble de Penture, et elle m'a raconté son histoire.

En emménageant chez nous, Romane a fait la connaissance d'Alexandru, un de nos installateurs d'origine roumaine. Le matin, je les vois souvent arriver en même temps, dans la Honda rouillée de Romane, preuve qu'ils se sont réveillés ensemble une ou deux heures plus tôt. J'ignore pour quelle raison, mais ils ne semblent pas pressés d'officialiser leur relation, faisant mine de n'être rien de plus que des collègues. Alexandru a un frère jumeau, Stefan, installateur lui aussi. En ce moment, assis sur les tabourets qui encerclent l'îlot, ils ont tous les deux les yeux rouges et je devine qu'ils sont allés faire un tour dans le stationnement pour fumer un joint, ce que je ne tolérerais absolument pas s'ils n'avaient pas déjà terminé leur journée de travail. Johanne, préposée à l'accueil, ainsi que Mylène, notre comptable, participent également à la fête. Début de la cinquantaine, les fesses boudinées dans leurs jupes trop serrées, elles font la vaisselle. Spatules, bols, culs-de-poule, tasses à mesurer, cuillères en bois, la première lave et l'autre essuie, s'interrompant de temps à autre pour tremper leurs lèvres dans leurs flûtes de champagne.

Isabelle va rejoindre Romane derrière l'îlot et sort du réfrigérateur une assiette couverte de petits gâteaux noirs au crémage orange pétant.

— Goûtez à ça ! nous ordonne-t-elle. Mes cupcakes d'Halloween ! Je veux les mettre sur mon blogue la semaine prochaine, mais je suis pas certaine qu'ils soient au point.

— On était en train de les tester quand la rédaction du magazine a appelé, précise Romane.

— Le *Châtelaine*, lâche Isabelle en sautillant. Je capote !

Alexandru et Stefan sont les premiers à plonger leurs mains calleuses dans l'assiette. « Mioum, mioum, mioum », déclarent-ils entre deux bouchées, mais Isabelle roule les yeux au plafond :

— Avec les pétards que vous avez fumés, vous diriez la même affaire d'un gâteau Duncan Hines.

Perpétuellement au régime, Johanne et Mylène sont dispensées de l'exercice de dégustation. Souvent, à l'heure du lunch, quand elles picorent leurs salades sans vinaigrette surmontées de petits tas de flocons de thon à l'eau ou de poulet en dés, elles se désolent : « Après cinquante ans, quoi que tu fasses quand tu es une femme, tu épaissis : ta face, ta taille, tes fesses. C'est terrible. » Olivier, Romane et moi sommes donc les cobayes officiels. Les gâteaux sont délicats, bien équilibrés, pas trop sucrés. Leur texture est moelleuse, légère, avec ici et là de bons morceaux de chocolat noir un peu fondants, mais qui gardent leur croquant. Le problème réside dans le glaçage : âpre et plâtreux, il jure avec la douceur du gâteau. Olivier confirme mon impression :

— Y a de quoi avec le crémage, déclare-t-il.

— Ça ne fonctionne pas, renchérit Romane en

offrant le restant de son gâteau à Alexandru, qui s'en empare avec joie.

— Merde, lâche Isabelle.

J'essaie d'être plus constructive que les autres dans mon commentaire :

— On dirait de la craie.

Isabelle fronce ses sourcils parfaitement épilés et me fixe du regard. Je me demande si j'ai été trop directe. Mon associée est très exigeante envers elle et même si elle désire que nous soyons sincères quand nous testons ses créations, elle espère que tout sera parfait. Ne suis-je pas un peu comme ça moi-même quand je soumets à des clients mes ébauches de plans pour leur cuisine ?

Elle hoche la tête en direction de l'assiette de gâteaux, dont elle saisit un spécimen du bout des doigts pour le porter à sa bouche. Elle mâche, se concentre, cherche à décoder ce qui ne va pas, regarde à droite, puis à gauche, et se tourne finalement vers Romane :

— On n'a pas mis assez de stévia. Mais pour le curcuma, ça marche.

— En fait, ça goûte un peu le curcuma, dit Romane. Mais si on rajoute du stévia, t'as raison, on va masquer le goût et ça va être parfait.

— C'est quoi ça, du stévia ? demande Alexandru.

— Lis mon livre pis tu vas le savoir, lui dit Isabelle.

— Y a du curcuma dans tes petits gâteaux ? s'étonne Johanne.

— Dans le glaçage, oui : c'est ça qui lui donne sa couleur d'Halloween.

Mylène a l'air épouvantée : « Une épice indienne dans des cupcakes ? »

Isabelle, bien entendu, ne met jamais de colorant artificiel dans ses recettes en raison des nombreuses études démontrant l'existence d'un lien entre ces produits de synthèse et l'hyperactivité chez les enfants, ainsi que toutes sortes d'autres maladies. On l'écoute vanter les vertus du curcuma ; à l'entendre, cette racine serait la panacée, un superaliment, super santé, antioxydant et anti-inflammatoire :

— Le curcuma, c'est le nouveau kale ! déclare-t-elle.

— C'est quoi ça, du kale ? demande Stefan.

Je vide ma flûte de champagne, refile à Mylène le dernier chèque du projet Massawippi qu'Alain et Robert m'ont remis plus tôt – douze mille dollars – et monte à mon bureau. Je consacre une bonne demi-heure à redessiner le plan de la cuisine d'une cliente, qui m'a appelée en panique hier pour m'aviser qu'elle avait désormais besoin d'une armoire supplémentaire, si possible à gauche de son réfrigérateur, afin d'y dissimuler sa laveuse et sa sécheuse, car elle a finalement opté pour une baignoire et une douche séparées dans sa salle de bain, où il est donc à présent impossible d'aménager un coin buanderie. Mais malgré ce changement, elle souhaite conserver tous ses espaces de rangement. Puis-je faire un miracle ?

Je n'ai pas oublié le rhume de Charlotte, mais décide tout de même d'appeler Bell avant de quitter le bureau. L'attente est longue et je bénis la fonction haut-parleur de mon appareil, grâce à laquelle j'ai les mains libres pour taper les mots *comment bloquer un numéro sur un iPhone* dans le moteur de recherche de mon ordinateur. Quand je coupe la communication téléphonique une dizaine de minutes plus tard, je n'ai parlé à aucun être humain, mais j'ai trouvé la solution à mon problème sur un blogue techno. Je suis d'ailleurs en train de suivre les étapes énumérées sur mon écran quand on cogne à la porte de mon bureau, laissée entrouverte.

— As-tu des tickets impayés ? me demande Romane.

Elle s'est dépouillée de son tablier enfariné. Je fronce les sourcils : « Quels tickets ? »

— Y a un policier en bas qui demande à te voir.

— Pourquoi ?

Romane hausse les épaules comme celle qui n'en sait pas plus.

— Aucune idée. Il a juste dit qu'il voulait voir Magalie Breton.

Charlotte ! me dis-je tout à coup, et je sens mon cœur exploser dans ma poitrine. Elle s'est étouffée en mangeant un raisin à l'heure de la collation, elle s'est fracassé le crâne en jouant dans la cour, elle a quitté sa classe pour aller aux toilettes et n'est jamais revenue, n'ai-je pas remarqué l'autre matin que les portes de l'école n'étaient pas fermées à clé durant la période d'accueil des enfants ? N'importe quel maniaque peut s'y faufiler. Je pense à ce que les médias ont révélé hier au sujet de l'enquête sur la disparition d'Annabelle Juneau. Des adolescentes qui se filmaient à l'aide d'un téléphone cellulaire à leur sortie du Sephora ont capté des images de la disparue en discussion avec un inconnu dont on ne distingue que la nuque épaisse et les épaules larges. Sur cette vidéo de quinze secondes, Annabelle Juneau gesticule et semble en colère contre cet homme. Puis elle s'éloigne et il est évident qu'il la suit. Laval, ce n'est qu'à quelques kilomètres de Rosemont. Peut-être est-ce le même prédateur qui s'est introduit dans l'école de ma fille. Charlotte se trouve ou bien entre les mains de ce monstre, ou bien, si je suis un peu plus chanceuse, aux soins intensifs de l'hôpital Sainte-Justine.

J'écrase les pieds de Romane en sortant de mon bureau en catastrophe.

— Ouch, fuck !

— 'Scuse !

Du haut des escaliers, j'aperçois le policier : il est de dos, en train d'examiner quelques-uns des robinets en démonstration. Bien entendu, pour lui, un enfant en danger, c'est un appel de routine, ça ne l'empêche pas de zyeuter des accessoires de plomberie dernier cri. Je descends d'un pas précipité, une main agrippée à la rampe tant j'ai l'impression que je vais m'évanouir.

— Magalie Breton, c'est moi !

Il se retourne.

— Salut.

Je mets quelques secondes à le reconnaître.

— Guillaume ?

Mon expression doit traduire ma surprise. Il rougit tout à coup, fait tomber le panneau descriptif du robinet, se penche pour le ramasser, le remet à sa place. Il bégaie :

— Ta mère… elle m'a donné l'adresse de ton travail.

— Oui, oui, bien sûr.

— Ça va ?

J'ai du mal à reprendre mon souffle, une main sur mon cœur dont je sens les palpitations déchaînées.

— Fuck, je pensais qu'il était arrivé quelque chose à ma fille.

— Shit, je suis désolé. J'aurais dû appeler. Mais j'ai eu un *call* qui m'a amené dans le coin, et puis…

— Ça va-tu, Maggy ? crie Romane, appuyée à la rambarde de la mezzanine.

Elle se masse le pied.

— Oui, oui. On se connaît.

Romane lève les bras au-dessus de sa tête, l'air de se demander pour quelle raison, dans ce cas, j'ai paniqué de la sorte quelques secondes plus tôt, puis elle disparaît dans son bureau. Aurait-il été plus poli de ma part de préciser à Romane la nature de ma relation avec ce membre des forces de l'ordre ? Je n'irais pas jusqu'à appeler Guillaume mon demi-frère, ça fait beaucoup trop intime pour quelqu'un que je n'ai vu qu'une fois dans ma vie. Mais nous avons tout de même un lien familial.

— J'aurais dû appeler, répète Guillaume. Je suis vraiment désolé.

— Non, non, ça va. Je partais bientôt chercher Charlotte à l'école. Qu'est-ce que je peux faire pour toi ?

Derrière son bureau à la réception, Johanne suce sa bouteille d'eau et nous observe d'un œil inquisiteur.

Seul Guillaume ne semble pas se rendre compte de la curiosité et de l'émotion suscitées par son uniforme ; il doit être habitué. Il balaie du regard notre salle d'exposition tout en se grattant le crâne, l'air un peu perdu. Ses yeux bruns plongent ensuite dans les miens et j'y retrouve cette même douceur que j'y avais décelée à l'occasion de notre première rencontre, lorsque nous nous étions regardés, désemparés, ignorant comment réagir au spectacle de nos parents qui s'embrassaient devant nous. L'émoi auquel je m'étais laissée aller en sa compagnie ce soir-là me revient également à l'esprit, ainsi qu'une vision fugitive du front moite de mon père à l'agonie sur son lit d'hôpital, et je sens m'envahir à la fois une tristesse aiguë et un grand embarras, mais tout cela doit échapper à Guillaume, car des paroles déboulent enfin de sa bouche :

— J'aimerais ça rénover ma cuisine, mais je sais pas trop par où commencer.

Suis-je une mère exemplaire ? J'ai allaité Charlotte durant presque douze mois, et quand est venu le temps d'introduire la nourriture solide, j'ai fait toutes ses purées moi-même, y compris celles à la viande. Les week-ends, j'éteins mon téléphone cellulaire durant des heures pour me consacrer à une multitude d'activités avec elle. Nous bricolons, nous dessinons, nous jardinons, nous allons jouer au parc, nous allons patiner, pique-niquer, nous allons au Biodôme, au Planétarium, à la Grande Bibliothèque, au zoo de Granby, au musée. À l'Halloween, nous décorons des citrouilles ; à Noël, nous habillons un sapin au milieu du salon avec des boules scintillantes, des lumières et des guirlandes. Parce que les études sur l'utilisation des écrans tactiles chez les enfants sont peu concluantes, je m'en remets au principe de précaution et ne laisse jamais Charlotte manipuler ces gadgets plus de vingt minutes par jour, et jamais avant l'heure du coucher ; tous les soirs depuis bientôt six ans, je lui lis plutôt une histoire ou lui chante une berceuse. Cependant, malgré cette abnégation et ces preuves d'amour inconditionnel, Charlotte est convaincue que je mets au point une technique de torture chaque fois que j'essaie de lui administrer quelques jets d'eau saline dans les narines pour venir à bout de ces sécrétions vertes qui s'écoulent de son nez. Ce soir, je décide donc de laisser l'odieux de cette tâche à Mathieu et j'appelle ma mère. Nous ne nous sommes pas reparlé depuis le souper chez André, au début du mois de septembre, et n'avons échangé que quatre ou cinq messages textes. Je me sens mal à l'aise : j'ai peur qu'elle me demande mon avis au sujet d'André. Peut-être ai-je besoin de le rencontrer une deuxième fois pour me forger de lui une opinion plus précise mais, pour l'instant, le moment passé en sa compagnie m'a laissé une impression défavorable : celle d'un homme assez froid et imbu de lui-même. Et, bien entendu, quoique j'essaie d'oublier ce détail : impudique.

— Tu as dit à Guillaume que je pouvais refaire sa cuisine ?

— Il est passé chez André hier et il nous a parlé de son projet de la rénover. Elle date des années 1980. Je pense qu'il voulait vendre sa maison, mais il a changé d'idée, et tant qu'à rester dedans, il veut la mettre au goût du jour. Je lui ai juste dit que tu serais la bonne personne pour le conseiller.

— Il veut me confier son projet du début à la fin !

— Il est déjà allé te voir ?

— Tantôt. Ça ne me dérange pas de l'aider, mais je suis tellement occupée, j'ai des projets jusqu'à Noël.

— Un de plus ou…

Ma mère s'interrompt :

— Mon Dieu, mais qu'est-ce qui se passe chez toi ? Êtes-vous en train d'égorger un poulet ?

Je m'approche de la salle de bain et je pousse la porte. Charlotte refuse de pencher la tête vers l'arrière pour laisser Mathieu introduire l'embout du vaporisateur dans ses narines. Il lui tient doucement la nuque pour l'encourager, mais elle hurle, pleure et se débat si fort que des coulées de morve s'accrochent à la chemise de Mathieu.

— On laisse-tu faire ? qu'il me demande d'un ton brusque. Elle veut rien savoir !

Il serre les mâchoires et je le sens plus impatient qu'à son habitude. Ses yeux sont injectés de sang. Il doit avoir faim, car il n'a pas soupé. Je lui ai refilé Charlotte dès qu'il a mis les pieds dans l'appartement il y a quelques minutes. Il est rentré passé huit heures. « *Réunion qui s'étire avec des clients* », m'avait-il informée par message texte peu avant six heures. Était-ce la vérité ? Charlotte donne un coup de pied à son père.

— Est-ce que ça va ? Est-ce que ça va ? s'inquiète ma mère au téléphone. Pourquoi elle pleure ?

— Oublie ça, dis-je à Mathieu. Elle est fatiguée. Brosse-lui les dents et couche-la.

Je referme la porte et vais poursuivre ma conversation dans la cuisine. Je rassure ma mère sur l'état de Charlotte. Nous sommes sur le point de raccrocher et je suis soulagée qu'on ait pu éviter le sujet tant redouté lorsque la question tombe :

— Et André ?

— Quoi, « André » ?

— Maggy, s'il te plaît. J'ai l'impression que c'est l'éléphant dans la pièce. Je parie que c'est pour ça que tu ne m'as pas appelée depuis trois semaines.

J'ai la tête plongée dans le réfrigérateur à la recherche de restes à réchauffer pour Mathieu, car Charlotte et moi avons terminé les pâtes d'hier soir. Je prends le riz frit qui date de quelques jours.

— Il est très gentil.

— C'est tout ?

Je retire le couvercle et renifle le contenu du plat en pyrex. C'est encore frais, ça fera l'affaire.

— Il a une belle maison.

— Comme être humain, je parle.

— Mais maman, je l'ai vu juste une fois !

— Je le sais. Mais je suis bien avec lui, c'est tout. Et je veux tellement que tu sois en paix avec ça. J'ai aimé ton père pendant plus de trente-six ans, mais il n'est plus là. Et ça fait bientôt sept ans que je suis toute seule, Maggy.

Je réchauffe le riz frit au micro-ondes. Comment m'opposer à la quête de bonheur et d'intimité de ma mère ? À soixante-quatre ans, il lui reste quelques belles années devant elle ; elle devrait avoir le droit d'en jouir à sa guise. Pourtant, je suis incapable de l'encourager. Nous discutons encore un peu, et bien que l'automne soit à peine commencé, ma mère me demande si nous sommes libres le 24 décembre, car André et elle aimeraient nous recevoir pour le réveillon. Je lui promets de m'informer bientôt auprès de Mathieu pour savoir si ses parents comptent nous recevoir le 24 ou le 25, et nous raccrochons. Mathieu me prend par la taille, je ne l'ai pas entendu arriver dans la cuisine, il m'embrasse dans le cou.

— Excuse si j'ai été bête tantôt. Elle te va bien, ta robe rouge.

— Merci. Est-ce que Charlotte est prête pour son histoire ?

— Elle dort déjà. Elle est tombée comme une bûche.

Je nous sers deux verres de vin et je m'assois avec lui autour de l'îlot pour l'accompagner durant son repas. Même s'il n'a jamais connu mon père et que lui aussi a trouvé André plus ou moins agréable, Mathieu a une opinion sur toute cette affaire :

— Ton père serait heureux pour ta mère.

Cette manie qu'ont certains de penser à la place des morts m'exaspère. Mon père ne voulait pas être malade et il ne voulait surtout pas mourir, voilà le fond de l'histoire. Ce qui le rendrait vraiment heureux serait de ne jamais être mort. Mathieu juge que la façon dont je vois les choses n'a pas de sens : mon père n'a pas eu le choix de mourir.

— Si moi je meurs, dit-il, je serais heureux que tu refasses ta vie avec quelqu'un d'autre, parce que je t'aime.

Il prend une bouchée puis ajoute, en mastiquant :

— Pas toi, si tu meurs ?

Je le regarde, interdite. Comme tout le monde, ça ne m'emballe pas du tout de penser à ma propre mort. Mais les circonstances étant ce qu'elles sont, j'ai surtout envie, tout à coup, de lui jeter la vérité à la face : « Quelle importance ? Tu n'attends même pas que je sois dans mon cercueil avant d'aller voir ailleurs. » Au lieu de ça, je lui recommande de ne pas noyer son riz frit dans la sauce soya ; trop de sodium risque justement de lui boucher les artères avant le temps. Son cellulaire sonne et le nom de Fabrice apparaît à l'écran. C'est un des associés de son cabinet. Mathieu n'a pas d'autre choix que de répondre et je le laisse à sa discussion.

Le plafond de la chambre de Charlotte est pailleté d'étoiles roses projetées par la coquille en plastique de sa veilleuse en forme de coccinelle. Je retire de la bouche de Charlotte l'oreille de Baboune, qu'elle tète comme si c'était son pouce, et je m'écris une note mentale : laver cette peluche qui commence à puer. Puis je m'étends à côté de ma fille et me laisse bercer par ses ronflements de petit cochon. Une autre journée s'achève, me dis-je ; une autre journée où je n'ai rien fait pour me sortir de cette situation insensée.

Mercredi 5 octobre

Mathieu,
Je viens d'atterrir à Londres et de prendre ton courriel, et j'hésite entre être frue et éclater de rire. Harceler ta blonde en lui envoyant des messages textes anonymes ? Tant qu'à y être, as-tu peur que je fasse bouillir le lapin de ta fille ? Je n'ai même pas le numéro de Magalie. Es-tu certain que ce n'est pas Camille de chez Faber & Limoges ? Peut-être qu'elle a gardé un goût amer de ce qui s'est passé entre vous il y a trois ans. Il paraît que tu lui avais promis à elle aussi que tu quitterais ta blonde. Je me suis étouffée dans mon cocktail quand elle m'a raconté ça au gala de l'Association des femmes avocates de moins de quarante ans avant-hier. T'aurais pu me mettre au courant toi-même de cette histoire-là. En tout cas, ton passé, c'est ton passé et ça ne regarde que toi. Moi, je préfère qu'on se tourne vers l'avenir, une étape à la fois, la prochaine étant Noël, comme tu ne l'as pas oublié. As-tu vu dans le journal interne que le party aura lieu au Sofitel cette année ? On pourrait réserver une suite.

Ciao, I love you.

Sophie

P.-S. – Ferme la porte de ton bureau et appelle-moi sur FaceTime avant de quitter le travail. Avec le décalage horaire, je serai prête à me coucher dans ma chambre d'hôtel, et j'aimerais qu'on se « dise » bonne nuit.

4

Guillaume

Mardi 18 octobre

Avant de prendre la décision de la rénover, je ne *voyais* pas ma cuisine. À présent, je me demande comment l'usure et la mauvaise qualité des matériaux ont pu m'indifférer tout ce temps. La mélamine jaunie et effeuillée des armoires, les comptoirs de stratifié aux taches indélogeables, le dosseret en pâte de verre orné de motifs de grains de café : une horreur. Et je ne parle pas du plancher en vinyle couleur caca d'oie. Je pense à toutes ces personnes que j'ai invitées chez moi durant des années sans avoir honte de ma cuisine. Celle-ci est pourtant la pièce maîtresse du rez-de-chaussée. Conçue en aire ouverte, elle donne sur le salon, et nous saute au visage dès qu'on franchit la porte d'entrée de la maison. Combien sont-ils à s'être dit que je manquais de goût, que je n'étais pas dans le coup ?

Magalie et Olivier, son associé, un type aux cheveux tout ébouriffés mais à la poignée de main ferme, s'activent avec un ruban à mesurer. Leurs gestes sont précis, mécaniques, ils échangent des regards qu'eux seuls comprennent. Comme des médecins qui découvrent des masses cancéreuses à leurs patients, ils n'ont pas l'air trop surpris par ce qu'ils tâtent, grattent, observent : ils en voient d'autres tous les jours, et sûrement des pires. Aussi il ne me paraîtrait pas exagéré de dire que cette cuisine vétuste est un grain de beauté planté au milieu de mon front et que j'aurais négligé de faire examiner depuis beaucoup trop longtemps.

Je dois me justifier :

— Mon ex préférait qu'on garde la cuisine telle quelle au lieu de nous taper un chantier. C'est vrai que si on s'était lancés dans des rénos, notre couple aurait duré encore moins longtemps ! Quand on s'est séparés, il y a sept ans, j'avais pas trop d'argent à mettre là-dessus parce qu'il fallait que je rachète sa part de la maison. Je me suis renfloué depuis, mais comme j'étais certain de mettre la maison en vente pour me réinstaller en ville l'année prochaine et que tout le monde me conseillait de ne rien rénover avant parce que c'est une grosse dépense et qu'on peut pas deviner les goûts des futurs acheteurs, j'ai enduré ce beau décor-là plus longtemps que je l'aurais voulu. Sauf que maintenant, je dois oublier mon projet de quitter la Rive-Sud parce que ma fille va faire partie d'un club de natation. En janvier, elle va se lever à l'heure des poules pour s'entraîner à la piscine municipale pas loin d'ici.

Je me rends compte que je me perds dans les détails et ne sais plus où m'arrêter.

— C'est un gros sacrifice, glisse Magalie.

Je me demande pourquoi elle dit cela : trouve-t-elle que mon patelin de la Rive-Sud en arrache tant que ça ? Je sais : Sainte-Julie n'a pas le chic de Saint-Lambert ou de Boucherville, deux petites municipalités au caractère noble même si elles sont situées de l'autre côté du pont. Non. Sainte-Julie est une banlieue sans cachet, créée de toutes pièces pour les jeunes familles qui n'ont pas les moyens de s'acheter une maison dotée d'une cour et de trois chambres à coucher n'importe où sur l'île de Montréal, ou pas assez de panache pour aller s'entasser dans un haut de duplex du Plateau-Mont-Royal. Et c'est parmi ses boulevards laids et trop éclairés que je suis destiné à passer encore, au minimum, les cinq prochaines années de ma vie.

Je feins néanmoins de ne pas m'en soucier :

— Ah ! Elle va peut-être remporter l'or aux Olympiques !

Magalie me frôle pour prendre des photos de la poutre du plafond avec son cellulaire. Son parfum me rappelle celui de Karine : une vague odeur de fleurs d'été, discrète mais un peu sauvage, et qui donne envie de se rapprocher d'elle pour la sentir davantage. Huit fois sur dix avec mon ex, cette pulsion me valait un « Lâche-moi, s'il te plaît, j'ai pas le goût » ou un « J'ai pas le temps ». Je me demande si Magalie aime le sexe, si Mathieu et elle font souvent l'amour. Ils ne semblaient pas très amoureux lors du souper chez mon père ; je ne les ai pas vus se toucher une seule fois. Mais cela a-t-il quelque chose à voir avec la vigueur de leur couple ?

Magalie n'a-t-elle pas dit qu'elle se déplaçait jusqu'au centre-ville, situé à six ou sept bons kilomètres de son lieu de travail, pour le simple plaisir d'aller luncher en compagnie de Mathieu ? Olivier interrompt mes réflexions en avançant que, de toute façon, comme je suis policier, je dois faire beaucoup d'heures supplémentaires et donc avoir passé peu de temps dans ma cuisine ces dernières années. Ce n'est pas tout à fait exact, mais je lui donne raison quand même d'un hochement de tête.

— Je rêvais d'être policier quand j'étais jeune, ajoute-t-il.

Magalie pouffe de rire sans même le regarder : « Toi ? Toi, policier ? » Elle n'a pas l'air d'y croire du tout, mais ça ne semble pas déranger Olivier, dont la poche arrière se met à vibrer. Il s'éloigne pour répondre, lâchant un : « Oui, *babe* ? » Magalie me demande si j'aimerais recouvrir de peinture à tableau la colonne porteuse qui s'élève à droite des comptoirs et démolir ceux-ci pour construire une péninsule à laquelle la colonne serait intégrée quand Olivier revient vers nous, le regard inquiet et une main dans les cheveux.

— Y a une débile sur Facebook qui plagie les recettes d'Isa.

— Quoi ? s'étonne Magalie.

— C'est qui, Isa ?

— Ma blonde. Elle est en panique totale. Je pense que ça serait mieux si je partais tout de suite. De toute façon, j'ai vu tout ce qu'il fallait que je voie. Peux-tu t'occuper du reste, Maggy ?

Il me serre rapidement la main et m'assure qu'on se reverra bientôt pour les plans finaux. Il refile quelques documents à Magalie et en moins de cinq secondes me voilà seul avec elle. Avec cette fille que je ne peux pas m'enlever de la tête depuis quatre semaines, même si je sais bien qu'il ne sert à rien de me faire des idées : elle est en couple. Magalie pianote sur son cellulaire, de toute évidence à la recherche de la supercherie 2.0 qui vient de précipiter le départ de son associé. Elle m'explique qu'Isabelle est une figure montante de la scène gourmande québécoise ; sans appartenir à une école précise du monde de la gastronomie, elle puise son inspiration dans diverses modes culinaires et se démarque par ses créations qui se prétendent à la fois succulentes et santé. Son blogue, *Sous la dent,* a donné lieu il y a quelques semaines à la publication d'un ouvrage du même titre. Le nom me dit quelque chose : peut-être ai-je aperçu ce livre dans la bibliothèque de Karine en allant reconduire Julianne chez elle. Mon ex a toujours été à l'affût de ces gourous qui promettent de révolutionner l'art de faire des muffins. Magalie sourit, puis elle me dit que c'est sans doute en venant chez Penture ou sur leur site Internet que j'ai vu ce nom, car Sous la dent et Penture sont des sociétés sœurs, et chacune fait la promotion de l'autre dans ses activités. Ainsi, j'aurai droit à un exemplaire gratuit du livre d'Isabelle lorsque ma cuisine sera terminée.

— C'est intéressant. Veux-tu un verre de vin ? J'ai un petit nebbiolo.

Magalie accepte, un soupçon de surprise dans

ses beaux yeux gris perle ourlés de cils interminables qu'elle fait battre un instant tout en me regardant. Puis elle replonge dans son cellulaire.

Sur mon comptoir de stratifié qui sera bientôt chose du passé, je débouche le nebbiolo acheté hier en prévision de cette rencontre, une bouteille d'une valeur supérieure au pinot noir apporté par Mathieu à l'occasion du souper chez mon père. Je le sais parce qu'avant de la mettre dans le bac de recyclage ce soir-là, j'avais photographié son étiquette avec mon téléphone et fait ensuite une petite recherche sur le site Internet de la SAQ dans l'unique but de découvrir son prix : dix-sept dollars et quatre-vingt-quinze. Cela m'avait surpris et rassuré à la fois. Vu son attitude hautaine et la désinvolture avec laquelle il m'avait flanqué sa bouteille dans les mains, comme si j'étais le valet de service, Mathieu m'avait semblé faire partie de cette secte d'hommes supérieurs prêts à débourser des fortunes pour du jus de raisin fermenté. Et pourtant, non : une caisse de vingt-quatre lui aurait coûté plus cher que sa bouteille de vin.

Je renifle le bouchon de liège tel un fin connaisseur, puis, avec mes deux coupes remplies de nebbiolo italien à trente-trois dollars et vingt-cinq la bouteille, je vais retrouver Magalie sur le canapé. Sur la table basse devant nous, elle a déployé les prospectus laissés par Olivier. Durant de longues minutes, nous discutons des différentes possibilités pour le réaménagement de ma cuisine : en I, en U, en L, en G ou, encore, en parallèle. Magalie griffonne des croquis sur un bout de papier et m'explique pourquoi il est important de respecter ce qu'elle appelle le « triangle d'activité » : entre les trois pôles de la préparation des repas que sont le rangement, la cuisson et le lavage de la vaisselle, la circulation doit être fluide. Cela signifie que la cuisinière, le réfrigérateur et l'évier doivent être disposés en triangle, et que la distance entre ces trois zones doit être égale ou presque. Je ne sais pas si c'est parce que sa cuisse frôle la mienne, mais j'ai du mal à suivre tout ce qu'elle dit. Je choisis néanmoins l'aménagement en U. C'est celui-là que Magalie me conseille : il me permettra d'avoir cette fameuse péninsule à laquelle la colonne porteuse sera intégrée, et qui pourra aussi me servir de comptoir-lunch. Puis nous passons en revue les matériaux possibles pour mes nouveaux comptoirs et mes armoires de cuisine. Il est aussi question de plaque de cuisson ou de cuisinière encastrée, de tiroirs avec amortisseurs, de quincaillerie, d'évier double ou monocuve, sous plan ou pas, de robinetterie, et j'en passe. Magalie m'indique que j'ai des devoirs à faire : je dois lui revenir avec mes préférences concernant tous les points que nous avons abordés. Elle est surprise quand je vais chercher mon iPad pour lui montrer les quelques photos que j'ai déjà glanées sur Houzz et Pinterest afin de m'inspirer et, je l'avoue, de me familiariser avec le domaine qui la passionne. Magalie fait glisser son doigt sur l'écran et les photos défilent.

— OK, souffle-t-elle. Tu veux quelque chose d'assez classique au niveau du look ?

— Tu me *sizes* super bien.

Elle me redonne ma tablette et me dit qu'il faudrait

que je repasse chez Penture pour voir quelques échantillons. Nous saisissons chacun nos téléphones cellulaires et consultons nos calendriers avant de fixer la rencontre à mardi prochain. Je profite du moment où son attention est monopolisée par l'inscription de ce rendez-vous pour l'observer plus attentivement. Quelques centimètres à peine me séparent d'elle, et je remarque pour la première fois les rides qui sillonnent le coin de ses yeux et de sa bouche, mais qui ne l'empêchent pas pour autant de faire plus jeune que ses quarante ans. Quelques mèches de cheveux se sont échappées de son chignon et dansent sur le col de son chemisier blanc crème, dont les deux boutons supérieurs défaits laissent entrevoir un soupçon de soutien-gorge à la bordure de dentelle.

— Prendrais-tu un autre verre de vin ?

— Non, merci. Il était vraiment bon, mais je dois accompagner Charlotte à son cours de danse et il faut que je repasse chez moi avant pour aller chercher ses habits et commencer le souper. Est-ce que je peux emprunter ta salle de bain avant de partir ?

— Ben oui : tant que tu me la remets après !

Magalie sourit, puis elle se lève et me regarde avec des points d'interrogation dans les yeux. Je lui indique les escaliers :

— Juste à droite, en haut des marches.

Je suis content d'avoir prévu le coup et d'avoir frotté ma salle de bain à l'eau de Javel ce matin. Je ne veux surtout pas lui donner l'impression d'être un père célibataire qui vit dans sa crasse ; il y a déjà bien assez de ma cuisine, qui doit lui laisser penser que j'ai autant d'élégance qu'un dix-huit roues. Tandis qu'elle s'éloigne, je ne peux m'empêcher de jeter un œil à ses fesses rondes et parfaitement moulées dans son jean noir.

Je porte nos verres dans la cuisine. Quand elle revient au salon quelques minutes plus tard et rassemble ses prospectus, je remarque le brillant sur ses lèvres.

— Bon, je vais commander un taxi, lance-t-elle.

— Ça va te coûter une fortune. Je vais aller te reconduire.

— C'est beaucoup trop loin. J'habite Rosemont. Et puis, c'est Penture qui paie.

Pour la convaincre, j'affirme que les taxis mettent toujours une éternité à trouver ma maison, car le croissant de rue dans lequel elle est située ne figure pas au répertoire de tous les GPS.

— On l'a trouvé dans le GPS d'Olivier, objecte-t-elle.

C'est trop absurde : non seulement il m'est difficile de ramener chez moi une fille rencontrée en ville – en cinq semaines de fréquentations, Geneviève, l'infirmière de l'hôpital Notre-Dame, ne m'a pas dit oui une seule fois –, mais voilà que le problème s'applique aussi dans le sens inverse : si une fille est chez moi, je dois tout autant me battre avec elle pour la raccompagner en ville. Maudite banlieue. J'insiste néanmoins, et prétends vouloir de toute façon me rendre à mon poste de police du Plateau-Mont-Royal, où j'ai oublié mes gants de jogging dont j'aurai besoin pour courir demain matin.

Magalie et moi faisons-nous exprès d'éviter de parler de nos parents, dont la relation est à l'origine de notre présence ici, dans ma Subaru Impreza qui avance à deux kilomètres à l'heure sur le pont Jacques-Cartier, même si, comme Magalie le remarque, à cette heure-ci le bouchon devrait être plus dense dans l'autre direction ? Il faut habiter la Rive-Sud pour savoir que la fluidité de la circulation sur ce pont ne répond à aucune logique. Toujours est-il que si, de mon côté, je préfère ne pas lui parler de mon père, c'est pour éviter que mon lien avec elle dépende de lui. Premièrement, rien ne nous garantit que la relation amoureuse entre nos parents durera des années, et qui voudrait que la présence d'une belle fille dans sa vie soit subordonnée à l'idylle entre deux individus sur lesquels il n'a aucun contrôle ? Pas moi. Deuxièmement, comme c'est souvent le cas dans ce genre d'histoires peu reluisantes, le pot aux roses concernant le passé d'André Hamelin sera sûrement découvert tôt ou tard, et quand ce moment viendra, pour rien au monde je ne souhaite que Magalie m'associe moralement à mon père. La semaine dernière, quand Estelle a annoncé sur sa page Facebook qu'elle était en couple avec un certain Mario Couture, pour témoigner une fois de plus mon soutien psychologique à l'ex-conjointe de mon père et pour célébrer sa résilience, j'ai liké son statut. C'est toute une épreuve que mon père lui a fait traverser, et d'autres femmes auraient pu ne jamais s'en relever. À cinquante-huit ans, apprendre que votre amoureux et votre fille de trente ans s'échangent des sextos, n'est-ce pas l'équivalent d'un tremblement de terre? Cynthia, la fille d'Estelle, était maigre, peu loquace, et elle dissimulait ses traits disgracieux et son regard inerte sous un casque de cheveux teints noir corbeau. Elle travaillait comme gérante au magasin Winners du Marché Central. Qu'est-ce que mon père pouvait bien lui trouver? Monique, pour le peu de fois où je l'ai vue, me semble faire partie d'une catégorie de femmes trop honnêtes et distinguées pour pardonner à un homme un comportement qui, même s'il appartient au passé, n'en frise pas moins la déviance. J'ai donc mes raisons bien à moi de préférer discuter avec Magalie de la dernière saison de *Homeland*, et même si elle ne l'a pas encore vue, je devine que ça fait son affaire : elle ne me demande même pas de lui taire les punchs. Comment oublier son regard traumatisé le soir du souper chez mon père, quand nous avons surpris nos parents en train de s'embrasser ? C'est à ce moment que Magalie m'a touché en plein cœur. En la regardant se moucher avec un essuie-tout, j'avais eu envie de la prendre dans mes bras pour la consoler, la réconforter, la sauver et – mais cette pensée ne m'était venue que plus tard – la déshabiller. Je suis persuadé que mon père fait piètre figure comparé à son père décédé, et qu'il est loin le jour où elle acceptera que sa mère ait un nouvel homme dans sa vie. Pourquoi voudrait-elle parler d'eux, si le sujet ravive sa blessure? Certes, elle m'a dit ce soir-là : « Il faut juste que je m'habitue. » Mais s'habitue-t-on jamais à la mort d'un proche qu'on a aimé?

Nous finissons par dépasser la Range Rover à l'origine du bouchon et dont les feux de détresse clignotent. Derrière le volant se trouve une femme d'une soixantaine d'années : son crâne est coiffé d'un chapeau de fourrure et elle baisse tellement la tête pour éviter les regards des curieux que son cou semble avoir été avalé par ses épaules. Elle parle de façon agitée dans son cellulaire.

— Ça roule en voiture de luxe, mais c'est pas capable de se souvenir de mettre de l'essence, soupire Magalie. Tu devrais descendre lui donner une contravention.

— Le pont Jacques-Cartier, c'est le territoire de la SQ.

Magalie me regarde, ses sourcils un peu froncés, puis me sourit :

— Je niaisais.

Nous sommes encore dans cette période émouvante où l'on apprend à se connaître, me dis-je ; ce stade délicat, à la fois complexe mais combien excitant, où l'on ne saisit pas encore tout à fait l'humour de l'autre. Je me demande quelle sera la prochaine phase, puis je me rappelle tout à coup que Magalie est en couple et je me trouve con. Passé la sortie du pont, alors que nous sommes immobilisés à un feu rouge, je me console : d'accord, moi, je sais bien que Magalie est prise ailleurs, mais qu'en est-il des occupants de toutes ces voitures qui nous entourent et jettent sur nous des coups d'œil distraits en attendant que le feu passe au vert ? Ils tiennent certainement pour acquis que Magalie et moi formons un couple. Assis côte à côte dans ma Subaru, n'est-ce pas l'image que nous projetons ? Au coin des rues Sherbrooke et Saint-Denis, je suis content d'être bloqué dans un autre bouchon. Je n'ai pas envie de laisser ce moment se terminer.

— Ç'a aucun bon sens, lâche Magalie. Ça va te prendre trois heures aller-retour. Tu peux me déposer ici et je prends le métro.

Je lui réponds qu'il n'en est pas question :

— Quand je commence une job, je vais jusqu'au bout.

Je regrette immédiatement ces paroles. Magalie ne risque-t-elle pas d'accorder à cette remarque un double sens plutôt grossier ? Suis-je épris d'elle au point d'avoir voulu lui signifier de cette manière sous-entendue que quand je couche avec une femme je la conduis toujours au septième ciel ? D'abord, est-ce le cas ? Ça fait si longtemps qu'une femme ne s'est pas retrouvée dans mon lit que je ne le sais même plus. Afin de ne pas laisser le temps à un silence inconfortable de s'installer entre nous, je lui rappelle mes gants de jogging oubliés au poste de la rue Rachel et j'en profite pour lui demander si elle aime elle aussi la course à pied. Magalie m'apprend qu'elle a l'habitude d'aller jogger à l'aube une ou deux fois par semaine en bordure de la voie ferrée du Canadien Pacifique qui longe la rue des Carrières non loin de chez elle ; toutefois, l'endroit est souvent désert au lever du jour, de sorte que depuis la disparition d'Annabelle Juneau, elle a renoncé à cette routine. Du même souffle, elle me demande si l'enquête progresse, ce qui me permet de lui apprendre une information qui ne sortira jamais dans les médias et dont j'ai eu vent la semaine dernière.

— Il y a une femme du bout de Sorel, une voyante, qui est allée rencontrer les enquêteurs à Laval. Elle dit qu'elle a des visions d'Annabelle Juneau.

— Quel genre de vision ?

— Je sais pas trop. Elle la voit comme si elle était encore vivante quelque part.

Magalie semble sceptique. J'ajoute :

— Ça vaut ce que ça vaut.

— En effet, lâche-t-elle.

— En tout cas, tu pourrais courir à l'intérieur. Y a des pistes de jogging dans certains gyms maintenant.

— Oui, peut-être.

Elle soupire, ouvre la bouche puis la referme et se mordille les lèvres. Je la regarde du coin de l'œil.

— Quoi ?

— Non, rien.

— T'allais dire quelque chose.

Elle se tourne vers moi. Le soleil caresse ses cheveux et ravive leurs doux reflets roux. Je dois me concentrer pour garder les yeux sur la route.

— OK. Je peux bien t'en parler vu que t'es policier. Peut-être que t'as déjà résolu ce genre de problème. Je reçois des messages textes étranges depuis quelques semaines et je n'aime pas ça.

— On te fait des menaces ?

— Pas vraiment. Celui ou celle qui me les envoie fait juste me répéter que je ne suis pas une bonne personne. J'ai réussi à bloquer son numéro le mois dernier, mais ç'a recommencé avec un autre numéro il y a deux semaines. Est-ce qu'il y a un moyen de découvrir qui c'est ?

Naturellement, je l'ignore. Je ne suis pas enquêteur en crimes technologiques. Néanmoins, je fais comme si je pouvais prendre son problème en mains :

— Je vais m'informer. Est-ce qu'il y a quelqu'un qui t'en veut ?

Magalie plisse le nez en une drôle de grimace et hoche la tête :

— Je vois pas qui, non. Peut-être un ancien client qui serait pas content de mes services.

— Ben voyons donc !

Mais Magalie m'explique à quel point sa clientèle peut parfois être exigeante et compliquée. Une femme a déjà refusé de régler le solde de sa cuisine parce que sa cafetière italienne n'entrait pas sous les caissons de ses armoires : pourtant, à aucun moment elle n'avait pris la peine de mentionner à Magalie qu'elle désirait un espace précis entre ses comptoirs et ses armoires. La palme revient toutefois à un jeune couple de Hochelaga-Maisonneuve. Pour faire monter jusqu'à leur appartement situé au troisième étage la tranche de granit de neuf pieds de long qui allait leur servir de surface d'îlot mais qui ne passait pas dans la cage d'escalier trop étroite, ils avaient retenu les services d'un grutier de leur entourage au lieu de faire affaire avec le sous-traitant de Penture. L'opération avait été une catastrophe : le grutier avait eu un mouvement de panique quand il s'était rendu compte qu'il avait mal calculé la distance entre sa nacelle et les fils électriques de la ruelle, et la tranche de granit était allée se briser en plusieurs morceaux sur la terrasse du deuxième étage. Le couple avait accusé Magalie de ne pas l'avoir informé convenablement des risques liés à une telle manœuvre et avait exigé que Penture remplace sans frais la tranche de granit, demande ridicule à laquelle Magalie avait refusé de se plier.

Elle hoche la tête :

— En tout cas, j'ai aucune idée d'où ça vient. J'ai appelé aux deux numéros, mais ça ne répond pas. Et bien sûr, ils ne sont pas dans le 4-1-1.

— Écoute, tu m'aides dans mon projet de cuisine, je peux bien t'aider à trouver qui t'envoie ces messages-là. Laisse-moi voir ce que je peux faire.

Magalie me remercie, puis m'indique de tourner à droite, puis à gauche. Les arbres de la rue Saint-Vallier mériteraient d'être pris en photo, avec toutes ces feuilles jaunes, rouges et orange qui s'accrochent à leurs branches. La beauté du tableau me rend tout à coup nostalgique et me transporte à l'époque où Julianne m'aidait à ramasser les feuilles dans la cour avec son petit râteau pourvu d'une poignée en tête de Mickey Mouse ; avant de les mettre au compost, on se roulait dedans, sourds aux cris de Karine nous enjoignant de sortir de cette végétation morte qui était sans doute infestée de vers de terre, de pucerons ou de Dieu sait quoi. La vie aurait-elle été plus douce avec mon ex si celle-ci n'avait pas été à ce point déséquilibrée ? J'immobilise ma voiture devant un joli duplex en briques. Magalie me dit au revoir, et avant même que j'aie le temps de me demander si je dois ou non lui faire la bise, ses lèvres humides se déposent sur mes joues. « À mardi prochain ! » lance-t-elle. La portière claque et je la regarde gravir les marches de l'escalier qui mène au premier étage. Son sac en bandoulière lui bat les reins et je redémarre avant qu'elle ait atteint la galerie. Trop m'attarder risquerait de me faire paraître un peu envahissant.

Inutile de mettre le cap sur la Rive-Sud à ce moment-ci de la journée. L'horloge de ma voiture indique cinq heures douze : l'heure du festival du pare-chocs à pare-chocs. Je descends Christophe-Colomb et décide de m'arrêter Chez Victoire, avenue du Mont-Royal, où je m'assois au comptoir et commande un burger de smoked meat avec des frites et une bière. Le restaurant vient à peine d'ouvrir ses portes et à part les deux cuisiniers, le barman et la serveuse, l'endroit est désert. Une chanson de Cœur de Pirate sort des haut-parleurs invisibles, et quand le barman baisse le son à l'aide de son cellulaire, je me demande si c'est à cause de ma présence. Quelques clients ne tardent toutefois pas à arriver et je les entends expliquer à la serveuse qu'ils doivent être sur la scène du théâtre à côté à sept heures trente, donc en coulisses une heure avant, et qu'ils aimeraient par conséquent être servis rapidement. Des comédiens ? J'essaie de ne pas avoir l'air trop curieux en les observant, mais aucun de leurs visages ne m'est familier. Je devine que ce théâtre dont ils parlent est La Licorne, avenue Papineau. Jérémie et moi nous y sommes rendus l'an dernier pour déloger un groupe de jeunes sans-abri qui avaient élu domicile sous la marquise. Même si j'exerce mon métier dans un arrondissement à la mode, c'est avec les pouilleux qui viennent le parasiter que je dois échanger huit fois sur dix, et non avec ces jeunes tout en beauté qui font la réputation du quartier, tels ces acteurs à côté de moi. En vérité, je suis comme le concierge de la société : je la débarrasse de ses impuretés. Je pourrais essayer de gravir les échelons, ainsi que Karine m'encourageait souvent à le faire, et devenir enquêteur, par exemple. Mais il faudrait pour cela que je me soumette de nouveau à des tests psychométriques et la simple idée de les échouer, comme c'est arrivé à Jérémie il y a deux ans, m'en coupe l'envie.

J'achève mon hamburger quand je reçois un message texte de Julianne : « *Papa ! Samedi soir je suis chez toi mais est-ce que je peux aller dormir chez Max ? C'est sa fête, sa mère nous invite au cinéma.* » Je lèche la moutarde jaune sur mes doigts et lui réponds : « *OK. Maintenant lâche ton téléphone et fais tes devoirs.* »

Je m'y reprends à deux fois pour lire le montant de l'addition – un hamburger à vingt-trois dollars ? Depuis quand le smoked meat est-il devenu un produit de luxe ? Je paie avec ma carte de crédit et quitte le restaurant, laissant les comédiens et les autres clients à leurs fous rires et à leurs éclats de voix. En regagnant ma voiture, stationnée dans la rue Fabre pour m'éviter des frais de parcomètre, j'aperçois un homme d'à peu près mon âge vêtu d'un jean serré et d'une veste de cuir en train d'uriner sur des sacs à ordures dans la ruelle.

— Hé ! Gros dégueulasse ! Va faire ça ailleurs !

— Qu'est-ce que tu veux, câlisse ?

Il remonte sa braguette et fonce dans ma direction. Ses yeux sont vitreux. Un de ces drogués, j'imagine, même s'il me semble n'avoir jamais vu sa photo sur notre mur des célébrités au poste.

Je le mets en garde avant qu'il soit trop près :

— Fais ben attention, je suis policier.

Il s'arrête à quelques pas de moi et renifle avec force. Il a sûrement un casier judiciaire et même s'il n'est pas certain de ce que je viens d'affirmer, il ne désire sans doute pas alourdir son cas. Il crache par terre.

— Va chier.

Il se lance entre les voitures stationnées et traverse la chaussée en diagonale. Cette rencontre aurait pu mal tourner, mais elle n'a même pas réussi à me faire sécréter une seule goutte d'adrénaline. Ce n'est qu'une fois rendu à ma voiture que mon rythme cardiaque s'accélère. Eh, merde. Mes gants de jogging en microfibre sont sur la banquette arrière. Je les avais laissés là dimanche après ma course dans les sentiers du mont Saint-Hilaire. Magalie les a-t-elle vus ? A-t-elle compris qu'à aucun moment je ne les avais oubliés au poste, et que tout cela n'était qu'un mensonge inventé pour le plaisir de l'avoir près de moi le plus longtemps possible ? Comme s'il n'était pas trop tard et que ça pouvait changer quoi que ce soit, je les fourre dans mes poches et j'enfonce la clé dans le contact.

Vendredi 21 octobre

Salut Maggy,
Ça va ?

J'ai été pris dans une urgence, mais dis à Isabelle que je lui fais parvenir dans quelques heures la lettre de mise en demeure. Elle pourra l'envoyer telle quelle à Brigitte Méthot. D'après moi, ça suffira à faire cesser pour de bon les publications de cette fille sur Facebook et sur Internet. Dis aussi à Isabelle que je ne veux pas être payé pour ça. Si d'autres mesures sont nécessaires et qu'on doit se rendre à l'injonction provisoire, je n'aurai pas le choix de lui facturer mes services, mais à ce stade-ci, ça me fait plaisir de lui venir en aide.

Mauvaise nouvelle : finalement, la femme de ménage de Fabrice ne peut pas nous prendre comme clients. Elle travaille juste à Westmount. As-tu continué tes recherches de ton côté ?

Je vais devoir venir au bureau demain. Tu vas pouvoir t'occuper de Charlotte ? Je vais me reprendre dimanche et installer les décorations d'Halloween avec elle.

Love you,

Mathieu

5

Magalie

Jeudi 10 novembre

À mon arrivée chez Penture il y a quatre ans, ma mère a installé dans mon bureau une toile solaire. Lorsque celle-ci est remontée, la fenêtre offre une vue dégagée sur le parc Jarry. Il m'arrive souvent de rester debout devant cette fenêtre, immobile un instant, pour admirer les arbres qui se balancent doucement, créatures indifférentes aux klaxons et à la course folle des voitures sur le boulevard Saint-Laurent. Je regrette de ne pas connaître le nom de tous ces arbres. Certes, il y a les érables, dont les feuilles sont si faciles à distinguer, les frênes aux troncs marqués d'une croix de peinture orange indiquant qu'ils sont victimes de l'agrile et seront abattus, et les saules pleureurs, dont la silhouette est si romantique, mais voilà qui résume à peu près mon savoir en dendrologie. J'ignorais d'ailleurs encore ce mot il y a quelques semaines. C'est un courriel de

Stéphanie, l'enseignante de Charlotte, qui me l'a appris. « *Coucou les parents ! Mercredi prochain, afin de compléter notre superprojet d'herbier, nous recevrons un dendrologue (un spécialiste de l'étude des arbres !) de la Ville de Montréal ! Je vous invite à préparer des questions avec vos enfants !* » Je souffre du même handicap en ce qui a trait aux oiseaux : à part les cardinaux et les geais bleus, je ne sais en distinguer aucun. Bien sûr, il y a les mouettes, les pigeons et les moineaux, mais ils sont si vulgaires, ça ne compte pas. Je n'avais pas ce complexe avant la naissance de Charlotte. Mais plus elle grandit, plus je prends conscience de mon ignorance dans toutes sortes de domaines. Il serait si agréable, tellement plus riche, il me semble, de pouvoir lui dire : « Regarde l'hirondelle sur la branche du merisier » au lieu de « Regarde l'oiseau dans l'arbre ». Mais je ne me fais pas d'illusions : à quarante ans, il est sans doute trop tard pour acquérir un esprit encyclopédique.

Aujourd'hui, toutefois, en admirant le parc Jarry, ce ne sont pas ses arbres qui retiennent mon attention. Malgré le froid qui enveloppe la ville depuis le début de la semaine, de toute évidence remorqués là par leur entraîneur au crâne chauve qui sautille sur place, quelques adolescents disputent une partie de soccer, et je ne peux pas m'empêcher de penser au conjoint d'Annabelle Juneau, qui faisait la même chose, au même endroit, ce dimanche après-midi de la fin du mois d'août, au moment où elle a disparu. Je n'ose imaginer ce que cet individu louche à la nuque épaisse et aux larges épaules a pu faire à cette femme avant de l'assassiner : l'a-t-il violée, torturée ? Car malgré ce que soutient cette prétendue voyante dont Guillaume m'a parlé, Annabelle Juneau est probablement morte depuis longtemps à l'heure qu'il est ; comme c'est souvent le cas dans ce genre d'histoire sordide, son assassin a dû se débarrasser du corps après en avoir joui de façon perverse. Si je l'avais connu un peu plus et n'avais pas eu peur qu'il interprète ce commentaire comme une critique de son métier, j'aurais partagé le fond de ma pensée avec Guillaume. N'est-il pas scandaleux que la police perde son temps à recueillir les témoignages d'illuminés, quand ce ne sont pas carrément des arnaqueurs ? Deux mois après la mort de mon père, ma mère m'avait confié avoir pris rendez-vous avec une voyante. « Mais pour quoi faire ? » m'étais-je exclamée sans réfléchir, car bien entendu, ma mère espérait ainsi communiquer avec mon père, ou du moins son esprit, et s'assurer qu'il se portait bien là-bas, dans cet autre monde aux contours inconnus. J'avais insisté pour l'accompagner : ne risquait-elle pas d'être trop troublée pour conduire au retour si, durant ce rendez-vous, mon père se matérialisait en effet, sous quelque forme que ce soit ? Je commençais presque à y croire moi aussi, mais ça n'a pas duré longtemps. La voyante en question habitait à Cartierville, dans le sous-sol d'un quintuplex dont les balcons du premier et du deuxième étage ployaient sous le poids de débris de toutes sortes. « Où l'as-tu dénichée ? » avais-je demandé à ma mère en garant la voiture ; cette question ne m'avait pas effleuré l'esprit avant. « Sur Internet, les avis étaient bons », m'avait-elle répondu. « Madame Gina, médium-voyante », comme elle s'était présentée, était âgée d'une soixantaine d'années. Elle portait des sandales Crocs blanches, un pantalon de toile et un long chemisier ; son parfum bon marché masquait à peine l'odeur d'humidité de la pièce dans laquelle elle nous avait accueillies après avoir demandé à ma mère de lui payer la séance : quatre-vingts dollars. Malgré le faible éclairage fourni par la chandelle qui brûlait au centre de la table pliante, les taches de graisse qui souillaient le tissu des chaises étaient bien visibles, et ma mère et moi avions échangé un regard hésitant avant de nous asseoir. Madame Gina avait pris place en face de nous et avait demandé que nous nous tenions toutes les trois par la main. Les siennes étaient rugueuses. « On va maintenant fermer les yeux et penser à Jacques, le défunt, et l'appeler à notre rencontre. » La lumière de la chandelle était censée guider mon père jusqu'à nous tandis que madame Gina émettait de drôles de sons avec sa gorge. « C'était n'importe quoi », avait reconnu ma mère sur le chemin du retour. Je la sentais déçue et je l'étais tout autant, alors j'avais proposé que nous nous arrêtions rue Saint-Denis pour manger une soupe pho au petit restaurant vietnamien préféré de mon père. Mais nous nous étions cogné le nez à la porte, l'établissement étant fermé en raison d'une panne électrique, ce que nous avions interprété comme la seule manifestation fantomatique de mon père ce soir-là : il voulait sans doute ainsi nous reprocher d'avoir flirté avec l'univers du spiritisme.

Dans le parc, le match de soccer est terminé. Les

adolescents se font une accolade et leurs gilets de différentes couleurs donnent à cette étreinte des allures de kaléidoscope. Il est temps de me remettre au travail. Je sursaute en me retournant.

— Je peux te parler ? me demande Romane.

J'ignore depuis combien de temps elle se tient à l'entrée de mon bureau. Elle porte une robe noire égayée de petites têtes de chat blanches qui contrastent avec sa mine à elle, plutôt grave.

— Ça va ?

Elle s'assoit et pose ses mains à plat sur ses cuisses, mais cela semble lui demander un effort, car elle ne cesse de plier et déplier ses doigts.

— Je ne sais pas par où commencer, Magalie, mais je te dois des excuses.

— Pourquoi ?

La semaine dernière, Romane a mangé un des pots de yogourt que j'avais laissés dans le réfrigérateur de la salle des employés en pensant qu'il était à elle ; le lendemain, elle l'avait remplacé par un autre, même si je lui avais dit de ne pas s'en faire avec ça. A-t-elle maintenant bu une de mes bouteilles de Perrier ? Elle soupire et son haleine dégage une odeur de tabac.

— Les textos anonymes que tu as reçus dernièrement, c'est moi qui te les envoyais.

J'ouvre la bouche mais aucun mot ne parvient à en sortir.

— Mon frère travaille dans une shop de recyclage de vieux cellulaires, poursuit-elle. Je n'acceptais pas que tu couches avec Olivier.

Tout à l'heure, j'ai aperçu Isabelle en bas, dans son atelier, mais elle est peut-être montée pour aller aux toilettes, et mon premier réflexe est de regarder la porte : Romane l'a bien refermée derrière elle. J'ai l'impression d'être dans un mauvais rêve. Comment a-t-elle su qu'Olivier et moi entretenions une liaison ? Nous avons toujours été discrets. Mais, par-dessus tout, en quoi est-ce que cela la regarde ? Elle continue de plier et déplier ses doigts sur ses cuisses.

— Je suis amoureuse de lui, ajoute-t-elle. Pourquoi tu as couché avec Olivier ?

Ma stupéfaction dure de longues secondes. Puis je parviens à briser le silence :

— Ça fait longtemps qu'on ne se voit plus.

Mon ton n'est pas aussi agressif que je le souhaiterais. « Pas si longtemps », murmure Romane, songeuse. Des cernes mauves alourdissent ses yeux et des spasmes agitent le coin de ses lèvres. Il ne fait aucun doute que tout cela est douloureux pour elle. Je me demande si Romane, en s'effaçant ainsi derrière Isabelle, et en entretenant de telles pensées envers Olivier, n'aspire pas en réalité à *devenir* sa patronne. Rêve-t-elle de prendre sa place ? Quoi qu'il en soit, le cœur me lève, car à présent que Romane connaît un pan si intime de ma vie, cela ne me place-t-il pas dans une position de soumission par rapport à elle ?

— Je vois un psy maintenant. Ça m'aide. Mais je suis quand même désolée de t'avoir harcelée. C'était pas correct.

J'ai envie de la traiter de cinglée, mais mon cœur bat

à toute vitesse et je me trouve ridicule quand je m'entends la remercier pour sa franchise. Comme si ça pouvait me rassurer, elle me précise que je ne suis pas la seule à avoir souffert de son comportement.

— J'ai couché avec Alexandru juste pour rendre Olivier jaloux. Ç'a pas fonctionné, comme tu t'en doutes. Alexandru est pas mal décrissé. Les Roumains sont plus conservateurs que les Québécois dans leurs relations. Il voulait me présenter à sa famille.

Elle referme la porte coulissante en sortant. Comment peut-on côtoyer des gens quarante heures par semaine sans avoir la moindre idée des maladies mentales qui les affligent ? Les vibrations de mon téléphone m'empêchent de m'attarder à la question. De sa voix détachée, Mathieu m'annonce qu'il a oublié que nous étions invités chez ses parents pour la fête de sa sœur vendredi prochain. Serait-il possible de remettre le souper avec Isabelle et Olivier prévu ce soir-là ? Le son d'une sirène me laisse deviner qu'il se trouve à l'extérieur de son bureau, peut-être en route vers le palais de justice. Ce souper en compagnie d'Isabelle et Olivier, qui déjà me semblait inconvenant, me paraît plus contre-indiqué que jamais vu la discussion que je viens d'avoir avec Romane. En envoyant quelques textos, j'espère donc que ce rendez-vous sera remis aux calendes grecques, mais la réponse tombe rapidement : demain soir conviendrait à tout le monde. Isabelle va seulement vérifier que sa réservation au Bouillon Bilk peut être modifiée ; c'est elle qui nous invite afin de remercier Mathieu d'avoir rédigé la mise en demeure à cette Brigitte Méthot. Une autre désaxée qui veut être Isabelle à la place d'Isabelle, me dis-je. Qu'ont-elles toutes ?

Je me masse les tempes : dois-je aviser Olivier de mon échange avec Romane ? Il y a cinq ou six semaines que nous avons mis un terme à notre liaison. À peine nous permettons-nous quelques allusions à ce sujet lorsque nous sommes seuls sur la route dans la jeep de Penture. Dans ce cas, est-il pertinent de ramener le passé sur la table ? Il me semble que si Romane a entrepris une démarche pour redevenir saine d'esprit, ni Olivier ni moi n'avons grand-chose à craindre. Et puis j'essaie de voir la situation de façon positive : je n'aurai plus à redouter, chaque fois que mon téléphone gazouille, un texto sibyllin en provenance d'un numéro inconnu. Romane ne m'envoyait pas ses flèches tous les jours, mais ses messages m'avaient plongée malgré tout dans un état d'insécurité assez prononcé pour que je me confie à Guillaume, que je connais si peu. « J'ai parlé à un collègue, m'avait-il dit quand il était venu chez Penture pour regarder nos échantillons et faire une présélection des matériaux pour sa cuisine. Avant de porter plainte et d'ouvrir une enquête, tu pourrais peut-être essayer de changer de numéro de téléphone pour voir si ça met fin aux messages indésirables. » J'avais dit à Guillaume que j'y réfléchirais.

Un Post-it jaune collé sur le bord de l'écran de mon ordinateur me rappelle que je dois justement contacter Guillaume afin de l'informer que le modèle de quartz qu'il a sélectionné pour ses comptoirs n'est plus disponible chez notre fournisseur, et tandis que je compose son numéro, il me vient en tête de lui annoncer la résolution inattendue de mon histoire de messages textes étranges. En tant que policier, Guillaume apprécie probablement les récits de mystères élucidés. Toutefois, dès la première sonnerie, je renonce à cette idée, car ne faudrait-il pas en même temps lui apprendre que pour m'aider à tolérer les infidélités de Mathieu, je l'ai trompé de mon côté avec mon associé, et que l'auteur des messages était l'assistante jalouse de la femme de mon amant ? Cela, il me semble, lui en révélerait trop sur moi.

— Salut, Magalie. Je vois sur mon écran que t'as toujours pas changé ton numéro de téléphone.

— Non.

— As-tu reçu d'autres messages bizarres ?

— Aucun. Je pense que c'est fini.

Si Guillaume est déçu quand je lui annonce la rupture de stock de son quartz marengo, il n'en laisse rien paraître. Je lui promets que je vais lui trouver un produit similaire, le Grey Expo, par exemple, dont je lui enverrai des photos par courriel avec mon plan préliminaire en trois dimensions de sa cuisine.

— Je suis impatient de voir ça ! lance-t-il. Je suis justement en route vers l'écocentre avec les débris de ma vieille cuisine.

Je marque une pause.

— Comment ça ?

— J'ai mis la hache dedans.

— T'as démoli ta cuisine ?

— Mets-en. J'étais pus capable de la voir.

— Mais comment tu vas manger pendant deux mois ?

— Pourquoi ça, deux mois ?

J'émets un petit rire nerveux.

— Tu me niaises, hein ? C'est une cuisine sur mesure. L'usine avec qui on fait affaire a d'autres clients que nous. Il y a des délais de livraison.

Après un court silence, Guillaume m'assure qu'il va se débrouiller avec son four à micro-ondes et sa glacière, et je comprends qu'il est sérieux : il a réellement rasé sa cuisine. Sur mon bureau, mon carnet de commandes déborde comme chaque année à l'approche des Fêtes : j'ai une douzaine de projets en cours, la plupart signés bien avant celui de Guillaume – qui, en fait, n'est même pas encore signé ! Et puis je lui ai dit deux mois, mais la réalité se rapproche beaucoup plus de trois, l'usine ayant l'habitude de fermer pendant les vacances de Noël et les deux premières semaines de janvier. Ça n'a aucun sens que Guillaume n'ait pas de cuisine durant une si longue période. S'il habitait seul, l'histoire serait différente, mais il ne pourra tout de même pas nourrir sa fille de plats surgelés réchauffés au micro-ondes chaque fois qu'elle sera chez lui. Je ferme les yeux et calcule rapidement : Mme Azoulay, la cliente à qui Alain et Robert du projet du lac Massawippi m'ont recommandée et qui travaille pour je ne sais plus quelle agence gouvernementale, est retournée à Paris pour terminer un mandat et elle nous a dit vouloir aller faire un safari en Afrique avant d'emménager dans son condo du Quartier des spectacles. Il y a sans doute moyen de faire passer le projet de Guillaume avant le sien. Cette logistique me demandera tout de même un certain doigté. Je soupire :

— Je peux peut-être te garantir ta cuisine pour Noël, Guillaume, *peut-être*, mais pas avant. Je vais voir si je peux retarder une autre cliente. Et t'auras peut-être même pas tes comptoirs parce qu'on peut prendre les mesures seulement une fois les caissons installés, et après ça tu dois compter dix jours ouvrables.

— Je comprends.

— Tu vas devoir approuver mes plans au plus vite. Il faut aussi signer la commande au plus tard la semaine prochaine et on demande toujours un dépôt de vingt pour cent.

— Pas de problème. Autre chose ?

— On va devoir repasser chez toi une dernière fois pour les mesures. Pour ça, il faut que le gypse de tes murs soit refait et ton plancher aussi, si tu le changes. Mets un rush là-dessus.

— Cool ! Je vais me trouver un gars.

Son enthousiasme m'agace un peu : il ne semble pas comprendre que sa précipitation exige une importante réorganisation de mon calendrier.

— Il faut absolument que tu m'envoies les fiches techniques des électroménagers que tu vas acheter. Oublie pas de prendre un réfrigérateur de profondeur comptoir, sinon il arrivera pas flush avec le reste.

— OK. Deux mois, quand même, je suis désolé. Je m'attendais à un délai de deux ou trois semaines.

— Pour ça, il aurait fallu que t'ailles chez Ikea.

Un silence s'installe.

— Il doit pas être trop tard. Préfères-tu que je fasse ça ?

Son ton est sec tout à coup et je ne sais pas si je l'ai froissé. Je lui assure que je suis heureuse de l'accompagner dans son projet, simplement déstabilisée par son annonce, mais je doute qu'il m'écoute.

— Je viens d'arriver à l'écocentre, tranche-t-il. Je vais décharger mon char. Ciao.

Cette matinée m'use les nerfs : je ne parviens pas à joindre Mme Azoulay à Paris pour vérifier si le report de deux semaines de la livraison de sa cuisine lui convient ; aussi, quand je vais aux toilettes, je croise Romane, qui me regarde avec ses yeux de poisson. En quittant Penture vers midi, je salue Mylène et Johanne, qui chipotent leurs salades sans vinaigrette dans la salle des employés en discutant des dernières intrigues d'*Unité 9*. Alexandru est là lui aussi. Le dos voûté, ses épais cheveux bruns lui retombant sur les yeux, il est appuyé contre le dossier d'une chaise devant le four à micro-ondes dont le moteur émet un faible grondement. Il faudrait que je l'avise que le fournisseur nous a envoyé le mauvais modèle de poignées d'armoires pour la cuisine que Stefan et lui doivent assembler demain à Pointe-Saint-Charles, mais son air cafardeux me convainc de remettre ça à plus tard. J'imagine que Romane lui a parlé ce matin, ou peut-être hier soir, et qu'il en est encore tout à l'envers.

Assise au fond de la salle à manger du Petit Alep, je

n'hésite pas à me commander un verre de vin avec une assiette de kebabs, mais mon téléphone sonne avant que la serveuse me l'ait apporté. Ma mère semble agitée au bout du fil.

— Maggy? Écoute, je pense avoir répondu trop vite à ton texto ce matin. Le changement de date ne fonctionne pas. Je ne peux pas garder Charlotte demain soir.

Elle m'explique qu'André s'est engagé de son côté à garder Julianne, la fille de Guillaume, et qu'il aimerait qu'elle passe la soirée avec eux. « Encore lui ! » me dis-je.

— On va l'emmener au cinéma et ensuite elle va dormir chez André avec nous. Je suis désolée. Est-ce que tu es vraiment mal prise? Si oui, Charlotte pourrait peut-être venir avec nous.

Je prie ma mère de ne pas s'inquiéter. Emma, la fille de Mylène, notre comptable chez Penture, pourra peut-être la remplacer : elle a quinze ans et a déjà gardé Charlotte à quelques reprises l'été dernier. Je lui envoie un message texte tout de suite après avoir raccroché, mais je me questionne : pourquoi diable ma mère n'est-elle pas capable de laisser André seul avec Julianne le temps d'une soirée pour venir garder Charlotte chez moi? Forment-ils un couple si fusionnel? Déjà? Une autre question m'effleure l'esprit tandis que la serveuse m'apporte mon verre de vin : pourquoi Guillaume, qui ne doit pas voir sa fille si souvent puisqu'il n'en a la garde qu'à mi-temps, et peut-être encore moins vu son métier, l'envoie-t-il chez son père le vendredi soir et toute la nuit? Doit-il travailler de façon imprévue ou a-t-il une femme dans sa vie? Si je me fie au contenu de la pharmacie de sa salle de bain auquel j'ai jeté un œil l'autre jour et dont l'essentiel est composé de pots d'ibuprofène et d'acétaminophène, de somnifères ainsi que d'une crème anti-acnéique appartenant sans doute à sa fille, cette femme – si femme il y a – n'a pas encore pris ses aises chez lui. Mon téléphone ne tarde pas à vibrer : « *OK,* m'écrit Emma, *mais mon tarif est maintenant 10 $ l'heure au lieu de 8 $.* » Je lui réponds d'être là à six heures.

Je regagne le bureau d'un pas rapide, la tête calée dans mon foulard de laine. Des rafales balaient la ville et font tourbillonner des feuilles brunes et sèches dans le ciel tout l'après-midi. Je dois me dépêcher d'aller chercher Charlotte à l'école pour l'emmener à son cours de piano. En l'attendant dans le vestibule du service de garde, où flotte toujours une odeur de soupe au poulet mélangée à des relents de vieilles chaussures, et où tous les parents ont soit le nez scotché à leur téléphone afin de régler les dernières urgences de la journée, soit la tête enfoncée dans le gros bac d'objets perdus dont ils remuent le contenu, je croise ma voisine Valérie Delorme. Les cheveux en bataille, vêtue de ce qui a toutes les apparences d'un pyjama, la taille épaissie par sa grossesse récente, distraite par son bébé de deux mois qui pleure dans sa coquille et son petit Édouard, trois ans, le nez croûté, qui s'accroche à ses jambes en geignant et en mâchonnant un bonbon d'Halloween encore dans son emballage, elle laisse échapper ses clés.

— Ça va ? que je lui demande en me penchant pour les ramasser.

— Mettons que ce n'est pas exactement la vie dont je rêvais, lâche-t-elle d'une voix enrhumée tandis que sa petite Clara sort du gymnase avec Charlotte.

Sa sincérité m'émeut. Ou n'est-ce pas plutôt sa naïveté ? Je lui souris, solidaire :

— Il y a des journées pires que d'autres.

Vendredi 11 novembre

Aux heures creuses de la nuit, quand tout est silencieux dans l'appartement et que Mathieu n'est pas encore rentré, ou parfois même quand il est là, endormi à mes côtés, il m'arrive de ne pas me comprendre. Pourquoi ne pas simplement lui dire que je sais tout – sa collègue, leurs rendez-vous, son infidélité – et le quitter ? Mais je parviens toujours à me convaincre que, pour le bien-être de notre fille, il est préférable de rester. Elle est encore si petite et je n'ai pas envie de lui faire subir un si gros bouleversement : transporter d'une semaine à l'autre sa valise entre deux maisons. Les psychologues disent que les enfants ont une grande capacité d'adaptation, mais je suis sceptique : s'adaptent-ils réellement à la cassure ou ne ravalent-ils pas leur peine parce que, plus que tout, ils comprennent qu'ils n'ont pas le choix ? J'aurais le cœur brisé de soumettre Charlotte à une telle situation. Par ailleurs, le climat sous notre toit demeure des plus vivables : Mathieu et moi nous disputons rarement, et notre fille n'est donc pas exposée à un climat domestique délétère, dont le seul bon côté serait de lui faire accueillir notre séparation comme un soulagement. Et puis, s'il y a une certitude parmi les quelques certitudes de ce monde, c'est bien celle que je ne suis pas la première ni la dernière femme à être trompée. Nous sommes des millions et plus, en ce moment même, et la seule chose qui rend mon cas peut-être plus complexe, sans être unique, c'est que j'en ai connaissance. Si Mathieu n'avait pas oublié cet emballage de condoms dans son sac de gym, j'aurais probablement entretenu quelques doutes au fil du temps, mais comme tant d'autres femmes, j'aurais balayé mon intuition sous le tapis du quotidien et continué de marcher dessus en me tenant bien droite, presque convaincue de la perfection de toutes choses. À bien y réfléchir, peut-être est-ce cela, vieillir : se rendre compte que rien n'est idéal, ravaler ses caprices et ses attentes, oublier ses besoins au profit de ceux des autres. Car il ne fait pas de doute que ma famille est une entité plus grande que moi désormais : c'est une cellule qui prend le dessus sur mes désirs et qui absorbe toute ma personne. Si j'étais du genre à broyer du noir, je dirais que c'est un monstre qui me dévore ; mais ce n'est pas du tout ce que je ressens. D'ailleurs, ce soir, tandis que j'observe Mathieu assis en face de moi et qui mange son entrée de poisson cru tout en discutant avec Olivier du début de la saison du Canadien, je me demande si je ne reste pas simplement parce que je l'aime malgré tout. Pourquoi cela serait-il impossible ? Il n'a pas eu le temps de passer à la maison après sa journée de travail ; avec sa cravate à moitié dénouée autour du cou, il est plutôt séduisant, et sa façon de rire en rejetant la tête en arrière et en déposant de temps à autre une main chaude et complice sur la mienne me laisse croire que notre cas n'est peut-être pas si désespéré. Après tout, est-ce sa faute ? Ne dit-on pas que les hommes sont infidèles en raison de leur code génétique, lequel les amène à répandre leurs gènes le plus possible afin d'assurer la survie de l'humanité ? Or, depuis quand la survie de l'humanité est-elle devenue quelque chose de mal ? Et où donc se situe la volonté de Mathieu dans tout cela, si ce n'est pas lui mais des facteurs biologiques qui décident à sa place ? Quand ses pulsions le convoquent en assemblée générale extraordinaire, Mathieu a beau se cabrer, il n'a pas droit de veto.

L'atmosphère du Bouillon Bilk est animée, les clients se massent aux tables et autour du bar, ils s'accueillent avec des clameurs et nous devons parler fort pour nous entendre.

— Je vais te montrer la photo qu'ils ont choisie pour la couverture ! me crie Isabelle dans l'oreille. Je veux ton avis.

Sur l'écran de son téléphone, elle fait défiler les clichés de son *shooting* pour le *Châtelaine*. Cadrées à partir de la taille, certaines photos la montrent tantôt les cheveux détachés tout ondulés, tantôt tressés, tantôt remontés en chignon ; parfois elle porte une robe noire au décolleté piqué de pierres blanches, parfois un *jumpsuit* doré et un collier de perles ; mais peu importe sa coiffure ou sa tenue vestimentaire, le même sourire forcé étire son visage et ratatine son regard. Malgré toute la main-d'œuvre mobilisée pour cette séance de photos – styliste, maquilleur, coiffeur, assistant-photographe et que sais-je encore ? –, Isabelle ne me paraît pas plus jolie sur ces photos-là que sur celles, beaucoup plus naturelles, qu'elle publie elle-même sur le compte Instagram de *Sous la dent.* Sa vivacité et sa spontanéité enfantines semblent avoir été gommées au profit d'une certaine rigidité féminine. Tous ces pixels commencent à m'étourdir quand un serveur vient débarrasser la table de nos entrées et Isabelle cesse enfin de faire glisser son doigt sur son cellulaire pour me montrer une photo au cadrage beaucoup plus large. C'est celle que le comité de rédaction a retenue pour la couverture. Sur un fond noir troué de lumières de Noël, Isabelle, vêtue du *jumpsuit* doré, est appuyée contre une table en bois de grange sur laquelle trône une énorme dinde vivante. L'oiseau attire l'œil : son cou est recouvert d'une membrane rouge sang gélatineuse, son regard torve cerclé de bleu vif, son plumage noir luisant aux reflets mauves gonflé comme s'il s'apprêtait à faire la roue et son bec grand ouvert comme s'il glougloutait à en réveiller les morts. Isabelle fait circuler son téléphone autour de la table pour connaître l'opinion de chacun. Nous y allons tous de nos compliments : elle est splendide et la dinde est spectaculaire. Mathieu y va même d'une analyse plus poussée et souligne l'audace du concept qui, selon lui, suggère la rencontre entre la femme domestiquée et la nature insoumise.

— Je ne suis pas domestiquée, dit Isabelle, un peu outrée, en reprenant son téléphone.

— Dans le sens que t'es toute chic, chérie, lui

explique Olivier. Tu t'es soumise à certains standards culturels.

— Ils allaient pas m'habiller en crottée sur le *cover* du *Châtelaine* de Noël ! Mais vous êtes sûrs que ç'a pas l'air fou ? Genre, est-ce que je me fais pas un peu voler la vedette par la dinde ? Ça me stresse. J'aurais apprécié qu'ils m'avertissent que j'allais poser à côté d'une volaille. La dinde était pas à la séance de photos, ils l'ont *photoshoppée* après. C'est-tu légal, ça, Mathieu ?

— Ça dépend du contrat que t'as signé.

— Je vais vérifier.

— T'es super belle, lui dis-je.

— En tout cas, je leur ai donné trois variantes de ma recette de dinde, ma recette de trempette de tahini, en plus de la recette de mon gâteau aux canneberges et à la farine d'épeautre. Ils vont mettre le lien du site Internet de *Sous la dent* et de Penture dans l'article. Ça va nous faire une bonne pub. Han, c'est quoi ça ?

Le serveur lui décoche un regard de biais et finit de disposer quatre assiettes sur la table avant de se lancer dans la description de leur contenu minimaliste : « Alors, messieurs dames, comme bouchée avant la suite, vous avez ici une mousse de poivron rouge garnie d'un palet de sauce tomate aux éclats d'amandes et montée sur une génoise au basilic et au parmesan. Bonne dégustation. »

— Est-ce qu'il m'a fait un air bête ? demande Isabelle quand il s'éloigne.

— Ben non, la rassure Olivier.

— Je lui ai juste demandé c'était quoi.

La conversation tout au long du repas tourne autour de nos enfants. Isabelle nous pose beaucoup de questions sur la garderie qu'a fréquentée Charlotte, elle veut savoir quel genre de nourriture on y servait, quels genres d'activités les enfants y pratiquaient, quel était le ratio d'enfants par éducatrice et une multitude d'autres détails.

— Est-ce que c'est vrai que les enfants font la sieste couchés par terre ? Par terre !

— Ils ont des petits matelas.

— Et leur doudou.

Même si Mathieu et moi lui assurons que Charlotte a adoré ses trois années à la garderie, Isabelle décrète qu'elle va probablement préférer garder Mikaël à la maison jusqu'à ce qu'il entre à la maternelle.

— Pis comment il va apprendre à sociabiliser ? s'étonne Olivier.

— Rebecca l'emmènera au parc.

— Au parc, il va croiser des petits inconnus. C'est pas pareil que de faire partie d'un groupe.

Sans doute grâce à sa profession, Mathieu a un sixième sens pour détecter les discussions qui risquent de dégénérer en conflit.

— Quel âge a Mikaël, déjà ?

— Un an et demi.

— Vous avez encore en masse le temps d'y réfléchir. Nous, quand Charlotte était bébé, on pensait la garder à la maison jusqu'à ce qu'elle entre à l'université.

Mathieu me fait un clin d'œil au-dessus de son verre de vin et je nous revois tout à coup quatre ans plus tôt dans la chambre de Charlotte, moi dans la chaise berçante en train de l'allaiter, et lui qui m'apporte un verre d'eau et sort un tournevis à pointe miniature de la poche de sa robe de chambre pour changer les piles de la veilleuse. À l'époque, j'étais convaincue que le simple fait d'être ainsi tous les deux avec un troisième petit être dont nous prenions soin avec douceur, en silence dans la moiteur de la nuit, garantirait le succès de notre couple. Qu'est-ce qu'on pouvait vouloir de plus que ça ?

Avant le dessert, je me retrouve en même temps qu'Olivier aux grands lavabos en inox à la sortie des toilettes et nous nous lavons les mains l'un à côté de l'autre.

— Ç'a l'air de bien aller avec ton chum, glisse-t-il en pompant le savon. Il est fin en tout cas. C'est la première fois que j'ai l'occasion de vraiment discuter avec lui. C'est un bon gars.

J'opine de la tête et lui demande comment il trouve Romane dernièrement.

— Beige, comme d'habitude. Pourquoi ?

— Elle est en amour avec toi.

Olivier éclate de rire : « *What the fuck ?* » Je remets un peu de *gloss* sur mes lèvres et le laisse regagner la table avant moi. Nous avons bu beaucoup de vin et je dois fournir un certain effort pour rester élégante dans mes talons hauts. La salle à manger est toujours aussi bondée et tandis que je me faufile entre les clients et les serveurs, j'entends quelqu'un crier mon nom par-dessus la vaisselle qui s'entrechoque.

— Magalie ! Maggy !

À une table près du bar, un homme et une femme d'une soixantaine d'années me font de grands signes. C'est la chevelure blond platine de la femme qui m'aide à les replacer rapidement : bien sûr, il s'agit de Fabien et Mireille, un couple d'amis de mes parents. Je ne crois pas les avoir revus depuis les obsèques de mon père, dont je me souviens si peu d'ailleurs, car j'avais pris des calmants pour affronter cette journée. Mireille me serre spontanément dans ses bras de façon maternelle. L'accolade de Fabien ne dure pas aussi longtemps, mais elle est plus chargée émotivement et il m'est impossible de ne pas sentir contre ma poitrine la contraction soudaine de ses muscles sous son chandail de laine. Spécialiste des mécanismes de portes de garage, Fabien était proche de mon père : non seulement son collègue, mais aussi un compagnon de golf et de pêche. Une année, ils ont même tenté de s'initier ensemble à la chasse à l'orignal ou à je ne sais trop quel gros gibier. Et pourtant, même s'il ne fait pas de doute que mon apparition trouble Fabien et lui rappelle son ami disparu, nous parvenons à faire comme si le poids de cette absence n'était pas ce qui nous unissait, au cœur des odeurs et des cris qui nous entourent. Ils me racontent qu'ils sont ici pour célébrer la retraite de Mireille ; de mon côté, je brandis mon cellulaire et leur montre des photos de Charlotte, qui leur font pousser des cris d'extase. Comme ils ne l'ont jamais rencontré, je leur désigne Mathieu, que j'appelle « mon amoureux ». Il est à l'autre bout de la salle à manger, mais son regard croise le

mien, au-delà des tables et du bruit, et il nous sourit.
Puis une serveuse apporte à Fabien et Mireille leurs plats de pétoncles et nous nous disons au revoir. Ce n'est qu'à ce moment que Mireille me demande comment se porte ma mère. Je lui dis qu'elle va bien, mais en raison de la présence de Fabien, je préfère ne pas lui apprendre qu'elle a un nouvel homme dans sa vie.

— Je vais l'appeler ! lance Mireille d'un ton joyeux. Tu diras à Monique que je vais l'appeler bientôt. Ça fait trop longtemps que je ne l'ai pas vue.

Ils ont repris place sur leurs chaises et je suis sur le point de m'éloigner, mais Fabien me retient par le bras et je dois courber le dos pour l'écouter.

— Jacques, ton père, me glisse-t-il dans un souffle qui sent l'alcool, a toujours été très fier de toi. Il vous aimait beaucoup, ta mère et toi. Vous étiez ses trésors.

J'ai commandé une mousse au chocolat avant de me rendre aux toilettes, mais je le regrette à présent, car j'ai la gorge nouée et arrive à peine à en prendre une bouchée. Mathieu me demande si je me sens bien et je fais signe que oui en lui volant une gorgée de poire Williams. Il y a longtemps que j'ai compris que parler de la mort de mon père, du chagrin qui ne me quitte pas depuis, de cette blessure que je ne sais pas comment décrire autrement que comme une espèce de trou dans mon ventre et dans mon âme, ne m'apporte aucune consolation, en plus de me laisser la désagréable impression d'être lourde et de déprimer les autres. Quand Mathieu s'enquiert de l'identité des gens avec qui je me suis arrêtée pour discuter, et que je lui apprends qu'il s'agit d'amis de mes parents, il semble saisir tout cela et me caresse l'avant-bras en m'offrant de rentrer bientôt.

— C'était tellement le fun ! lance Isabelle.

Même s'il était convenu dès le départ qu'elle nous invitait, on se chamaille un peu avec elle pour régler la moitié de l'addition. Devant son refus, Mathieu insiste pour payer au moins une des bouteilles de vin, mais Isabelle serre la pochette de cuir qui contient l'addition contre son cœur et clôt la discussion :

— Je vais déduire cette facture-là de mes impôts de toute façon. Pour conseils juridiques.

Boulevard Saint-Laurent, le taxi doit ralentir son élan entre Sherbrooke et Mont-Royal en raison des fêtards à peine entrés dans la vingtaine qui ignorent les intersections et traversent la chaussée n'importe où pour aller se masser à la porte des bars. Mathieu et moi les observons en silence : une civilisation dont nous ne ferons plus jamais partie. Une fois franchi le viaduc Van Horne, je demande au chauffeur de s'arrêter à un guichet automatique, car je dois retirer de l'argent pour la gardienne. En attendant que la machine crache les billets, je regarde Mathieu dans la voiture. Le cou incliné vers son téléphone, dont la lueur bleue lui éclaire le visage, il sourit. A-t-il profité de ce court moment où il est seul pour échanger des messages avec elle ? Ce n'est tout de même pas une vidéo de chatons qui l'amuse ainsi. Le solde de notre compte conjoint est de plus de trois mille dollars et je me surprends à faire des calculs : aurais-je seulement les moyens de quitter Mathieu ?

Selon le chiffre d'affaires annuel de Penture, mon salaire varie entre soixante et soixante-quinze mille dollars ; ce n'est pas si mal, mais compte tenu de la flambée des prix de l'immobilier montréalais ces dernières années, est-ce suffisant pour acquérir un appartement de deux chambres dans notre quartier – l'un des plus convoités – sans une substantielle mise de fonds ? Il y a trois ans, j'ai investi toutes mes économies et le petit héritage de mon père dans Penture, et comme le condo de la rue Saint-Vallier appartient à Mathieu, qui l'habitait déjà au moment de notre rencontre, j'ignore le montant du capital que je pourrai en retirer en cas de rupture. Mathieu met son téléphone de côté quand je remonte dans le taxi et la voiture s'ébranle de nouveau. Quelques minutes plus tard, je l'attends sur le trottoir pendant qu'il règle la course avec sa carte de crédit. La nuit est calme, jusqu'à ce que Xavier, le conjoint de Valérie Delorme, tourne le coin et gare sa fourgonnette à quelques mètres de moi. *Eye of the Tiger* s'en échappe à plein volume malgré l'heure tardive, mais la chanson s'interrompt au milieu d'un couplet dès qu'il coupe le moteur. Il sort alors de son véhicule d'un pas rapide, ses grosses chaussures Puma délacées.

— On était à court de Tempra et le petit fait de la fièvre ! me crie-t-il en agitant la boîte blanche et bleue dans les airs. Vous autres, ça va ?

Il disparaît derrière le fantôme à air soufflé qui monte encore la garde devant leur rez-de-chaussée tout en continuant de chanter : « *It's the eye of the tiger, it's the thrill of the fight, rising up to the challenge of our rival.* » On entend des pleurs de nourrisson quand il ouvre la porte et s'engouffre dans la maison.

Tandis que j'enlève enfin mes talons hauts et me masse les pieds, Emma m'assure qu'elle a passé une merveilleuse soirée avec Charlotte : elle a été adorable et a mangé toute son assiette de pâtes aux tomates.

— Elle est vraiment cute. Elle a grandi depuis cet été.

On lui doit cinquante dollars, mais je lui en refile soixante, car je n'ai que des billets de vingt, et elle n'a pas de monnaie. Mathieu a ajouté quinze dollars au montant de la course afin que le taxi, qui attend Emma en bas, la ramène chez elle dans le quartier Villeray. Notre gardienne se dépêche pour s'habiller. Malgré la fraîcheur du mois de novembre, elle n'enfile qu'une veste de jean par-dessus son chemisier à manches courtes dont le décolleté laisse voir le galbe naissant de sa poitrine. Je m'étonne :

— Tu n'as pas de foulard ?

— Ben non.

— En veux-tu un ? Ta mère pourra me le rapporter au bureau lundi. Il fait froid.

— Je suis super correcte. Bye !

J'éteins la lumière de la galerie seulement après l'avoir vue grimper à bord du taxi. Emma a quinze ans : me reste-t-il seulement dix ans avant que mon bébé m'échappe ?

— Viens voir ça, chuchote Mathieu, qui se tient sous le cadre de porte de la chambre de Charlotte.

Je m'avance et nous admirons notre fille, dont la

poitrine se soulève doucement à chacun de ses souffles. Une expression de paix, de bien-être pur détend les muscles de son visage ; ses joues sont fermes et rondes comme des pêches. C'est irrésistible. Il est difficile d'imaginer que ce même petit ange, dix fois par jour, à la moindre contrariété, se choque, grimace et tape du pied. Charlotte est couchée sur le côté, son bras droit posé sur son singe Baboune, lequel est enseveli sous plusieurs épaisseurs de papiers mouchoirs, comme si elle avait voulu lui faire un lit douillet à lui aussi. Mathieu remonte la couverture sur les épaules de notre fille, que j'embrasse doucement sur le front.

— J'ai enregistré le match, m'annonce Mathieu une fois dans le corridor. Ça te dérange pas si je le regarde ?

— Non, je vais me coucher.

— Je mettrai pas le son fort.

Après m'être lavé le visage, brossé les dents et tapoté doucement les rides naissantes autour des yeux à l'aide d'une crème dont le coût surpasse celui d'un panier d'épicerie, je vais dans la cuisine me remplir un verre d'eau. Emma a laissé quelques assiettes sales au fond de l'évier, mais ça peut attendre à demain matin ; elle a aussi laissé des serviettes en papier souillées au bout de l'îlot et, en les jetant à la poubelle, j'aperçois sur le tas de détritus un sac de Cheetos. C'est étrange : je ne me rappelle pas avoir acheté de croustilles au fromage depuis l'anniversaire de Charlotte, au mois de mai dernier. L'ouverture du sac est tournée vers le haut et tout au fond se trouve un condom rempli de viscosités.

— *Oh my God!*

— Quoi? demande Mathieu, calé dans le canapé du salon.

— C'est quoi ce condom-là?

Il marque une pause avant de détacher son regard du téléviseur et me fixe d'un air inquiet, les sourcils froncés. Sa voix est hésitante: « Quel condom? »

Il pince les lèvres et je sens l'effroi le gagner peu à peu tandis qu'il reste paralysé sur le canapé. Je comprends ce qui le tétanise ainsi: Mathieu s'imagine sans doute qu'il a égaré la boîte de Trojan dont il se sert avec elle. En même temps, il doit se dire que c'est impossible, car comment cette boîte aurait-elle voyagé du coffre de la Passat jusqu'à notre cuisine? Je prends un plaisir pervers à étirer le suspense:

— Y a un condom dans notre maison, je te niaise pas, Mathieu!

Il se racle la gorge, se lève doucement et serre les mâchoires tandis qu'il traverse l'aire ouverte du salon jusqu'à moi. Je ne le quitte pas des yeux. Il affronte mon regard avec un certain aplomb, puis, une fois dans la cuisine, ses yeux balaient le plancher de céramique à la recherche de l'objet incriminant. Je sens les pensées se bousculer dans sa tête à une vitesse folle, en quête de l'excuse parfaite à improviser, car Mathieu est trop sophistiqué pour me servir le traditionnel « c'est pas ce que tu penses ». Il est à un mètre de moi et je peux presque entendre les battements de son cœur quand je lui montre finalement l'intérieur du sac de Cheetos. Il avale sa salive.

— La gardienne a eu de la visite, lâche-t-il. C'est un peu évident.

Il me regarde d'un drôle d'air avec ses grands yeux noisette et je me demande si je ne viens pas encore une fois de laisser passer l'occasion de le mettre face à ses mensonges. Aussi, je trouve ma vie de plus en plus absurde, car depuis quelque temps, il me semble que j'ai affaire trop souvent aux condoms des autres. Je soupire :

— Pffft. J'espère que Charlotte ne sera pas dévergondée comme ça à quinze ans.

Je remets le sac de Cheetos et son contenu à la poubelle. Mathieu avale un grand verre d'eau au-dessus de l'évier et je lui souhaite bonne nuit. Est-ce aussi douloureux pour lui de me mentir que ce l'est pour moi de faire comme si je ne le savais pas ? Quand il éteint la télé quelques minutes plus tard et vient se coller en cuillère contre moi sous les couvertures sans desserrer son étreinte jusqu'à ce qu'il sombre dans le sommeil, je comprends que peu importe où son histoire s'en va avec l'autre, il n'est pas prêt, du moins pas encore, à me perdre.

Un oiseau gazouille. Dans mon demi-sommeil, je me demande si ce sont les nouveaux lampadaires aux diodes blanches installés par la Ville qui l'ont rendu insomniaque, et quel genre de monde déréglé nous laisserons à nos enfants. Puis l'oiseau gazouille de nouveau et je reconnais l'espèce dont il s'agit : un iPhone 5S. J'ai oublié d'activer le mode silencieux en me couchant. Sur l'écran verrouillé, une alerte Facebook : « *Guillaume*

Hamelin vous a envoyé une invitation. » Juste au-dessus, je vois l'heure : cinq heures cinquante-huit. Mathieu ronfle à mes côtés, la tête enfoncée dans son oreiller. Je m'étonne de la rapidité avec laquelle, en quelques heures à peine, ses cheveux ont pu devenir si gras, et tant de poils ont percé la peau épaisse de ses joues. J'essaie de me rendormir, mais la lumière de mon téléphone m'a éblouie et s'est imprimée au fond de mes yeux : c'est peine perdue.

Tandis que l'eau bout pour mon thé, car le moteur de la machine à espresso ferait trop de bruit à cette heure paisible, je m'approche de la fenêtre et j'observe la ruelle endormie. Sur la terrasse des Delorme, des boîtes de couches débordent du bac de recyclage et je pense à Valérie, qui m'a semblé si épuisée quand je l'ai croisée cette semaine. Peut-être pourrais-je lui apporter un plat cuisiné, ou lui offrir de prendre Clara à la maison durant quelques heures. Ça lui donnerait un répit, et ça ferait une amie avec qui jouer pour Charlotte. Je me demande comment Valérie fait pour prendre soin d'un nouveau-né et veiller en même temps sur deux enfants en bas âge. Xavier est concepteur pour une compagnie de jeux vidéo indépendante et je doute qu'il soit souvent là durant la semaine ; en tout cas, je ne le croise pratiquement jamais au service de garde de l'école. La dernière fois remonte aux premiers jours de septembre, quand Valérie se remettait de sa césarienne. Xavier m'avait raconté avec passion qu'il travaillait au développement d'un jeu vidéo portant sur l'univers de la boxe, et je l'avais écouté en faisant mine de trouver ça intéressant.

En attendant que mon thé soit infusé, je prends mon téléphone dans la poche de ma robe de chambre et accepte la demande d'amitié de Guillaume. Que fait-il debout si tôt ? Peut-être a-t-il l'habitude de se lever aux aurores en raison de son travail. Il m'a sûrement envoyé cette invitation pour se faire pardonner son au revoir un peu sec d'avant-hier, alors que j'essayais simplement de lui expliquer la différence entre une cuisine conçue sur mesure et une cuisine Ikea. Ou bien il a appris, en amenant Julianne chez son père hier soir, qu'il me privait ainsi de la présence de ma mère, et que j'allais devoir dénicher une gardienne pour Charlotte. Je clique sur son profil. Guillaume aime le SPVM, les magasins Sports Experts, la NFL, les Packers de Green Bay et la ville de Sainte-Julie. Je fais défiler les publications sur son mur. Loin de faire étalage de sa vie privée, il diffuse surtout des articles sur la course à pied. Une publication ressort toutefois du lot. Elle date de l'an dernier. Guillaume s'était alors amusé à faire un test : « De quoi aurez-vous l'air à 70 ans ? » Il en a partagé le résultat sur sa page : il s'agit d'une photo où, avec ses rares cheveux gris, son nez aplati et son teint brouillé, il ressemble un peu à son père.

La question chatouille ma curiosité et je décide de cliquer sur l'onglet « Faites le test vous aussi ». Je soumets ma photo de profil et pendant qu'elle se télécharge sur le site du développeur, je vais m'asseoir sur le canapé du salon avec mon thé. Quand l'image prend finalement forme, je me brûle la langue puis dépose ma tasse sur la table basse pour y regarder de plus près. Mon

Dieu, est-ce réellement moi ? Certes, il y a une légère ressemblance, le menton anguleux, par exemple, ou le nez un peu retroussé. Je commence toutefois à éprouver un malaise. Ce ne sont pas les cheveux blancs ni la peau chiffonnée de ce fantôme du futur qui m'effraient le plus, mais ses yeux gris aux paupières tombantes, des yeux à la fois tristes et éteints. Il y a aussi cette bouche desséchée, dont le contour s'affaisse mais dont les lèvres demeurent entrouvertes comme si des mots allaient s'en échapper, et soudain je me demande ce que me dirait cette femme qui vient de traverser trois décennies à rebours si seulement elle pouvait parler. Me reprocherait-elle d'avoir toléré une situation inacceptable ? Me mettrait-elle en garde contre les dangers du déni ? Peut-être me ferait-elle le récit de notre vie et m'énumérerait-elle tous les choix qui nous ont rendues malheureuses ; peut-être me dirait-elle qu'il n'est pas trop tard pour faire quelque chose.

— C'est qui la dame, maman ?

Baboune sous son bras, Charlotte se colle contre moi, son corps encore lourd et tiède de sommeil. J'éloigne mon thé fumant pour éviter un accident et j'embrasse ses cheveux.

— C'est moi, ma chouette. Dans très longtemps.

Ma fille m'observe quelques secondes, incrédule, impressionnée, ou peut-être simplement incertaine de mon état d'éveil. Puis elle fronce son petit nez et ses yeux endormis considèrent de nouveau l'écran. « T'es laide », lâche-t-elle.

Jeudi 17 novembre

Allô Guillaume,

Ici la Terre : tu n'as pas répondu à mon dernier courriel. Je te rappelle qu'il faut s'organiser pour les vacances de Noël. En attendant que tu me donnes ton horaire, je vais y aller au meilleur de moi-même. Je propose de te laisser Julianne pour le réveillon du 24. Je la reprendrais le 25 en fin d'après-midi (on va visiter la mère de François durant la journée et son CHSLD est à Sherbrooke, donc je ne peux pas revenir avant ça). On pourrait suivre le même principe pour le Nouvel An : je te laisserais Julianne pour le réveillon du 31, car François et moi, on est invités chez son frère à Morin-Heights, et comme tu le sais, Julianne n'aime pas la nièce de François car elle se moque constamment de son acné. Anastasia est une bully, *j'en ai parlé à sa mère l'autre jour mais je ne sais pas si elle a envoyé sa fille chez le psy, donc je préfère ne pas courir le risque d'emmener Julianne là-bas. Bref, je la reprendrais le 1er en début de soirée et on irait souper chez ma mère. Est-ce que ça te convient comme* planning *? Pour le reste des vacances, on s'ajusterait comme d'habitude à ton horaire,* *à supposer que tu finisses par me l'envoyer un de ces jours. Sérieux, peux-tu te déniaiser, ça fait trois semaines que je te l'ai demandé.*

Karine

P.-S. – J'ai besoin d'un chèque de 475 dollars pour le club de compétition de natation, merci.

6

Guillaume

Mardi 22 novembre

Le caractère répétitif du geste a des vertus lénifiantes : localiser l'imperfection, enduire la truelle de plâtre, appliquer celui-ci de haut en bas puis de gauche à droite sur ladite imperfection, racler l'excédent, lisser, égaliser. Faire attention de ne pas en répandre sur mon nouveau plancher, bien que je l'aie recouvert d'une toile de plastique prêtée par mon père. Recommencer. Demain, tout aura séché et les gars que j'ai embauchés pourront poncer les murs là où il le faut et les peinturer. J'ai mon gallon de « Blanc cumulus » et mon demi-litre de peinture à effet tableau noir dans le garage, et ça ne m'a même pas agacé quand Karine m'a obligé à choisir des produits sans composés organiques volatils afin d'éviter que Julianne respire d'hypothétiques émanations toxiques en suspension dans l'air quand elle vient à la maison.

— Parfait, mais avoue que si c'était juste moi qui habitais ici, ça ne t'inquiéterait pas que je m'empoisonne? avais-je blagué.

Mon détachement avait semblé la surprendre; j'étais pourtant résolu à ne plus perdre mon énergie à combattre le perpétuel besoin de contrôle de mon ex. En démolissant tout ce mobilier où dormaient encore quelques souvenirs de notre vie commune – mention spéciale à la carte de Saint-Valentin coincée derrière un tiroir et dans laquelle Karine disait espérer vieillir à mes côtés –, j'ai fait un doigt d'honneur à mon passé. Après-demain, Olivier et Magalie reviendront pour mesurer ma cuisine une dernière fois et j'ai bien l'intention de les épater, surtout elle, avec une pièce au dénuement impeccable, aux murs parfaits, sans aspérités, immaculés. J'ai fait installer mon nouveau plancher en pierre naturelle *charcoal*, un plancher chauffant par-dessus le marché, et qui leur fera oublier le prélart caca d'oie. Olivier et Magalie vont être soufflés en découvrant cet espace prêt à accueillir le renouveau jusque dans son dernier pied carré, facile à jauger dans ses moindres recoins, sans qu'ils y trouvent à redire.

Car une chose me semble évidente: j'ai eu l'air d'un con en démolissant ma cuisine sans m'informer au préalable des délais de livraison. Il y a douze jours, quand Magalie m'a fait comprendre au téléphone que j'avais agi trop vite, j'avais eu envie de disparaître sous terre. Quelques secondes plus tôt, en filant sur l'autoroute avec les débris de ma cuisine empilés dans le coffre de ma voiture, je ressentais plutôt la fierté du travail accompli. Mais il fallait être sourd pour ne pas entendre les reproches dans sa voix ce jour-là, et sa suggestion de transporter mon dossier ailleurs, chez Ikea par exemple, m'avait déstabilisé, d'autant plus qu'à chaque coup de massue donné dans ma vieille cuisine durant les jours précédents, j'avais eu l'impression de faire exactement ce qu'il fallait faire, d'être très appliqué, très sérieux dans ma démarche, et de veiller à l'avancement de mon projet, qui par la force des choses était aussi le sien. En entendant Magalie me dire que c'était tout le contraire, j'avais éprouvé la même confusion que le chat qui rentre chez lui avec une souris ensanglantée dans la gueule, tout fier de ses talents de chasseur, mais qui, à sa grande surprise, provoque des cris d'horreur et doit reprendre le chemin de la sortie, guidé par les coups de pied de sa maîtresse. Aussi ce fameux jeudi là, ma confusion, mêlée à un brin de colère, avait entraîné un événement peut-être pas très heureux, mais en tout cas surprenant, et tandis que j'étends le plâtre sur le mur avec ma truelle, j'ignore encore si je dois sourire ou grimacer en y repensant.

Je crois l'avoir déjà mentionné : pour un homme dans ma situation, parmi les désavantages d'habiter la banlieue figure sans contredit la difficulté de convaincre une fille rencontrée en ville de passer la nuit chez lui. Les femmes aujourd'hui sont des monuments de prudence et d'indépendance, et qui les blâmerait de ne pas se montrer chaudes à l'idée d'aller faire l'amour dans une maison située à plus d'une quinzaine de kilomètres d'une ligne de métro ? Dans la communauté de jeunes parents de Sainte-Julie, je ne suis pas le seul à être séparé et célibataire : ce cas de figure, bien que minoritaire, existe comme partout ailleurs. Cependant, je n'ai jamais privilégié ce territoire comme lieu d'exploration. Trop de promiscuité : je n'ai pas envie, par exemple, de coucher avec l'ex-femme du type qui m'a vendu la toile solaire de ma piscine la veille. Car il est évident qu'un individu qui choisit de rester à Sainte-Julie après une séparation le fait pour ne pas s'éloigner de son ex et faciliter, comme dans mon cas, l'organisation de la garde partagée de ses enfants. Par conséquent, l'ex-conjoint d'une Julievilloise mère de famille monoparentale habite toujours dans un rayon de deux ou trois kilomètres de chez vous, et c'est pourquoi, dans le but d'éviter des situations embarrassantes à l'épicerie, à la SAQ ou encore au magasin de piscines, je n'ai jamais dragué les mères célibataires de ma municipalité.

Mercredi soir, il y a presque deux semaines, quand je me suis pointé à la réunion d'information pour les parents des nouveaux membres du club junior de natation de compétition, je n'avais donc pas l'intention d'agir autrement que d'habitude avec Nancy Longpré. Fin trentaine, fausse blonde filiforme, Nancy tient un salon d'esthétique sur montée Sainte-Julie et s'est séparée de Marc, le gérant du magasin de piscines de l'avenue de l'Abbé-Théoret, il y a deux ans. À peu près à la même époque, Benjamin, leur fils aîné, a renoncé à ses ambitions de hockeyeur après avoir subi une commotion cérébrale et a commencé à nager avec Julianne.

— Karine n'est pas là ? a demandé Nancy dès que je suis entré dans le local de réunion.

— Elle pouvait pas venir. C'est sa rencontre du premier bulletin avec les parents de ses élèves ce soir.

— Oh. Elle est encore prof au primaire ?

Comme Karine est une cliente de Nancy, sa question m'a surpris.

— Ben oui. Tu ne la vois plus ?

Nancy a retiré son sac à main de la chaise à sa droite. Ce geste exprimait une invitation à m'asseoir à côté d'elle. Dans le local, il y avait quelques parents que je connaissais assez pour les saluer d'un hochement de tête, ce que j'ai fait tout en prenant place auprès de Nancy. J'ai enlevé mon manteau et elle a poursuivi :

— Ben non. Ça fait plusieurs mois que ton ex n'a pas pris rendez-vous au salon. Je suis certaine qu'elle a abandonné l'épilation à la cire pour se tourner vers le laser. Elle doit aller au centre d'esthétique Reviva qui a ouvert sur Jules-Choquet. Ils ont fait tellement de publicité ! Mais bon, je ne lui en veux pas. Je perds beaucoup de clientes de son âge. Le laser, ça ne fonctionne pas avec les poils blancs, ça fait que la quarantaine, c'est pas mal le last call pour les femmes qui souhaitent une épilation permanente.

« Trop d'informations ! ai-je eu envie de hurler. Trop d'informations ! » Mais il était trop tard, et l'image de Karine, qui rechignait souvent à se montrer nue devant moi sous prétexte que son pubis n'était pas épilé convenablement, me revenait à l'esprit. « J'ai l'air d'un ours », se plaignait-elle, ce à quoi je rétorquais à tous les coups : « Je m'en fiche, t'es belle quand même ! » Karine se faisait-elle à présent épiler au laser, de façon intégrale et permanente, pour plaire à François et être toujours prête quand monsieur en a envie ? Et pourquoi ne l'avait-elle pas fait plus tôt, avec moi ? N'en valais-je pas la peine ? J'ai changé de sujet.

— Marc vient pas ?

— C'est sa semaine avec les enfants pis Hubert avait un match de hockey.

— Vous avez laissé le petit dans le club ?

— Ben oui. On était pas pour faire payer notre plus jeune pour la *bad luck* de notre plus vieux.

La directrice du club de compétition et quelques entraîneurs au début de la vingtaine qui arboraient fièrement leurs chandails noirs des Pontos n'ont pas tardé à venir se présenter. Durant une cinquantaine de minutes, ils nous ont prodigué quelques conseils sur la façon de nourrir nos enfants et de les accompagner dans leur quotidien afin d'en faire de futurs athlètes. « *Allô G., tu n'as pas oublié la réunion du club de natation, j'espère ?* m'a texté Karine à un certain moment. *N'oublie pas de t'informer sur le covoiturage matinal avec les autres parents, STP.* » Je n'avais pas l'intention de répondre à ce message, mais Nancy, qui avait dû le lire par-dessus mon épaule, n'a pas hésité à me chuchoter d'une voix douce au creux de l'oreille :

— Ben oui, dis-lui qu'on va s'arranger.

Et pour appuyer son propos, elle a posé une main rassurante sur ma cuisse. Ce contact, quoique bref, a duré assez longtemps pour me permettre de remarquer les minuscules motifs de plumes argentées appliqués sur sa manucure blanche. Nancy n'hésite jamais à me témoigner son intérêt de toutes sortes de façons. À mon avis, il y a deux raisons à cela. Premièrement, le fait que nous soyons tous les deux des parents célibataires lui semble le gage latent mais évident d'une complicité entre nous. « J'ai rejoint ta gang ! » m'avait-elle annoncé avec enthousiasme devant le comptoir de viande hachée lorsque je l'avais croisée au IGA de la rue Principale l'hiver de sa rupture. « La gang de quoi ? » m'étais-je demandé. Des malheureux, des pitoyables, des convaincus-qu'il-y-a-mieux-ailleurs ? Après sept ans d'adhésion à ce club, je ne connais toujours pas la réponse. Deuxièmement, depuis sa séparation, j'ai entendu dire que Nancy avait eu une brève liaison avec un pompier de McMasterville et j'en ai conclu qu'elle aimait les hommes en uniforme – trait féminin plus répandu qu'on peut le croire – et que cela explique probablement son insistance à se montrer disponible envers moi même si elle ne m'a jamais vu dans mes habits de policier. Cependant, bien que Nancy ne soit pas si moche et bien qu'elle soit dotée d'une certaine sensualité, pour les raisons évoquées plus haut, mais aussi parce que je la trouve un peu superficielle et sans doute pas assez mystérieuse, je n'ai jamais voulu profiter de ses avances. Quand nous nous sommes retrouvés dans le stationnement du centre sportif après la réunion et qu'elle a proposé qu'on aille prendre un verre le vendredi soir, j'ai donc décliné son offre sans trop de regret :

— Impossible. Je récupère Julianne vendredi soir.

— Dommage qu'on ne soit pas synchro : moi, j'ai congé de mes enfants jusqu'à dimanche. Oh mon Dieu, tu t'es blessé ?

Elle a pointé le pansement sur mon poignet et j'ai haussé les épaules.

— Je démolis ma cuisine. Un clou récalcitrant. C'est rien.

— Si tu le dis. Bye.

Nancy m'a fait la bise sans s'attarder et je n'ai pas repensé à cet échange jusqu'au lendemain après-midi, plus précisément : quelques secondes à peine après avoir mis fin à ma conversation téléphonique avec Magalie. Je déchargeais alors ma voiture à l'écocentre de Marguerite-d'Youville-Secteur Sud et j'envoyais valser – avec sans doute plus de détermination que nécessaire – un tas de planches de mélamine dans un conteneur. Sa voix résonnait encore à mes oreilles :

— Mais non, Guillaume, je suis super contente de t'accompagner dans ton projet de cuisine. Mais tu me prends au dépourvu : t'aurais dû m'appeler avant d'arracher quoi que ce soit.

Bien sûr, elle avait raison. Et à mesure que je déversais mes déchets dans ce dépotoir libre-service pour banlieusards bricoleurs, le ridicule de ma situation me sautait aux yeux. Qu'est-ce que j'espérais d'elle ? Pour la centième fois, je me répétais : Magalie est non seulement la fille de la nouvelle conjointe de mon père, mais en plus elle est en couple. Et pour réduire mes chances auprès d'elle – chances déjà nulles –, s'ajoutait à présent le fait qu'elle était convaincue d'avoir affaire à un pauvre étourdi, un gars brouillon, sans aucun sens de l'organisation ou de l'anticipation. Pourquoi était-il si important pour moi de briller à ses yeux ? Il n'y avait pas de doute que nous avions vécu un moment intense le soir où nous nous étions rencontrés chez mon père. Oui : ces quelques secondes où nous avions surpris nos parents qui s'embrassaient nous avaient puissamment unis. Et quand Magalie, par son regard, avait sollicité mon aide pour mettre fin à cette scène bien plus insupportable pour elle que pour moi, j'avais eu l'impression que son besoin d'être sauvée ne s'arrêtait pas là. Mais plus de deux mois plus tard, ne devrais-je pas admettre franchement que c'était de la folie ? Avait-elle manifesté le moindre signe d'intérêt pour moi depuis, avait-elle eu le moindre comportement susceptible de me laisser croire que mon instinct ne m'avait pas joué un tour ? Pas les trois ou quatre fois où j'étais allé chez Penture, en tout cas, ni la fois où nous avions bu un verre de nebbiolo en tête-à-tête chez moi, ni durant le trajet en voiture jusque chez elle qui avait suivi cette rencontre. À peine avait-elle accepté que je m'informe sur la manière de mettre un terme à son problème de messages textes anonymes, et encore : toutes les fois où je lui en avais reparlé, elle avait esquivé mes questions. La vérité faisait naître un goût amer au fond de ma gorge : j'étais épris d'une fille dont je ne pouvais rien espérer. « Reviens-en ! » avais-je conclu en remontant dans ma Subaru. En regardant mes patoches aux jointures éraflées empoigner le volant, j'avais revu la main aux ongles délicatement décorés de Nancy Longpré. Et pourquoi pas ? m'étais-je demandé. De toute manière, mon système de pensée était incohérent. Si je jugeais incestueux de coucher avec une fille de Sainte-Julie, alors comment qualifier mon attirance pour une fille qui, en termes techniques, était ma demi-sœur ? Ça n'avait pas de sens. Et puis quel malaise devais-je tant redouter ? Marc était venu fermer ma piscine cinq ou six semaines plus tôt et il ne reviendrait certainement pas l'ouvrir avant quelques mois ; quant à Nancy, comme elle me l'avait appris, elle n'était plus responsable de la tonte mensuelle du saint pubis de Karine.

Mon père avait décroché après deux sonneries.

— Oui, 'pa ? C'est moi. Ça va ?

— Hé, ça va, et toi ? T'as l'air essoufflé.

— Ça se peut. Je sors de l'écocentre.

— Tes rénos avancent ?

— Vitesse grand V.

— J'ai hâte de voir ça.

— Es-tu libre pour garder Julianne demain soir ?

— Je me suis barré le dos en ramassant mes feuilles hier mais je vais vérifier avec Monique. Il me semble qu'on n'a rien de prévu.

— Pour autant que ton wifi fonctionne, ça sera pas forçant.

— Tu te plains toujours qu'elle passe trop de temps devant les écrans.

— Les week-ends, je suis plus *slack*. Je te l'amènerais vers cinq heures et je la récupérerais samedi avant midi.

— Ça va me faire plaisir.

Trouver le numéro de téléphone de Nancy Longpré avait été chose facile. De retour chez moi, en me décapsulant une bière, je n'avais eu qu'à taper « Esthétique À fleur de peau Sainte-Julie » dans Google et quelques secondes plus tard elle me confirmait qu'elle était toujours libre le lendemain soir.

— Mais t'as pas ta fille ? s'était-elle étonnée.

— Elle dort chez une amie.

Le bistro-bar Madame Bovary de Boucherville était bondé quand on s'y est présentés aux alentours de neuf heures. Le maître d'hôtel, un type aux avant-bras tatoués, nous a tout de même déniché une table dans un salon dont les murs étaient habillés de photos en noir et blanc aux cadres dépareillés et on s'est assis dans des fauteuils de velours. Derrière ses ordinateurs portables, au rythme d'une musique house, le DJ flagellait l'air au-dessus de sa tête avec ses longs bras tandis qu'un match de hockey était diffusé en sourdine sur un écran plat accroché au mur. En allant la chercher chez elle un peu plus tôt, j'avais remarqué que Nancy arborait un maquillage plus criard qu'à son habitude et je n'étais pas certain d'aimer cela : un rouge violacé lui marbrait les joues et d'épais traits noirs accentués de poudre brillante rendaient son regard vulgaire. Mais je la jugeais sans doute sévèrement, car les deux fois où elle s'est levée pour aller aux toilettes, les hommes à la table à côté ont détaché leurs yeux du match de hockey pour la reluquer sur son passage. Il faut dire que la robe corail qu'elle portait mettait sa silhouette en valeur ;

quant à ses bottes de suède grises à talons hauts, elles lui arquaient le bas du dos de façon invitante. Bref, après plusieurs Bloody Bovary et autant de Lord Sour, je trouvais que c'était une bonne idée d'aller terminer la soirée chez elle comme elle m'y invitait, et si on n'avait pas commencé à s'embrasser sur la banquette arrière du taxi qui filait sur l'autoroute 20, peut-être que je n'aurais pas été si excité une fois rendu dans sa chambre : je n'ai pas chronométré nos coups de bassin, mais j'ai dû éjaculer trente secondes après qu'elle m'a eu déroulé sur le pénis une capote nervurée.

Elle m'a gratouillé la poitrine avec ses longs ongles.

— Mautadine, a-t-elle soupiré.

— Je suis désolé. Je sais pas ce qui s'est passé.

— Je te fais trop d'effet.

Je lui ai demandé si elle avait envie de jouir autrement, mais elle a refusé :

— Je serais pas venue de toute façon. Je viens jamais la première fois.

Cela m'a permis de la quitter en lui promettant que, dans ce cas, on n'aurait pas d'autre choix que de se reprendre. Aussi, je me sentais moins coupable.

J'ai marché jusque chez moi par le boulevard N.-P.-Lapierre, le capuchon de mon manteau rabattu sur les oreilles, pareil à ces individus louches à qui il m'arrive de demander leurs cartes d'identité durant mes patrouilles. La nuit était calme, contrairement à mes pensées. Sous la douche, une fois chez moi, je me demandais encore ce qui venait de se passer. J'ai mal dormi : mon corps peinait à éliminer l'alcool qui coulait dans mes veines. À cinq heures et demie, le soleil n'était pas encore levé mais j'ai tranché que la meilleure manière de me remettre d'aplomb serait d'enfiler mon pantalon de jogging et de courir jusqu'à Boucherville afin d'aller récupérer ma voiture dans le stationnement du Madame Bovary. J'ai enfoncé les écouteurs de mon iPhone dans mes oreilles et après avoir sélectionné une liste de chansons, j'ai observé ma cuisine éventrée : tels des menhirs dans une plaine abandonnée, mon réfrigérateur, mon lave-vaisselle et ma cuisinière trônaient encore au milieu de la pièce dont les murs troués laissaient passer les courants d'air. J'ai éclaté de rire et envoyé une demande d'amitié à Magalie via Facebook. Malgré ma piètre performance auprès de Nancy, je me sentais libéré de ma fascination pour Magalie, comme si le désir que m'avaient exprimé toute la soirée les yeux trop maquillés d'une autre femme m'avait rendu plus fort, plus confiant. Sur le point de vomir après avoir mis plus de cinquante minutes pour franchir une distance qui m'en aurait normalement pris trente, je me suis arrêté pour un muffin et un café au Tim Hortons du boulevard de Mortagne et j'ai vu que Magalie avait déjà accepté ma requête. Une matinale, ai-je conclu. J'étais apaisé, satisfait, et j'ai repris ma course jusqu'au boulevard de Montarville avec tantôt l'impression que j'allais m'évanouir, tantôt celle de ne pas m'être senti aussi bien depuis très longtemps.

Il n'est pas cinq heures mais l'obscurité a déjà tout avalé dehors. J'ai fini d'appliquer et d'égaliser le plâtre sur les murs. J'enroule la toile de plastique que mon père m'a prêtée et je la range dans le garage. Je travaille cette nuit, mais si je me dépêche, j'aurai le temps de faire un détour par le magasin de luminaires du DIX30 : tant qu'à avoir une nouvelle cuisine, aussi bien l'éclairer comme il faut.

Jeudi 24 novembre

Quand Magalie se matérialise sur le seuil de ma maison, il est évident que la personne à qui elle parle au téléphone est nulle autre que Mathieu, mais ça ne m'empêche pas de sentir les battements de mon cœur s'accélérer.

— Désolée, chéri, je ne peux pas, je suis déjà rendue à Sainte-Julie. Il va falloir que tu retournes toi-même. T'as juste à la laisser au service de garde, ils vont s'en occuper… OK ? Bye !

Elle raccroche et s'excuse : Mathieu a accompagné Charlotte à l'école ce matin et il vient de se rendre compte qu'il a oublié sa boîte à lunch à la maison. Puis elle pénètre dans le vestibule, embaumant la petite pièce d'une odeur de shampoing fruité.

— C'est mouillé dehors, veux-tu que j'enlève mes souliers ?

Je prie Magalie de n'en rien faire et je regarde pardessus son épaule, surpris de constater que personne d'autre n'émerge de cette bouillie de neige fondante. Comme si elle lisait dans mes pensées, elle m'annonce qu'elle est venue seule : Olivier a été retenu pour un petit déjeuner d'affaires important. Je referme la porte et elle me fait la bise en même temps qu'elle juge préférable d'enlever ses bottillons malgré ce que je viens de lui dire.

— Tiens, y en a un pour toi, lâche-t-elle en me refilant le plateau de carton dans lequel sont plantés deux gobelets de café fumant. J'ai vraiment besoin de caféine ce matin. Y a un promoteur immobilier qui veut s'associer avec nous. C'est avec eux qu'Olivier déjeune. Penture serait le cuisiniste officiel de tous les immeubles qu'ils construisent. Ce serait une grosse transaction, ça me stresse. J'ai mal dormi.

Tandis que j'accroche son manteau et qu'on prend place au salon, Magalie me semble pourtant bien réveillée : elle paraît bondir à chacun de ses pas.

— Si ça peut te rassurer, moi, je viens de finir mon *stretch* de patrouille de sept nuits d'affilée. Alors, j'ai pas dormi du tout.

— T'aurais dû me le dire, on aurait trouvé un autre moment.

— Quand ? On n'a pas le temps.

— C'est vrai. On est rush.

— Je vais me coucher quand tu vas partir. Je suis en congé pour six jours.

Ses cheveux sont détachés et quelques mèches tordues en boudins sont encore humides, comme si elle n'avait pas eu le temps de les sécher complètement après sa douche. Elle les attache à l'aide de l'élastique orné d'une bille Hello Kitty qui lui enserre le poignet, puis elle installe son ordinateur portable sur la table basse et me montre les quelques modifications apportées au plan de ma cuisine depuis notre dernière rencontre. J'approuve ses changements – des vétilles, mais elle a le souci du détail –, et elle saisit ensuite son télémètre laser et arpente ma cuisine. Je lui offre mon aide mais elle refuse, attentive aux bips-bips de son appareil. Je bois donc mon café en silence, faisant un effort pour ne pas l'observer avec trop d'insistance. Je n'irais pas jusqu'à le lui demander, mais à mon avis, cette robe noire seyante est la même qu'elle portait la première fois qu'on s'est vus chez mon père, à la différence que ses jambes sont aujourd'hui moulées dans un collant gris opaque qui fait paraître ses mollets encore plus fermes. Le faisceau rouge émis par son appareil strie la pièce à la verticale et à l'horizontale, et il me semble fascinant tout à coup de penser que la technologie derrière cet instrument de mesure est également capable d'arracher des poils. Est-ce que Magalie a recours à cette méthode radicale et permanente, elle aussi ? Est-ce une nouvelle mode chez les femmes de son âge ?

— T'as fait une belle job, dit Magalie en promenant sa main sur le mur du fond. J'aime le blanc que tu as choisi.

J'éprouve une certaine fierté : « Sico, Blanc cumulus. Si tu veux en mettre chez toi, elle est sans COV, donc sans danger pour Charlotte. »

Magalie examine mes nouveaux carreaux en pierre naturelle aux reflets charbonneux sous ses pieds. Elle s'accroupit, là, au milieu de la pièce, pour les caresser.

— C'est le Montauk Black?

— T'aimes ça?

Magalie se redresse et revient vers moi, contournant mon vieux réfrigérateur, ma vieille cuisinière et mon vieux lave-vaisselle que j'ai entreposés sur des couvertures dans mon salon en attendant de les vendre.

— J'adore. Combien tu l'as payé?

— Aucune idée. Le type que j'ai engagé m'a fait un prix global, trois mille cinq pour toute la patente, la céramique, le coulis, l'installation, en plus de l'électricien et des câbles pour le plancher chauffant.

Magalie semble tout à coup inquiète et tourne la tête pour observer de nouveau mon carrelage.

— T'as mis un plancher chauffant?

Mon cœur s'arrête de battre : est-ce qu'un plancher chauffant est contre-indiqué pour la cuisine que j'ai choisie? La chaleur va-t-elle faire fondre la laque appliquée sur les panneaux de fibres de bois de mes caissons inférieurs?

— Oui, pourquoi? Est-ce qu'il y a un problème?

— Si t'as pas montré le plan de la cuisine à l'électricien pour qu'il évite de passer ses câbles où il va y avoir du mobilier, ça risque de faire un blocage thermique.

— Inquiète-toi pas, je lui ai montré tout ça. Tabarouette que tu m'as fait peur! J'ai gaffé une fois, c'est assez. Je voulais pas me refaire engueuler.

Magalie penche la tête sur le côté et pose sa main sur mon bras.

— Arrête, je t'ai jamais engueulé!

Un certain amusement perce toutefois dans sa voix

et le sang afflue à ses joues, preuve que je n'ai pas complètement halluciné cet épisode. Elle relâche son étreinte, mais la chaleur de sa main continue d'irradier dans mes triceps.

— Essaye pas : tu voulais m'envoyer chez Ikea.

— Jamais de la vie. Pis t'as pas tant gaffé, t'es juste mal tombé. Tous les clients veulent que leur cuisine soit prête pour Noël. En janvier et février, c'est mort.

— OK. Donc, c'était juste une petite gaffe, mais au mauvais moment ?

Elle hoche la tête sans cesser de sourire.

— De toute façon, les cuisines d'Ikea sont vraiment pas si mal depuis quelques années.

Puis elle retourne vers la table basse, éteint son ordinateur, remet l'appareil au laser dans son étui de cuir et change de sujet :

— As-tu une idée de ce que tu vas vouloir comme dosseret ?

— Pas encore. Peut-être de la tuile métro ?

— Ça ne presse pas. Je pourrai te présenter quelques options chez Penture après Noël. C'est toujours mieux de décider quel dosseret on veut une fois la cuisine installée. On voit où la lumière se réfléchit, et si ça vaut la peine de mettre l'accent ou pas sur le mur. J'avais une prof à l'université qui disait : « Le dosseret, c'est un accessoire. Un peu comme tes bijoux pis ta sacoche, que tu choisis seulement une fois que t'as enfilé ta robe. »

Je ne suis pas certain d'apprécier cette comparaison. Ai-je l'air d'un type qui se promène en robe ? Quelle horreur ! J'essaie de me calmer en me disant qu'il s'agit sans doute là d'une formule toute faite. Il y avait probablement surtout des filles dans les cours de design intérieur que suivait Magalie ; tout comme il y avait surtout des hommes dans mon programme de techniques policières.

Magalie secoue son sac et semble rassurée par le tintement métallique de ses clés.

— Faut que j'y aille. L'usine ferme à midi demain et je veux leur envoyer les plans finaux le plus tôt possible pour qu'ils les révisent et que ça parte en production avant le week-end. Si tout va bien, ta cuisine va être installée le 12 décembre, ce qui fait que tu pourras avoir tes comptoirs juste à temps pour Noël.

Je suis déçu de la voir me quitter de manière si précipitée. Néanmoins, je vais chercher son manteau dans le placard et tandis que je l'aide à l'enfiler, le parfum fruité de sa queue de cheval emplit mes narines au moment où quelques-uns de ses cheveux effleurent mon visage. Magalie se tourne vers moi en tirant sur les manches de sa robe pour les ajuster à celles de son manteau.

— Ton père t'a mis au courant pour l'échange de cadeaux ?

— Quel échange de cadeaux ?

— Pour le réveillon du 24. Ils organisent ça. Ma mère nous a fait piger des noms à Mathieu et moi hier soir au téléphone. Ton père va sûrement t'appeler pour la même chose.

— Je vais l'appeler.

— Remarque qu'il reste un mois. Ma mère est toujours en avance pour ces choses-là.

— Elle peut pas être plus féroce que mon ex : je connais déjà mon emploi du temps de la période des Fêtes aux dix minutes près.

Dans quelques secondes, Magalie sera partie. La reverrai-je avant cette soirée du réveillon ? Dans le vestibule, elle se penche pour tirer la fermeture éclair de ses bottillons. Une boule de poussière couleur de cendre s'est accrochée à un des talons. Elle l'attrape avec ses doigts mais hésite à la remettre par terre.

— Je suis désolé, lui dis-je, un peu embarrassé, en lui prenant la boule de poussière des doigts. Faudrait que je passe le balai. Je donne cinquante piastres à ma fille pour qu'elle fasse le ménage toutes les deux semaines, mais elle tourne les coins ronds.

— Si tu voyais chez moi, c'est cent fois pire. On avait un homme de ménage, mais il a disparu dans la nature cet été et on n'arrive pas à lui trouver de remplaçant. En tout cas, si tu changes d'idée à propos de quoi que ce soit pour ta cuisine, t'as encore une heure ou deux pour me le dire.

Je la rassure : tout ce qu'elle m'a présenté est parfait, et puis je ne suis pas une girouette. Quand on se fait la bise, je la prends par les épaules, et son manteau a beau être matelassé, je perçois la fermeté de ses deltoïdes sous la couche de duvet. J'ouvre la porte, et la voilà partie. Le ciel est calme à présent. Un tapis blanc recouvre ma pelouse ainsi que l'asphalte de la rue et de mon entrée de garage. Je reste dans l'embrasure de la porte et fais mine de vérifier la connexion électrique du carillon, mais en vérité, je tiens juste à lui faire un dernier signe de la main. Magalie me rend la pareille, puis elle grimpe dans la jeep au logo de Penture et démarre, ses pneus laissant des ornières grisâtres dans la neige.

Dans mon lit, je tourne d'un côté et de l'autre, incapable de fermer l'œil. J'accuse le gobelet de café offert par Magalie ; je l'accuse elle, bien sûr, et le trouble que sa présence a provoqué en moi. Sa main sur mon bras, mes mains sur ses épaules : ces simples gestes m'ont laissé une impression encore plus puissante que le souvenir de ma chair s'introduisant dans celle de Nancy Longpré. Il m'apparaît soudain désolant de m'être retrouvé dans le lit de cette fille qui ne m'a jamais plu, et dont les messages textes s'accumulent d'ailleurs dans mon cellulaire depuis quelques jours. « *Guillaume, as-tu vu ça ? Ça vient de sortir !* » m'a-t-elle écrit hier soir, en joignant à son mot un lien vers la dépêche du site Internet de TVA annonçant l'arrestation de l'homme à la grosse nuque surpris en discussion houleuse avec Annabelle Juneau juste avant sa disparition. Sa capture allait certainement faire avancer l'une des enquêtes policières les plus médiatisées de l'année au Québec. On ne parlait pas ici de chiens écrasés, mais n'empêche, j'avais grimacé : Nancy allait-elle m'envoyer des messages textes dès qu'un fait divers ferait la manchette ? Lundi soir, je lui avais dit que je travaillais de nuit toute la semaine. Je ne me suis donc pas senti obligé de lui répondre.

Je me redresse dans mon lit, ouvre le tiroir de ma commode et prends deux comprimés de somnifère. Je les avale à sec, trop paresseux pour aller me chercher un verre d'eau. Il y a une pellicule de poussière sur le pied de ma lampe de chevet et j'y dessine une ligne du bout du doigt. Le tracé me fait penser aux sillons laissés dans la neige il y a quelques minutes par la jeep de Magalie. Je souffle sur le bout de mon index et me dis que dix ou quinze dollars de plus par ménage motiveraient peut-être Julianne à remplir sa tâche comme il se doit. Puis je me glisse de nouveau sous les draps et c'est à ce moment-là que ça me revient : cette histoire de femme de ménage qui avait semé la terreur à New York durant les années 1980. Est-ce cela qui m'empêche de dormir ? J'ai du mal à me rappeler qui me l'a racontée : un professeur, un collègue ? Les meurtres, plus ou moins une demi-douzaine, avaient été commis aux quatre coins de Manhattan, sur une courte période, trois ou quatre semaines. Les victimes étaient toutes des femmes, célibataires, professionnelles et assez bien nanties – l'affaire avait d'ailleurs été surnommée « *the working girls' mystery* » – et les cadavres avaient tous été découverts dans cette même horrible position qui avait rapidement fait comprendre aux policiers qu'ils avaient affaire à un seul individu. La scène du crime était toujours la même : l'appartement de la victime. Et pourtant, dans aucun des cas il n'y avait de signe d'entrée par effraction. Ces femmes n'avaient aucune connaissance commune, et les enquêteurs ne parvenaient pas à isoler l'élément susceptible de les connecter les unes aux autres, jusqu'à ce matin où, dans Harlem, on avait découvert le cadavre d'une Camerounaise en état de putréfaction. On s'était alors rendu compte que cette immigrée était la femme de ménage des *working girls* assassinées, et on avait mis peu de temps à se faire une idée du meurtrier : son fils. Comme toutes les victimes avaient confié un double de la clé de leur appartement à leur femme de ménage, cet homme, après avoir étranglé sa mère, s'était emparé de ces clés. Parce que sa mère avait une clientèle nombreuse, chaque clé était rangée dans un sac Ziploc différent, avec toutes les informations : le nom du client, son numéro de téléphone, l'adresse de la résidence. Le fils savait donc lesquelles de ces clés lui donneraient accès aux appartements de femmes seules et lui permettraient ainsi d'assouvir ses instincts meurtriers.

Mes jambes sont lourdes mais j'aimerais me lever maintenant. Il faut que j'appelle Magalie pour lui demander si elle a remis un double de la clé de son appartement à son homme de ménage avant qu'il se volatilise l'été dernier. Car avec le double de cette clé entre les mains, ce type est dangereux, j'en suis persuadé. Certains m'accuseront d'être vieux jeu, mais un homme qui choisit d'exercer un métier traditionnellement réservé aux femmes, ça me paraît déjà louche. Est-il obsédé par Magalie ? A-t-il ouvert les tiroirs de sa commode pour renifler ses sous-vêtements en même temps qu'il laissait tourner le moteur de l'aspirateur ? Tel un vrai prédateur, il calcule son coup : il a disparu de sa vie, il se fait oublier, mais c'est seulement pour revenir de façon inattendue. Entre-temps, à la fois pour nourrir ses pulsions abjectes et pour mettre Magalie en garde contre le sort plus sombre qui l'attend, il lui envoie des messages textes anonymes. A-t-elle réfléchi à cette piste-là ? Deux événements mystérieux – une cessation de service subite et non justifiée, des messages menaçants – qui se succèdent ainsi sur une courte période, ça ne peut pas être une coïncidence.

— *Franchement, Guillaume, tu te cherches juste un prétexte pour l'appeler, tisser un lien plus fort avec elle.*

— *Vraiment pas : on est bien placés pour le savoir, les détraqués courent les rues.*

— *T'es con, tu vas juste lui faire peur.*

— *Je suis pas cave. Je vais choisir mes mots.*

Oui, il me faut la contacter, me dis-je, pour la prévenir, la mettre hors de danger, mais mon corps s'engourdit et le sommeil m'emporte.

Lundi 28 novembre

Saint-Lambert. Ses maisons en pierres ancestrales. Ses restaurants huppés, rue Victoria. Son collège privé devant lequel chaque matin les VUS font la file, se klaxonnent, éjectent leurs rejetons en uniforme puis repartent. La pluie fouette le pare-brise de ma voiture et Julianne se plaint du gémissement anormal des essuie-glaces. Elle a raison, mais ça m'agace. Depuis son arrivée chez moi vendredi soir, il me semble que ma fille ne fait que cela, râler. Tous les prétextes sont bons : l'absence d'eau courante dans la cuisine complique la préparation de son thé, les acheteurs de mes électroménagers annoncés sur Kijiji ne se pointent pas à l'heure prévue, le poulet chez Saint-Hubert a perdu son goût d'antan. J'avais cru lui faire plaisir avec nos sorties forcées au restaurant et le bouleversement de notre routine, mais c'est raté. « Je comprends pas pourquoi tu changes la cuisine ! répète Julianne chaque fois qu'elle doit aller rincer un fruit ou nettoyer un ustensile dans la salle de bain. L'autre était encore ben correcte. C'est pas écologique. Tu penses pas aux générations futures ? » Loin de me laisser culpabiliser, je lui ai confessé mon besoin pressant de changement et de nouveauté ; je lui ai mentionné le rôle qu'avaient joué ses ambitions sportives dans le renoncement à mon projet de retourner habiter en ville et, par le fait même, dans la rénovation de notre cuisine. Mais au lieu d'interpréter mes paroles comme une preuve de mon amour pour elle, Julianne, après m'avoir écouté en plissant le nez de dégoût, comme si elle n'avait jamais pu s'imaginer que j'avais moi aussi des rêves, des désirs, des aspirations, a déclaré avoir désormais la désagréable impression d'être un obstacle dans ma quête du bonheur. « T'avais juste à le dire que tu voulais retourner en ville. J'aurais pu rester chez *mom* la semaine pis aller chez toi les fins de semaine. » Comme si la perspective de me voir seulement huit ou neuf jours par mois ne la perturbait pas. J'étais secoué. « T'aurais pu, ça c'est sûr, mais il n'en a jamais été question une seconde », ai-je rétorqué.

— C'est Max ! glapit Julianne. Je vais descendre ici.

J'ai à peine le temps de lui objecter qu'il pleut des cordes, Julianne est déjà sur le trottoir. Son capuchon sur la tête, écrasée par le poids de son sac à dos, elle sautille pour éviter les flaques et pourchasse son amie Max à qui ses bottes rouges en caoutchouc donnent des allures de gamine de bande dessinée. Elles se tombent dans les bras et poussent des cris stridents, indifférentes au déluge qui s'abat sur elles. Leur spontanéité juvénile me fait sourire. Le cortège de voitures devant moi avance si lentement que Julianne a déjà disparu à l'intérieur du collège, avalée par la marée de capuchons bleu marine, quand je reprends enfin de la vitesse, direction pont Jacques-Cartier. Car même si j'ai congé, il faut que j'aille en ville.

Il y a bientôt vingt ans que je suis policier et jamais auparavant je n'ai essayé de tirer quelque avantage de mon statut. Au poste, il est pourtant connu que certains de mes collègues n'hésitent pas à le faire, soit, par exemple, pour demander l'annulation d'une contravention pour excès de vitesse, soit pour acheter de la bière dans un dépanneur après onze heures du soir. Aujourd'hui, c'est à mon tour. Peut-être que si je n'avais pas découvert le nom de Sylvain Racicot en faisant dérouler le fil Facebook de Magalie jeudi soir, je n'aurais pas poussé mon enquête plus loin. Mais le 15 septembre de l'an dernier, à son appel à tous *(« Allô Facebook, je cherche une femme de ménage, quartier Petite-Patrie, des suggestions ? »),* une certaine Marie-Ève Norbert avait répondu : *« Je suis dans Verdun et mon homme de ménage aussi mais il se déplace et prend des nouveaux clients : Sylvain Racicot. »* Suivait son numéro de téléphone. Une simple recherche sur le site Internet du service d'assistance annuaire 4-1-1 m'a permis d'obtenir l'adresse d'un S. Racicot domicilié rue Woodland. Pourquoi ne pas aller au fond des choses ? Pourquoi ne pas m'assurer que cet homme qui a abandonné Magalie à ses moutons de poussière, emportant probablement avec lui le double de sa clé, n'est pas un individu dangereux, et l'auteur, entre autres, des messages textes anonymes dont elle a été la cible ? Certes, Magalie m'avait dit que ces messages avaient cessé, mais ne doit-on pas se méfier des eaux qui dorment ? Une plus grande menace pèse peut-être sur elle à présent et l'idée d'éclaircir ce mystère, d'être son sauveur, ne m'est pas du tout déplaisante.

Mon téléphone sonne, planté dans le porte-gobelet à côté de moi, et le numéro de Nancy Longpré s'affiche. Pas question de répondre – c'est son troisième appel depuis hier, j'ignore ce que je lui dirais. Selon mon GPS, ma destination se trouve à moins de deux kilomètres. Je dois réfléchir afin de bien préparer le discours que je m'apprête à livrer à Sylvain Racicot, mais le grincement de mes essuie-glaces me déconcentre, et c'est un soulagement de les réduire au silence quand je coupe le moteur de ma voiture devant l'adresse notée au creux de ma main.

Le visage piqué par la pluie gelée, je gravis les escaliers extérieurs menant au deuxième étage d'un triplex à la façade d'aluminium et j'appuie sur le bouton de la sonnette. J'ai toute ma journée ; s'il n'y a pas de réponse, j'attendrai le retour de Sylvain Racicot dans ma voiture. Une silhouette ne tarde toutefois pas à apparaître derrière le verre trempé de la porte. La serrure semble coincée, mais après quelques essais qui font trembler le chambranle, la porte s'ouvre brusquement sur un homme d'une cinquantaine d'années, gras, chauve et pieds nus.

— Oui ? fait-il en me dévisageant.

Il est vêtu d'un short et d'une simple camisole, mais le courant d'air froid et humide ne semble pas l'embêter.

— Sylvain Racicot ?

— Oui.

Je sors de la poche de mon manteau mon badge d'identification du SPVM et le lui laisse observer quelques secondes.

— Agent Hamelin, lui dis-je.

Je range mon badge et Sylvain Racicot toussote, contrarié mais pas trop surpris.

— C'est le gars de la Ville qui vous a appelé ?

Un chat tigré bondit derrière lui et vient se frotter contre sa jambe en miaulant. Sylvain se penche et le prend dans ses bras, puis il me fait signe d'entrer dans le vestibule où flotte une odeur de tabac.

— Je l'ai pas touché ; je l'ai juste traité d'imbécile. J'avais mis mes *hazards* pour signifier que j'étais parqué là rien que deux secondes, mais il m'a donné un ticket pareil, poursuit-il en caressant la tête de son chat, qui ferme les yeux et ronronne. J'ai des voisins qui ont vu la scène et qui peuvent témoigner que je l'ai pas touché. Je lui ai peut-être parlé à deux pouces de la face, mais je l'ai pas touché.

Je lui explique qu'il n'est nullement question de son histoire de stationnement, mais plutôt de son ancienne cliente, Magalie Breton. Sylvain fronce les sourcils, et c'est ici que je mets mon plan à exécution :

— Madame a remarqué la disparition de plusieurs de ses bijoux il y a quelques mois en même temps qu'elle a commencé à recevoir des messages textes menaçants. Ces événements-là correspondent au moment où vous avez cessé de lui offrir vos services d'homme de ménage sans lui fournir d'explications.

Sylvain dépose son chat par terre et lui donne une tape sur l'arrière-train pour qu'il retourne dans le salon, où trônent un canapé bleu électrique et une télé qui diffuse un dessin animé.

— OK… ? bredouille-t-il en se redressant.

Il ne semble pas piger.

— On enquête, que je lui précise.

— Mais j'ai jamais rien volé chez Magalie et je lui ai jamais envoyé de messages textes. Vous pensez que c'est moi ?

Je le considère en silence quelques secondes. Une expression penaude et déconfite prend naissance au fond de ses yeux ronds. Des filous qui mentent comme ils respirent, j'en ai vu plus d'un dans ma vie. Mais Sylvain Racicot me semble appartenir à une race d'hommes honnêtes. Pas question toutefois que je reparte d'ici sans que ce gros nounours ait éclairé ma lanterne. Je le cuisine un peu.

— C'est quand même étrange que vous ayez cessé de lui offrir vos services d'homme de ménage sans lui donner un préavis ou une raison. Vous aviez accès à sa résidence, vous aviez accès aux bijoux qui ont disparu et, comme par hasard, vous vous êtes volatilisé en même temps qu'eux.

Sylvain Racicot se frotte le crâne et murmure un « maudite marde ».

— Pardon ?

— Est-ce que Magalie est allée dire à Mme Norbert chez qui je fais le ménage aussi que je suis un voleur ? Je peux pas me permettre de perdre des clients. J'ai lâché ma job de préposé à l'hôpital le mois passé. Les trois quarts de mes ménages, je les obtiens grâce à ma bonne réputation. Je serais fini si des mauvais bruits couraient à mon sujet.

— Pour l'instant, personne ne vous accuse de quoi que ce soit. On essaie juste de comprendre.

Un tremblement agite son double menton tandis que les paroles tombent de sa bouche.

— Cet été, Magalie m'a demandé de passer faire le ménage chez elle le mardi au lieu du mercredi. C'était correct avec moi, j'avais pas d'autre job ce jour-là. Sauf que quand je suis arrivé chez elle, j'ai surpris son chum ou son mari – je connais pas leur état civil, mais en tout cas, je l'ai reconnu, c'était le même gars qui apparaît sur toutes les photos collées sur le frigo à côté de Magalie pis de sa petite fille. Ça fait que je l'ai surpris avec une autre femme que Magalie, dans le lit de la grande chambre, en train de… C'est ça, là.

Je tente de ne pas laisser paraître ma stupé-fac-tion. Magalie, si belle et pourtant cocue ? Trompée par son Mathieu qui fait son frais chié avec ses bouteilles de pinot à moins de vingt dollars ? J'ai du mal à y croire.

— C'est pour ça que vous n'êtes plus jamais retourné faire le ménage chez elle ?

Je n'en reviens pas : même durant les moments les plus misérables de ma relation avec Karine, je lui suis demeuré fidèle. J'ai regardé des films pornos, mais rien de plus. Sylvain Racicot poursuit son récit :

— Le gars pis la pauvre fille étaient tellement terrorisés quand ils m'ont entendu entrer dans l'appartement. Il a fallu que j'explique qui j'étais. À mon entretien d'embauche, j'avais seulement rencontré Magalie. Son conjoint, jamais. J'ai ben compris qu'elle avait pas informé monsieur du changement d'horaire pour le ménage. Il m'a demandé mon numéro de cellulaire pis il a transféré six cents dollars dans mon compte de banque en me faisant promettre de plus jamais revenir. Il avait honte, ça paraissait.

— Ça doit.

— Ça fait que j'ai juste disparu dans la brume. J'ai jamais rien volé.

Il me semble que tout s'éclaire. Alors que je croyais déraisonnable mon attirance pour Magalie, je comprends maintenant qu'il n'en est rien : mon instinct a pressenti qu'elle avait besoin de moi, qu'il y avait une place pour nous deux, et que Mathieu, de toute manière, était indigne de son amour.

— J'avoue avoir utilisé les six cents dollars pour m'acheter un aspirateur puissant, mais c'était de l'argent donné.

Je ne sais même plus de quoi parle cet homme. Je tente de me ressaisir, de revenir dans le vif du sujet :

— Avez-vous encore le double de la clé de chez elle ?

Sylvain Racicot m'examine d'un drôle d'œil.

— Quel double ? Je rentrais toujours par la terrasse arrière, ils ont une serrure à numéros, avec un code qu'ils changent tous les mois. C'est pour ça que le gars pis la fille ont eu tellement peur : les entrées par effraction, c'est souvent par les portes de derrière.

Je n'avais pas pensé à cette possibilité. En bafouillant, je lui dis que je travaille sur plusieurs cas et qu'il m'arrive parfois de les confondre, puis je m'empresse de le remercier pour sa collaboration. Je suis rendu au milieu des escaliers, le visage de nouveau battu par la pluie, quand je l'entends :

— Agent Hamelin !

Je lève la tête. Sylvain Racicot s'est approché du garde-corps en fer forgé. Son chat est réapparu dans ses bras, mais la main large et potelée de son maître le protège de l'eau qui ruisselle de la corniche. Je mesure tout à coup le danger dans lequel je viens de me mettre, les sanctions disciplinaires auxquelles cette rencontre m'expose. Sylvain Racicot a-t-il deviné mon imposture ? Fera-t-il lui-même son enquête auprès du SPVM pour savoir qui est venu lui rendre visite ce matin ? Je pense à ma cuisine dont la facture s'élève à plus de vingt mille dollars – et cela, sans compter mon plancher chauffant et mes nouveaux électroménagers en acier inoxydable. Mon cœur bat la chamade. Je n'ai absolument pas les moyens d'un congé sans solde.

— Il me semble que je vous ai donné votre réponse.

— Quelle réponse ?

— Ben oui, voyons. Les bijoux de Magalie qui disparaissent, les messages textes menaçants. Ça doit être la maîtresse de son chum, celle qu'il amène chez lui. Les filles haïssent ça être en deuxième position.

Je lui dis que cette hypothèse n'est pas bête du tout, puis je poursuis ma course jusqu'à ma voiture. De peur qu'il note mon numéro de plaque et tente d'en apprendre davantage sur l'agent Guillaume Hamelin, j'attends qu'il ait bien refermé la porte derrière lui avant de démarrer.

Lundi 19 décembre

Re-coucou les parents !

Je suis consciente qu'avec la frénésie de Noël tout le monde est occupé, mais mon message de la semaine dernière est demeuré sans réponse et urgence il y a ! Slime, Slume, Slome et Slame, les quatre escargots vedettes de la classe, sont toujours sans foyer d'accueil pour le temps des Fêtes. S'il vous plaît, manifestez-vous rapidement ! Je ne peux pas laisser le terrarium à l'école durant deux semaines. Pour ceux et celles que la tâche effraie, sachez que l'entretien de nos escargots demande très peu d'effort : on les nourrit d'un peu de laitue, on nettoie leur carapace avec une vieille brosse à dents si nécessaire, et c'est tout. Votre enfant pourra même vous montrer comment faire !

Merci de votre précieuse collaboration et bonnes vacances à tous. Profitez-en pour passer de merveilleux moments en famille !

Stéphanie

7

Magalie

Vendredi 23 décembre

Il est incroyable de constater à quel point l'annonce d'une grossesse peut provoquer la jubilation. Pendant plus d'une heure, Isabelle a refusé de boire de l'alcool sous prétexte qu'elle devait prendre des antibiotiques pour traiter une infection urinaire. Olivier vient toutefois de révéler la vérité. Devant nos invités réunis, il tient Isabelle par la main, ses yeux remplis de tendresse tournés vers elle tandis que les cris et les applaudissements explosent dans la salle d'exposition de Penture, où a lieu notre cinq à sept annuel de Noël.

Des plateaux de bouchées préparées par un traiteur en suivant quelques-unes des recettes d'Isabelle garnissent les différents modèles d'îlots entre lesquels nous déambulons, trinquons et discutons. Durant deux ou trois secondes, mon canapé aux crevettes nordiques et au pesto d'épinard reste coincé entre mes mâchoires. Isabelle enceinte ? d'Olivier ? Eh bien. Je me remets à mastiquer et coule un œil en direction de Romane pour voir comment elle accueille la nouvelle. Près du mur d'échantillons de pierres naturelles, en compagnie de Johanne qui, le regard baigné de larmes, tape dans ses mains avec frénésie, Romane arbore un sourire figé au-dessus de sa flûte de mousseux. Depuis son aveu du mois dernier, j'ai évité le plus possible de me trouver en sa présence chez Penture, au point où Isabelle s'est étonnée de ma nouvelle habitude de manger mon lunch dans mon bureau, la porte fermée. À voir son air livide, je me demande si Romane n'est pas en train de prévoir son budget de psychothérapie pour l'année à venir. Je ne peux m'empêcher de trouver ridicule cette obsession qu'elle nourrit pour un homme qui la regarde à peine et n'a jamais manifesté le moindre intérêt pour elle. Même lorsqu'une attirance est réciproque, il est rare qu'elle mène où on le souhaiterait, alors que dire d'une attirance à sens unique?

Les cris et les applaudissements cessent enfin.

— As-tu des enfants, toi aussi? me demande Julia.

— Une fille, oui. De cinq ans. Et toi?

Avec ce visage rond et joufflu, couvert de taches de rousseur de la taille de sous noirs, Julia n'a sans doute pas plus de trente ans. Grande, cheveux bruns, yeux verts qui lancent des éclairs d'ambition, elle travaille pour Urbanisia, le promoteur immobilier montréalais avec lequel Penture doit bientôt conclure une alliance. Ces dernières années, cette entreprise a érigé d'immenses tours à condos au centre-ville de Montréal; sans abandonner ces projets d'envergure, elle compte à présent développer des projets plus intimes – des immeubles de six ou neuf unités – dans des quartiers résidentiels à la mode comme la Petite-Italie ou le Mile-Ex. Or, afin de se démarquer de leurs concurrents et démontrer le caractère plus niché de leur nouvelle branche d'activité, les dirigeants d'Urbanisia souhaiteraient que Penture – un cuisiniste haut de gamme qui jouit d'une belle réputation, en grande partie grâce à la popularité de *Sous la dent* – s'occupe de la conception des cuisines de toutes leurs constructions à venir. Il va de soi que cette entente, si elle se conclut, sera très lucrative pour nous.

Julia hoche la tête en écarquillant les yeux :

— *Oh my God*, non ! Je n'ai pas d'enfant, et je n'en voudrais pas tout de suite.

Je lui dis qu'à l'âge qu'elle semble avoir, elle a encore pas mal de temps devant elle.

— C'est mon botox. J'approche trente-quatre.

Elle étire le bras et prend un nouveau verre de vin rouge sur l'îlot.

— Le mois dernier, poursuit-elle, j'ai vu un documentaire à la télé. Je ne regarde jamais la télé parce que je travaille tout le temps. L'immobilier, tu sais, c'est un milieu payant, mais c'est comme Satan, il veut ton âme en échange. Sauf que là, j'étais grippée et incapable de faire autre chose. Le documentaire portait sur les requins du Groenland.

— Ceux qui peuvent vivre jusqu'à deux cent soixante-quinze ans ?

— *Oh my God !* Moi qui me trouvais intelligente. T'as vu le documentaire aussi ?

— Non. Mais c'est dans un livre de ma fille. Les enfants sont fascinés par tout ce qui grouille dans l'océan. Si t'as besoin d'argent un jour, écris un livre sur les baleines et fais-le illustrer. Ça va se vendre, c'est certain.

Julia éclate de rire et m'assure que c'est ce qu'elle fera si le marché immobilier s'écroule (« Autrement dit, ajoute-t-elle avec l'assurance d'une vendeuse, jamais ! »), puis elle enchaîne :

— Mais sais-tu à quel âge la femelle du requin du Groenland atteint la maturité sexuelle ?

J'avoue l'ignorer.

— Cent cinquante ans ! *Oh my God,* non ? Ce requin-là a pas ses bébés avant d'avoir cent cinquante ans.

Julia se met à rire, dévoilant des dents d'une blancheur et d'une symétrie parfaites. Puis elle prend une autre gorgée de vin et ajoute :

— J'ai fait le calcul. Admettons qu'on transpose le phénomène à notre espèce, en supposant que notre longévité est d'environ quatre-vingts ans, nous, les femelles du genre humain, on aurait nos enfants à quarante-quatre ans.

Je pouffe de rire à mon tour :

— Bonne chance ! J'ai eu ma fille à trente-cinq et je courais après mon souffle.

— En tout cas, pour l'instant, j'ai trop de buts à atteindre dans ma vie avant de m'occuper de quelqu'un d'autre que moi.

— Je me disais ça, moi aussi.

— Mais qu'est-ce qui t'a fait changer d'idée?

Julia regarde le nom qui éclaire tout à coup l'écran de son téléphone. « *Oh my God* », murmure-t-elle. Puis elle s'excuse et s'éloigne pour prendre l'appel, élégante dans sa robe vert forêt et ses talons hauts couleur crème. Sa question me reste toutefois en tête et je me demande ce que je lui aurais répondu. Que je croyais avoir rencontré la bonne personne? Ou bien que, m'étant retrouvée enceinte sans l'avoir prévu moins d'un an après ma rencontre avec cette bonne personne, j'avais été incapable de renoncer à la vie, peut-être influencée, à cet égard, par la mort récente de mon père? Mais de toute manière, en quoi est-ce que cela importe? Sans doute faut-il ne pas avoir d'enfant pour s'intéresser aux raisons qui poussent les autres à en avoir. Car une fois qu'un enfant est là, on ne peut, il me semble, que se rendre à l'évidence : ce petit être est d'une réalité si ravageuse et l'amour qui nous attache à lui est si monstrueux qu'il paraît vraiment très étrange de vouloir réduire sa présence à sa cause, que celle-ci soit une décision rationnelle ou une mauvaise lecture du calendrier.

Je zigzague parmi les invités, échange quelques mots avec certains de nos sous-traitants, dont un carreleur, une ébéniste et un électricien. Ma montre indique sept heures quarante-cinq. J'ai l'estomac trop rempli par toutes ces bouchées avalées depuis le début de la réception, mais Mathieu, lui, ne doit même pas encore être passé à table. La fête de Noël du cabinet Blitt Cantin Ségur a également lieu ce soir : un somptueux repas au restaurant du Sofitel de la rue Sherbrooke.

J'avale d'un trait ce qui reste de vin au fond de mon verre en essayant de ne pas imaginer comment la soirée de Mathieu se terminera. Sophie Hyndman et lui ont-ils réservé une chambre avec vue sur le centre-ville de Montréal, un centre-ville dont l'anonymat est toujours gage d'immunité pour les amants, mais qui ce soir, en plus, leur offrira un spectacle féérique, avec ces milliers de lumières de Noël qui habillent les gratte-ciel ? « Je risque de rentrer tard », avait-il cru bon de m'avertir avant de quitter l'appartement ce matin, précisant – pour mieux enrober son mensonge ? – que plusieurs associés des nouveaux bureaux de Londres et de Chicago avaient fait le voyage à Montréal exprès pour prendre part à la fête.

Soudain accablée de fatigue, je me dirige vers Isabelle et Olivier, autour de qui un petit groupe s'est agglutiné. Il paraîtrait bizarre de quitter la soirée sans leur offrir mes félicitations. Des exemplaires du magazine *Châtelaine* dont Isabelle fait la couverture aux côtés de cette dinde énorme aux airs monarchiques reposent sur l'îlot de l'espace atelier de *Sous la dent* et, tandis que j'attends mon tour dans la file, je me surprends à envier le sourire froid mais triomphant qu'Isabelle y affiche. « *Ignorance is bliss* », me dis-je en la serrant enfin dans mes bras pour lui souhaiter la plus douce des grossesses et le plus beau des bonheurs.

Vient ensuite le tour d'Olivier. On se fait une accolade.

— Je suis trop contente pour vous.

— T'es fine, dit-il en me tapotant le dos.

Son odeur n'a pas changé, mais je n'ai pas le temps de me laisser envahir par des souvenirs qui appartiennent, désormais plus que jamais, à un passé révolu. Non seulement il y a Romane qui, près du poinsettia au fond de la salle, me fusille du regard, mais le fermoir de mon bracelet reste pris dans une des mailles du chandail d'Olivier durant notre étreinte, de sorte que tout mon doigté est immédiatement requis pour apaiser les inquiétudes d'Isabelle qui, penchée par-dessus mon oreille, se lamente :

— Pour l'amour, scrape-lui pas ce chandail-là, je l'ai payé cher, c'est un Zadig & Voltaire !

Dans le taxi qui me ramène chez moi, je tripote mon téléphone cellulaire. Force est d'admettre que je me sens un peu à l'envers. Non pas que j'espérais reprendre un jour ma liaison avec Olivier, mais constater que de toute évidence il a résolu le problème qui minait son couple, à savoir le manque d'activité sexuelle, alors qu'entre Mathieu et moi la situation n'a pas changé, fait en sorte que je me sens plus que jamais laissée pour compte. J'envoie un message texte à Mathieu : « *Ça va ? Et ton souper de Noël, c'est chouette ?* » Je relis notre dernière communication électronique, qui remonte à hier midi et concerne l'achat d'une paire de gants de jogging pour Guillaume, car Mathieu a pigé son nom en vue de l'échange de cadeaux qui se tiendra chez André demain soir. « *Je suis chez Sports Experts sur Ste-Cath, c'est combien déjà le montant pour l'échange de cadeaux ?* » m'avait écrit Mathieu. « *50-ish* », lui avais-je répondu. « *Quelle taille?* » s'était-il enquis, comme si j'étais censée le savoir. « *Comme toi, j'imagine, garde le reçu au cas où.* »

Sous le message que je viens de lui envoyer, la mention « *Lu à 20 h 14* » apparaît. J'attends donc de voir les trois petits points dansants qui m'indiqueront que Mathieu est en train de rédiger sa réponse, mais rien. J'attends encore, écrasant mon pouce sur l'écran pour le réactiver dès que nécessaire : en vain. Mes doigts relâchent donc le téléphone et le laissent glisser au fond de mon sac. Rue Jean-Talon, les boutiques du marché sont toujours ouvertes, et de nombreux clients en ressortent, les bras chargés d'emplettes. « *And so it is Christmas*, chante John Lennon à la radio, *and what have you done?* » J'essaie de me laisser bercer par la mélodie afin de ne pas les imaginer, Mathieu et Sophie, assis côte à côte autour d'une table somptueuse, en train de se livrer à des attouchements sous la nappe, à l'insu de leurs collègues. Mais ça ne fonctionne pas. Alors que la voiture file sur l'avenue De Chateaubriand, l'envie me prend d'annoncer au chauffeur de taxi que ma destination a changé : qu'il fonce au Sofitel, rue Sherbrooke Ouest, au lieu de me déposer au coin de Saint-Zotique et Saint-Vallier. Mais bien entendu, ce serait de la pure folie, alors j'y renonce. Surtout qu'un geste qui paraîtrait détraqué en temps normal le paraîtrait sans doute encore davantage à moins de quarante-huit heures de Noël.

— Maggy ! Mag !

Le visage de Mathieu est tordu au-dessus de moi dans une grimace paniquée. Il sent l'alcool.

— Charlotte est pas dans son lit !

Je me redresse sur le canapé, où je me suis endormie tout habillée en regardant RDI.

— Elle dort chez ma mère. Elles sont allées voir *Casse-Noisette.* J'avais mon party chez Penture.

Mathieu ferme les yeux en plissant le front et porte une main à sa tête, confus.

— Excuse-moi. Tu m'as parlé de ça toute la semaine. J'avais oublié.

Il se penche pour m'embrasser sur la bouche, puis il va se servir un verre d'eau dans la cuisine et s'informe du déroulement de ma soirée. Je lui annonce qu'Isabelle est enceinte, puis je remarque l'heure sur le terminal Vidéotron : onze heures vingt.

— Et toi ?

— Non, je suis pas enceinte.

— Très drôle. Je voulais dire : ta soirée ? Il me semble que tu rentres tôt.

Mathieu m'explique qu'il a été obligé de travailler toute la journée à la rédaction d'actes de procédures compliqués, de sorte qu'il avait mal à la tête avant même d'arriver au souper. Il traverse de nouveau le salon et se rend à la salle de bain, où il remue un pot de comprimés et fait couler l'eau, puis il revient dans le salon, m'embrasse encore une fois rapidement sur la bouche et m'annonce qu'il va se coucher.

Je garde sa main chaude dans la mienne quelques secondes.

— Ça va ? T'as l'air bizarre.

Il me répète qu'il a mal à la tête puis disparaît derrière la porte de la chambre, où j'entends la boucle de sa ceinture tomber sur le plancher.

Avec Mathieu de retour à la maison avant minuit, le congé des Fêtes commence mieux que je me l'étais imaginé. Je n'avais pas songé à ce scénario, et je n'ai pas consulté sa page Facebook depuis quelques jours, mais Sophie Hyndman est peut-être déjà partie en vacances. Ses parents ont certainement une maison dans les Antilles ou quelque chose du genre. J'ouvre la porte du réfrigérateur pour vérifier l'état de mon gravlax de saumon qui marine dans le gin et le sirop d'érable depuis hier et que nous devons apporter chez André demain soir. Je presse un doigt sur la pellicule de plastique ; la chair s'attendrit sous la peau, tout devrait être parfait.

De retour au salon, j'éteins les lumières du sapin de Noël, mais lorsque je veux en faire autant avec la télévision, Annabelle Juneau apparaît à l'écran et je m'arrête, la télécommande dans les mains. Il s'agit de l'une des quatre ou cinq photos que les médias diffusent depuis sa disparition, et sur laquelle on la voit assise dans un fauteuil Adirondack, ses cheveux blonds bercés par le vent et ses pommettes rougies par le soleil, entourée de ses deux garçons, petits rouquins au sourire troué et à l'air turbulent. Le reportage défilait en boucle un peu plus tôt, avant que je m'endorme, mais je l'écoute une dernière fois. Francis Letendre, l'homme à la nuque épaisse et le principal témoin dans l'affaire Annabelle Juneau, a succombé à un infarctus ce matin. Même s'il n'avait pas été accusé – pas un cheveu ni la moindre trace d'ADN de la disparue n'ont été retrouvés dans sa voiture ou sa maison –, tout le monde semblait convaincu que cet homme savait des choses qu'il ne disait pas. Peut-être était-il complice du meurtrier. À présent qu'il est mort, il a emporté son secret dans sa tombe.

J'éteins la télé mais reste là, dans le noir, dégoûtée par la violence sexuelle dont les femmes sont victimes depuis la nuit des temps, et dont nous devons nous méfier peu importe où nous nous trouvons, même dans un Carrefour Laval bondé, en plein après-midi, à la veille de la rentrée scolaire. Comment l'agresseur s'est-il débarrassé du corps d'Annabelle Juneau après en avoir abusé ? L'a-t-il enterré dans une forêt, jeté dans un lac, découpé en morceaux ? Je pousse la porte de la chambre, me déshabille et me glisse sous les draps. « Mieux vaut être cocue que morte », me dis-je tandis que j'enfouis ma tête sous l'oreiller pour ne pas entendre Mathieu ronfler.

Samedi 24 décembre

Bien entendu, dès que ma mère, en nous ramenant Charlotte ce matin, nous a annoncé qu'il y avait eu un dégât d'eau dans le sous-sol d'André, nous aurions pu suggérer sur-le-champ que le réveillon de Noël ait lieu chez nous à la place ; je suis d'accord avec Mathieu là-dessus. Pourquoi avons-nous été si lents à réagir et n'avons-nous proposé cette solution qu'une fois passé midi, et, rendu là, était-il si étonnant d'apprendre que Guillaume avait été plus rapide que nous pour offrir d'être l'hôte de la soirée, ce qu'André et ma mère, pris dans les seaux et les serpillières, n'avaient pas su refuser ? Ainsi, à cinq heures trente, un 24 décembre, avons-nous vraiment le droit de nous plaindre d'être coincés dans un bouchon sur le pont Jacques-Cartier, direction Sainte-Julie ?

— En même temps, l'appartement est tellement sale. Il aurait fallu qu'on torche toute la journée.

— T'as toujours trouvé personne ? me demande Mathieu.

— C'est aussi difficile de trouver une femme de

ménage qu'un médecin de famille. Y a peut-être celle d'Isabelle et Olivier qui va nous prendre. On est les premiers sur sa liste d'attente.

— Une liste d'attente ? Pfft.

Mon gravlax de saumon dans son plat en pyrex posé sur mes cuisses, j'essaie de divertir Charlotte en lui décrivant les manèges de La Ronde qui se dressent dans le brouillard de l'île Sainte-Hélène, aussi inutiles que des meubles de jardin abandonnés sur une terrasse à trente degrés sous zéro. Mais tandis que ma voix résonne dans la voiture, une question me taraude : pourquoi le chauffage du siège du passager était-il activé quand nous avons pris place dans la voiture il y a une demi-heure ? Puisque les soupers organisés par Blitt Cantin Ségur ont l'habitude d'être bien arrosés, Mathieu était allé travailler en taxi hier. Ainsi, la dernière fois qu'il a utilisé la voiture remonte à jeudi ; or, comme il m'avait accompagnée chez Penture ce matin-là, et comme je me souviens très bien de ne pas avoir allumé le siège chauffant parce que cela finit toujours par me piquer les fesses, qui donc a pu le faire ? Qui s'est assis sur le siège du passager après moi jeudi ? Sophie Hyndman ? Est-ce ici qu'ils couchent ensemble quand ils n'ont pas le temps d'y mettre plus de cérémonie ? Dans ce même lieu clos où nous passons tant de moments en famille ? Mathieu était rentré vers huit heures jeudi soir. Charlotte et moi, nos tabliers recouverts de farine, achevions de répartir dans des sacs en cellophane nos biscuits maison au pain d'épices destinés à son enseignante, Stéphanie, et aux éducatrices du service de garde. Mathieu avait croqué dans un biscuit en forme de sapin et déclaré qu'il avait dû rester tard au bureau. Était-il avec elle ? Peut-être avaient-ils décidé de se retrouver le jeudi en fin de journée ou en début de soirée au lieu du vendredi soir, comme je l'avais cru. Car je sais à présent que Sophie Hyndman n'est pas partie dans l'hypothétique maison de ses parents aux Antilles : tout à l'heure, Mathieu m'a montré une photo que Fabrice lui a envoyée de la fête d'hier et je l'ai tout de suite reconnue, assise au bout de la table, derrière une bouteille de champagne, étincelante dans un haut à paillettes malgré sa moue boudeuse.

— Je veux aller à La Ronde cet été ! s'écrie Charlotte.

Je lui promets que nous l'y emmènerons, mais tout à coup, un doute s'empare de mon esprit : Mathieu et moi formerons-nous toujours un couple cet été ? Car à moins de subir une lobotomie, je ne suis plus certaine que je pourrai supporter encore longtemps cette situation.

Tout le monde félicite Guillaume pour sa nouvelle cuisine, et je dois dire que le résultat final, que je n'avais pas encore eu la chance de voir, est renversant. C'est ce que j'apprécie de mon métier : même s'il consiste depuis plusieurs années à orchestrer des transformations plus ou moins extrêmes de milieux de vie, ma capacité à m'émerveiller devant ces métamorphoses demeure la même, comme si l'harmonie tant recherchée échappait aux calculs et à la démarche qui la précèdent. La magie, je le crois de plus en plus, transcende toute méthodologie. Dans ce cas-ci, la péninsule et les comptoirs en quartz gris, les portes d'armoires blanches, les caissons qui s'élèvent jusqu'au plafond avec des moulures en O-Gee et les nouveaux électroménagers en acier inoxydable créent un point de lumière qui attire l'œil et rehausse l'ensemble du rez-de-chaussée à aire ouverte de cette maison à laquelle aucun autre changement n'a pourtant été apporté. Tout semble plus moderne, plus propre, plus chaleureux. Certes, il reste le dosseret en céramique à installer derrière la cuisinière et les luminaires à suspendre au-dessus de l'îlot, mais l'effet global est réussi, et mérite cette pluie de louanges.

« *Joyeux Noël !* » a écrit Guillaume à la craie rouge sur la colonne recouverte de peinture à tableau et intégrée à la péninsule.

— C'est la belle Magalie qu'il faut féliciter, lance Guillaume en me faisant un clin d'œil. Tout ça, c'est grâce à elle.

Je lui souris, trouvant un peu exagéré qu'il me complimente ainsi. Aussi je crois voir Mathieu sourciller au-dessus de la bouteille de Crémant de Bourgogne que nous avons apportée, et qu'il s'apprête à déboucher.

— Oh mon Dieu ! Qu'on est bien sur un plancher chauffant ! s'exclame ma mère, qui a retiré ses escarpins d'intérieur et se retrouve en bas de nylon sur les carreaux charbonneux. Viens ici, Charlotte ! Viens mettre tes petits pieds sur le plancher tout chaud.

Ma fille se précipite vers ma mère et se retrouve à

quatre pattes sur le plancher, tout émerveillée par la chaleur qui en émane. Son babillage nous fait tous éclater de rire, à part Julianne qui, son téléphone coincé dans la poche arrière de son jean, enroule des tranches de prosciutto autour de grissinis. Mais ceux-ci sont si fragiles qu'ils se cassent une fois sur deux, de sorte que l'assiette qui circule entre nous quelques minutes plus tard, tandis que nous prenons place dans le salon, contient uniquement de la charcuterie et des olives vertes.

André est le premier à lever son verre : « Joyeux Noël ! »

Julianne demande à son père si elle peut boire un peu d'alcool elle aussi, mais Guillaume refuse. Elle se cale alors dans le fauteuil puis soupire d'un air frondeur :

— T'as pas invité ta blonde ?

— Oh ! Est-ce qu'on attend quelqu'un d'autre ? s'étonne ma mère en hésitant avant de prendre une première gorgée de crémant.

— Mais non. J'ai pas de blonde, lâche Guillaume en adressant un regard lourd à sa fille.

— C'est pas ça que Benjamin a dit hier soir au party du club de natation. Tu *cruises* sa mère, il paraît.

— *Cruiser* pis avoir une blonde, c'est pas pareil ! lance André.

Guillaume coule un œil réprobateur dans sa direction.

— Ils ont eu une *date* ! insiste Julianne.

— Julianne…

— Quoi ? C'est vrai !

— En tout cas, ça fait longtemps qu'on ne t'a pas vu avec quelqu'un, remarque André.

— OK… pouvez-vous me lâcher ?

Mathieu et moi échangeons un regard discret, à moitié amusés, à moitié « qu'est-ce qu'on fait ici ? ». Nous avons l'habitude de passer le réveillon de Noël entre nous, avec ma mère et Charlotte, et cette dynamique familiale animée à laquelle nous sommes exposés malgré nous ne paraît pas lui plaire plus qu'à moi. Par chance, je suis déjà venue chez Guillaume ; autrement, le sentiment d'étrangeté qui m'habite serait encore plus grand. Et même si je me répète sans cesse que c'est enfantin, je n'arrive toujours pas à comprendre comment André, avec sa bouche lippue, ses yeux de hibou et ses propos qui ne volent pas très haut – ainsi, nous avons droit au récit *intégral* de son dégât d'eau – peut paraître séduisant aux yeux de ma mère. Je la regarde de biais et ravale un soupir. Y pense-t-elle elle aussi qu'il y a à peine sept ans nous étions toutes les deux à l'hôpital, au chevet de mon père, dont l'état se dégradait si rapidement qu'il n'allait même pas voir la nouvelle année ? Je me souviens de ce dernier Noël en sa compagnie. L'infirmière qui s'occupait de lui était coiffée d'un bonnet rouge orné de grelots silencieux – elle en avait retiré les clochettes, sans doute consciente des limites qu'il y a à vouloir semer la joie au sein d'une unité de soins palliatifs. À intervalles réguliers, cette infirmière venait prendre les signes vitaux de mon père. « La douleur est bien contrôlée », nous rassurait-elle à chacune de ses apparitions. « Mais pas la mienne ! » avait éclaté ma mère à un certain moment, quittant la chambre en pleurs.

— Mireille m'a appelée tantôt pour me souhaiter joyeux Noël, me dit ma mère. Tu ne m'avais pas dit que vous vous étiez croisées dans un magasin ?

— J'ai dû oublier. C'était dans un restaurant.

— On s'est promis de se voir bientôt.

— Qui ça ? demande André.

— Mireille. Tu ne la connais pas encore. Une amie qui vient de prendre sa retraite.

Le temps est venu de passer à table et j'offre mon aide à Guillaume. Nos parents ont apporté le repas qu'ils prévoyaient servir chez André : un ragoût de boulettes, une tourtière et des haricots verts au beurre, le tout commandé chez Première Moisson. Les plats sont au four et sur la cuisinière. Tandis que Guillaume farfouille dans son réfrigérateur, je commence à trancher le gravlax de saumon que nous servirons en entrée. Je dispose de généreuses portions dans des assiettes.

— J'ai acheté de l'eau pétillante, mais veux-tu que je mette aussi une carafe d'eau plate sur la table, genre, pour ta fille ? s'enquiert Guillaume. Il y a un distributeur d'eau dans mon nouveau frigo. Elle va être fraîche.

Je me demande pourquoi il s'est approché si près de moi pour me poser cette question, comme s'il s'agissait d'une affaire intime. Je sens presque son souffle dans mon cou.

— Si tu penses avoir de la place sur la table, peut-être, lui dis-je en me tournant vers lui.

Il me sourit en opinant de la tête, puis recule un peu.

— J'ai aussi acheté le super bon nebbiolo, tu sais, celui que t'avais aimé l'autre jour, m'annonce-t-il en prenant une carafe dans une armoire.

— Quel nebbiolo ? demande Mathieu en venant chercher les premières assiettes de gravlax pour commencer le service.

— Un excellent vin italien, lui dit Guillaume. On en a bu ensemble cet automne, quand Magalie est venue faire les plans de ma cuisine.

Guillaume lui montre la bouteille. Mathieu jette un œil rapide sur l'étiquette avant de me regarder d'un drôle d'air, puis il s'éloigne avec les assiettes. Notre hôte remet la bouteille sur le comptoir. En refermant la porte d'armoire, il me dit à quel point il apprécie le système de charnières avec amortisseurs intégrés.

— C'est vraiment *smooth* de ne plus entendre les portes claquer.

— Moi, j'aime pas le poisson, alors ne me fais pas d'assiette ! m'avise Julianne depuis la salle à manger.

— Crise d'adolescence, dit Guillaume à mon intention et en roulant les yeux, avant d'actionner le distributeur d'eau du frigo pour remplir la carafe.

— Moi non plus, glapit Charlotte. J'aime pas le poisson !

Mais j'entends tout de suite Mathieu lui apprendre qu'il n'en est rien, autrement elle ne dévorerait pas autant de sushis quand nous allons dans des restaurants japonais.

Guillaume va déposer la carafe d'eau sur la table de la salle à manger puis revient dans la cuisine.

— Mon évier sous plan aussi, c'est vraiment trop cool, dit-il.

Avec sa main aux jointures puissantes, il caresse doucement le pourtour du comptoir au-dessus de la double cuve.

— C'est ben plus facile à nettoyer, ajoute-t-il.

Je ne connais pas beaucoup Guillaume, mais il me semble ne l'avoir jamais vu aussi enthousiaste. Je lui souris, et lui réponds qu'un client satisfait me rend toujours contente.

— Toi, tout va bien dans ta vie? me demande-t-il.

Je lui assure que oui, ne pouvant m'empêcher de trouver sa question étonnante, et encore plus quand je le surprends à glisser un œil en direction de Mathieu, qui est en train de beurrer un bout de pain pour Charlotte. Projette-t-on l'image d'un couple désuni?

Personne ne termine son assiette. Les avis sont unanimes : le repas était délicieux mais trop copieux.

— On aurait dû prendre seulement le ragoût et faire une salade verte à côté, dit ma mère en regardant André.

Mais celui-ci réplique que c'est Noël juste une fois par année. La question est à présent de savoir si on ouvre les cadeaux tout de suite ou après le service de la bûche que Guillaume a achetée dans une pâtisserie de Saint-Bruno.

— Est-ce que c'est une bûche en forme de beigne? demande Mathieu.

Même si Guillaume rit un peu, je me tourne vers Mathieu et lui décoche un regard noir. Il hausse les épaules.

— Quoi? C'est une blague.

Il verse le restant de la bouteille de Perrier dans son verre.

— Avant le dessert, Monique et moi avons une grande annonce à vous faire, lance André.

Mon cœur s'emballe et j'interroge ma mère du regard : de quoi peut-il bien être question, et pourquoi ce ton si officiel? Elle me rassure d'un battement de cils. Malgré cela, j'imagine le pire des scénarios, et je ne suis pas la seule, car Julianne, le nez rivé sur son téléphone portable avec lequel elle photographie des restants de table afin de nourrir une *story* sur son compte Snapshat, verbalise mes craintes :

— Ayoye, lâche-t-elle sans lever la tête. Vous allez vous marier?

André et ma mère éclatent d'un rire embarrassé : non, il ne s'agit pas de cela. Simplement, ils ont loué un grand condo en Floride, où ils passeront une bonne partie de l'hiver, et ils aimeraient que nous nous joignions à eux pour les vacances de Pâques. « Cool! » s'exclame Julianne, mais Guillaume refuse de promettre quoi que ce soit avant d'être certain de pouvoir modifier son horaire de travail. Ma mère surprend-elle le regard perplexe que Mathieu et moi échangeons?

— Vous nous le direz après avoir évalué vos emplois

du temps, dit-elle en commençant à débarrasser la table. Ça serait vraiment agréable.

— Rassieds-toi, Monique ! lui ordonne Guillaume. Interdiction de t'occuper de la vaisselle. Je ferai ça tantôt.

Malgré sa sieste de cet après-midi, Charlotte se frotte les yeux et se montre de plus en plus impatiente. Je l'emmène à la salle de bain au premier étage, fouille dans son sac, que je trimbale toujours quand nous devons passer plusieurs heures à l'extérieur, et l'aide à enfiler son pyjama. La tâche n'est pas simple, ma fille ayant décidé qu'elle était devenue Clara, l'héroïne du ballet *Casse-Noisette,* dont le spectacle l'a éblouie hier soir. Je l'écoute, lui pose quelques questions sur ce personnage et la tiens par la taille tandis qu'elle tente de me montrer avec le plus grand sérieux, dans l'espace étroit entre la baignoire et la cuvette, en quoi consiste une arabesque. Ainsi se hisse-t-elle sur ses minuscules orteils potelés. Un accident est évité de justesse et nous pouvons enfin regagner le rez-de-chaussée. Tout le monde est rassemblé sur le canapé ou au pied du sapin, et un murmure d'extase traverse la pièce. Chacun, même Julianne, complimente Charlotte pour son pyjama aux motifs de rennes au nez rouge.

— On ne tardera pas trop, dis-je à Mathieu en lui refilant Charlotte. Elle est fatiguée.

— Ben voyons, c'est Noël juste une fois par année ! lance de nouveau André.

Calée dans son siège d'auto, Charlotte émet des petits ronflements avant même que nous ayons atteint le pont Jacques-Cartier. En raison du grésil, la visibilité est réduite, mais Mathieu conduit prudemment, une main sur le volant, l'autre sur ma cuisse. Il est à peine dix heures et, dans les voitures qui dépassent la nôtre, j'aperçois d'autres visages de poupons et d'enfants endormis. Parfois le papier de soie qui déborde des sacs qui les entourent donne l'impression qu'ils sommeillent dans des feuilles de chou.

— Il a un kick sur toi, lâche soudainement Mathieu.

— Qui ça ?

— Guillaume. Ça se sent, entre gars, ces affaires-là.

Malgré cette drôle de vibration que j'avais ressentie quand je tranchais le gravlax à côté de Guillaume au début de la soirée, et même si par la suite j'ai remarqué la manière un peu insistante dont il m'observait, je hausse les épaules.

— Ben non. Il est juste content parce que je lui ai fait un bon prix pour sa cuisine.

— Combien ?

— Vingt-deux mille cinq au lieu de vingt-cinq. Et trente pour cent sur toute la quincaillerie. C'est pour ça, tes blagues de beignes ?

Mathieu ouvre la bouche et s'apprête à ajouter quelque chose, mais le tintement de son téléphone cellulaire retentit dans la poche de son manteau et son visage se rembrunit tout à coup. Il garde les yeux sur la route, les mâchoires serrées, puis un second tintement résonne. Mathieu retire sa main de ma cuisse.

— Excuse, soupire-t-il.

Il étire le flanc, saisit son téléphone, éteint la sonnerie et remet l'appareil dans sa poche. Pendant ce temps, tandis que les structures des manèges de La Ronde apparaissent au loin dans le brouillard, je souris bêtement, comme si j'ignorais qui venait ainsi briser notre intimité la veille de Noël.

— Ça te tente toujours qu'on se donne nos cadeaux en arrivant à la maison ? me demande Mathieu en redéposant sa main sur ma cuisse.

C'est ce dont nous étions convenus plus tôt aujourd'hui, alors j'acquiesce. Cependant, une fois la voiture stationnée devant l'appartement, nous devons d'abord nous acquitter de cette opération délicate qui consiste à dépêtrer Charlotte de son siège d'auto, à gravir les escaliers glissants jusqu'au deuxième étage sans l'échapper, à l'étendre par terre dans l'entrée pour lui retirer ses bottes, son manteau, sa tuque, ses mitaines et son cache-cou, et enfin, à aller la déposer dans son lit – tout cela bien sûr sans la réveiller. Compte tenu de notre taux d'échec habituel, notre réussite me fait paraître encore plus mérité le champagne que m'offre Mathieu après avoir fait voler on ne sait où le bouchon de la demi-bouteille de Veuve Clicquot contenue dans les sacs-cadeaux remis à tous les employés du cabinet Blitt Cantin Ségur à leur fête d'hier soir.

— À nous deux, lance Mathieu. Je t'aime.

Il cogne sa flûte contre la mienne, et le son cristallin demeure suspendu entre nous. Son verre au bord des lèvres, son regard plongé dans le mien, il attend.

— Moi aussi, lui dis-je.

Nous déballons nos cadeaux déposés sous le sapin il y a quelques jours. Mathieu dit adorer le foulard de laine et les gants de cuir que je lui offre, mais en enfilant les gants, il a un air contrarié, alors je m'inquiète.

— Quoi ? Ils te font pas ?

— Ils sont parfaits, m'assure-t-il en serrant puis en ouvrant les doigts, comme pour étirer le cuir. Mais tu sais, tantôt, quand on a fait l'échange de cadeaux, et que j'ai appris que Guillaume t'avait déjà raccompagnée de Sainte-Julie jusqu'à Montréal cet automne, et que c'était comme ça que tu savais que ce serait pratique que je lui achète une deuxième paire de gants pour son jogging, pour les fois où il oublie l'autre paire à son travail, je n'ai pas aimé ça. Savoir que tu as été dans son auto, à côté de lui pendant quoi ? une heure, deux heures ? Pis l'affaire du vin. Depuis quand tu bois sur la job ?

— Mathieu, arrête. Ça n'a aucun rapport. J'ai refait sa cuisine. C'est tout.

Une boule bleue tombe du sapin et roule par terre. Je m'étire pour la ramasser et la remets en place, en m'égratignant le poignet sur les aiguilles toutes sèches. Nous avons acheté et décoré le sapin il y a une vingtaine de jours et nous ne l'avons pas arrosé de manière très rigoureuse. Des petits bouts de branches déshydratés et ratatinés se sont accumulés autour du cache-pied blanc et argenté. Il faudra que j'envoie un message texte à Isabelle durant les vacances pour la relancer au sujet de sa femme de ménage. J'observe Mathieu, qui retire ses nouveaux gants, et je m'entends lui dire :

— Et moi, est-ce qu'il y a une fille de ton entourage dont je devrais être jalouse ?

Mathieu me regarde, stupéfait :

— Juste une ? Tu sous-estimes mon charme.

Sa physionomie décontractée me sidère. Il ajoute, plus sérieux :

— Franchement, Mag, non.

Puis il me tend une enveloppe enrubannée de velours rouge.

— Ç'a l'air petit, mais c'est gros.

Je découvre à l'intérieur une paire de billets d'avion aller-retour Montréal-Paris.

— Han ?

— On part le 13 janvier, on revient le 18. Il faut que j'aille rencontrer les nouveaux associés avec Fabrice. Il emmène sa femme, alors je lui ai dit que je t'emmenais moi aussi.

— Mais Charlotte ?

Mathieu est fier de m'annoncer qu'il a déjà tout organisé avec ses parents : ils viendront s'installer ici durant notre absence pour s'occuper de notre fille. Ainsi, ils seront à côté de son école. Mathieu a même déjà avisé Olivier et Isabelle des dates où je devais prendre congé.

— Mais si on signe notre association avec Urbanisia, ça risque d'être dans ces eaux-là.

Mathieu me dit que des mesures pourront être prises pour que je confirme ma signature à distance. Il ne cache pas son enthousiasme tandis que je fixe encore, incrédule, les billets d'avion.

— Cinq jours à Paris, Maggy. On n'a pas pris de vacances juste nous deux depuis que Charlotte est née.

Je le serre dans mes bras et le remercie pour ce cadeau, et alors qu'on commence à s'embrasser, un cri en provenance de la chambre de Charlotte me fait sursauter.

— J'y vais.

— Je t'attends dans la chambre, murmure Mathieu en me pétrissant les seins par-dessus mon chemisier.

Dans son lit, Charlotte dort paisiblement. Ce n'était qu'un cauchemar. Je caresse ses cheveux, qui sous mes doigts semblent toujours avoir la texture du duvet. Replaçant ses peluches autour d'elle, je remarque l'absence de Baboune. Je fouille doucement dans les couvertures, je jette un œil sous le lit : pas de trace du singe hirsute. C'est normal, me dis-je soudain : je l'ai glissé cet après-midi dans le sac de Charlotte en prévision de la soirée chez Guillaume. Le sac est toujours par terre dans l'entrée, sur le tapis souillé de calcaire et jonché de petits cailloux, à côté de nos bottes, tout près de l'endroit où nous avons déshabillé Charlotte. Je fais glisser la fermeture éclair, plonge une main à l'intérieur, remue des vêtements et la doudou. Les sacs de portions individuelles de Goldfish craquent sous mes doigts, je tasse les tubes de compote de fruits, l'étui cartonné de crayons de cire, un album d'autocollants de pirates et un livre à colorier Hello Kitty, mais la peluche fétiche de ma fille n'y est pas. Il ne reste qu'à prier pour que Charlotte ne se réveille pas cette nuit. Avant de m'endormir, j'enverrai un message à Guillaume : il a sans doute déjà trouvé Baboune chez lui à l'heure qu'il est. Je lui demanderai s'il peut l'apporter à son poste de police à son prochain quart de travail, en espérant qu'il en aura un dans les vingt-quatre prochaines heures. Sinon, j'irai récupérer la peluche moi-même demain.

Un bruit sourd interrompt le programme que je suis en train d'élaborer. Je me redresse et mon nez frôle le manteau de Mathieu suspendu au crochet. Je reste songeuse un instant : le bruit provient de là, évidemment. Une vibration de téléphone cellulaire. Je tâte la poche, sens l'objet dur à travers la laine, glisse une main à l'intérieur, prends l'appareil, et comme il s'agit d'un modèle plus récent que le mien, je n'ai même pas besoin d'appuyer sur le bouton pour voir les notifications sur l'écran d'accueil verrouillé : l'appareil s'éveille tout seul dès qu'on le secoue un peu. Ainsi, Mathieu a reçu, ces dernières heures, pas moins de dix-sept messages textes – le dernier venant tout juste de rentrer – d'un de ses contacts nommé Telus Infos ; trois appels manqués portent également le même nom, qui, à quoi bon me raconter des histoires, car ce n'est pas la première fois que je cède à ce genre de curiosité, est le nom de code de Sophie Hyndman. Mathieu a depuis longtemps configuré son appareil de façon que son mot de passe soit nécessaire pour accéder au contenu de ses messages. Mais comme on n'est jamais trop prudent, il n'a rien laissé au hasard et a aussi modifié le nom de Sophie Hyndman dans son carnet d'adresses afin de ne pas éveiller mes soupçons si jamais, comme ce soir, j'avais le malheur d'apercevoir l'écran d'accueil de son téléphone. Que Telus Infos envoie dix-sept messages textes à Mathieu et l'appelle trois fois la veille de Noël, pourquoi est-ce que cela me semblerait étrange ? Après tout, Telus Infos ne connaît pas d'horaire ; il est souvent actif le soir et la nuit, comme j'ai pu le constater à maintes reprises cette année, ces matins où j'étais levée avant Mathieu et que son téléphone traînait dans la cuisine. Et pourquoi m'en étonner ou m'en inquiéter ? Avec un nom comme celui-là, Telus Infos n'est rien d'autre qu'un robot – un peu zélé, pour ne pas dire détraqué – qui tient son client au courant des nouveaux forfaits de téléphonie mobile avec une assiduité inégalée.

— Maggy, viens-tu ? m'appelle Mathieu depuis la chambre à coucher.

Je remets le téléphone à sa place. Mon manteau est suspendu à côté de celui de Mathieu et je l'enfile sans réfléchir. J'enroule mon écharpe autour de mon cou, enfonce mes pieds dans mes bottillons à la doublure de mouton, cale ma tuque sur ma tête, remonte le corridor et me plante dans le cadre de porte. Mathieu est étendu de son côté du lit, par-dessus les couvertures. Ses deux bras croisés derrière la tête, ses aisselles poilues offertes au monde, son pénis qui pendouille sur le haut de sa cuisse, il incline légèrement la tête et m'aperçoit :

— Tu t'en vas où ? me demande-t-il en se redressant tout à coup.

— On a oublié Baboune, je retourne le chercher.

— À Sainte-Julie ? T'es folle !

— J'ai pas envie que Charlotte se réveille à quatre

heures du matin et qu'elle fasse une crise parce qu'elle trouve pas son singe.

Je saisis les clés de la Passat sur la console de l'entrée, puis mon sac sur le banc. Avant que la porte se referme derrière moi, j'entends Mathieu :

— Mais voyons donc, Mag, les routes sont super glissantes en plus !

Il est vrai que pour ne pas ralentir ma course dans les escaliers glacés, je dois agripper la rampe à deux mains. Comme je démarre le moteur, je vois les rideaux de la chambre onduler. Mathieu apparaît à la fenêtre. Il a revêtu son peignoir en ratine et me fait de grands signes. Je règle le chauffage et le dégivreur à plein régime. J'attends toutefois avant de mettre la voiture en mouvement, car un taxi s'arrête quelques mètres devant. Valérie Delorme sort alors de chez elle en compagnie de deux individus aux cheveux poivre et sel qui marchent en traînant les pieds pour ne pas glisser. Je ne veux pas que ma voisine me voie : elle se demanderait sûrement pour quelle raison je quitte ainsi mon domicile toute seule à une heure si tardive la veille de Noël, sous la pluie verglaçante. Valérie ouvre la portière du taxi à ses invités, puis une fois qu'ils ont grimpé à l'intérieur, elle leur refile la boîte-cadeau qu'elle transportait pour eux. Enfin, le taxi s'éloigne, et lorsque ma voisine a disparu derrière le gros bonhomme de neige à air soufflé qui tremblote au vent depuis trois semaines devant chez elle, je braque le volant et j'appuie sur l'accélérateur.

Ça ne peut plus continuer ainsi. Les absences répétées, le chauffage du siège du passager, les appels et les messages textes incessants. Même pas moyen d'être tranquille à Noël. L'abnégation a ses limites et je sens que je les ai franchies, autrement je ne serais pas ici, à déraper dans les rues de Montréal, un soir de réveillon. Je dois obliger Mathieu à faire face à la vérité, lui dire quelque chose du genre « c'est elle ou c'est moi », en plus raffiné. Mais avant, il me faut me calmer. À part deux postes d'essence rue Saint-Denis, tous les commerces sont fermés malgré les guirlandes lumineuses suspendues à leurs devantures. Alors je me dis : pourquoi ne pas retourner à Sainte-Julie récupérer Baboune tel que je l'ai annoncé à Mathieu ? Au lieu d'un verre de vin pris dans un bar quelconque, c'est la route qui m'apaisera. Et si Charlotte se réveille cette nuit, il n'y aura aucun drame. L'itinéraire est déjà programmé dans le GPS de la Passat. Je tourne sur le boulevard Saint-Joseph désert et me dirige vers l'avenue Papineau.

Quand Guillaume m'ouvre la porte, il a l'air surpris, quasiment effrayé, un peu comme un chevreuil paralysé devant les phares d'une voiture qui lui fonce dessus.

— Magalie ? finit-il par articuler.

— Euh, oui, c'est moi… T'as pas eu mon message texte ?

— Quel message texte ? Ma batterie est morte.

Il semble complètement perdu et je me dis que si, comme le prétend Mathieu, Guillaume a un faible pour moi, l'information n'a pas encore été acheminée jusqu'à son cerveau.

— J'ai oublié le toutou de ma fille.

— Un toutou?

Guillaume a l'air stupéfait et j'ai un doute tout à coup : peut-être que j'interromps quelque chose? Cette femme à laquelle Julianne a fait allusion pendant la soirée est-elle venue le rejoindre une fois la visite repartie? Guillaume sort enfin de sa torpeur et me fait signe d'entrer. Je remarque qu'il a troqué le jean et la chemise qu'il portait plus tôt contre un pantalon de jogging bleu marine élimé et un vieux t-shirt Roots, et comme il ne s'agit pas vraiment là d'une tenue pour un rendez-vous galant, j'en conclus qu'il est simplement contrarié d'être dérangé pour un prétexte aussi anodin.

— Je suis désolée. Je te dérange, hein?

— Pantoute. Tout le monde est reparti. Je regardais un match de football enregistré. C'est juste... une surprise.

Il marque une pause et me dévisage, à présent plus détendu.

— J'en reviens pas! Tu t'es retapé toute la route jusqu'ici pour un toutou?

Afin de ne pas passer pour une folle finie, je raconte à Guillaume que Charlotte était inconsolable de ne pas avoir sa peluche quand je l'ai mise au lit, et que je lui ai promis qu'elle serait à ses côtés demain matin à son réveil. Guillaume sourit, mais un peu de tristesse voile son regard.

— Julianne aussi avait son toutou préféré à cet âge-là, pis elle s'endormait jamais sans lui.

— J'ai sorti son pyjama de son sac dans la salle

de bain. Charlotte bougeait beaucoup. Il a dû tomber quelque part.

— Je vais aller voir. Sers-toi un verre si tu veux, en attendant. Tu vas pas repartir tout de suite ?

Il me désigne une bouteille de vin sur la péninsule, parmi les assiettes sales et le restant de la bûche de Noël au caramel qui ramollit dans sa boîte de carton.

— C'est un bordeaux que nos parents ont apporté, précise-t-il avant de disparaître en haut des escaliers.

Je laisse mes bottillons s'égoutter sur le tapis dans le vestibule. En me dirigeant vers la cuisine, je remarque, sur la table basse du salon, devant l'écran plat accroché au mur et qui projette l'image figée d'une foule en liesse dans les gradins d'un stade, trois bouteilles de bière ainsi que l'assiette de hors-d'œuvre préparée plus tôt par Julianne et dans laquelle il ne reste plus qu'une lamelle de prosciutto ratatinée. Je prends un verre à vin dans une armoire qui sent encore la laque fraîche et j'en profite pour vérifier le mécanisme des charnières : rien ne grince, rien ne dépasse, tout a été installé parfaitement par Alexandru et Stefan. Je remplis mon verre à moitié : je ne m'attarderai pas ici.

— C'est lui, ton fugitif ?

Guillaume vient de réapparaître derrière moi. Il secoue Baboune dans les airs.

— Oui, merci.

— Il était dans la baignoire.

Je lui prends la peluche des mains, et pendant qu'il va se chercher une autre bière dans le réfrigérateur, je caresse les fibres synthétiques sur le dessus de la tête de

Baboune. Guillaume pousse la vaisselle et les plats sales au bout de la péninsule et on s'assoit sur les tabourets. Il lève sa bouteille de bière en direction de mon verre à vin.

— À ta visite surprise, lance-t-il.

Avant de porter le goulot à ses lèvres, il me demande si je compte aller en Floride à Pâques pour répondre à l'invitation de nos parents. On discute ainsi de choses et d'autres – de Julianne qui va commencer ses entraînements de natation dès le début du mois de janvier, du nouveau sentier de jogging qu'il a découvert au mont Saint-Bruno, d'une de ses collègues patrouilleuse qui va sûrement m'appeler parce qu'elle compte rénover sa cuisine. Au bout d'une dizaine de minutes, je me rends compte que cette conversation, en me changeant les idées, m'a apaisée. Peut-être le comportement très avenant de Guillaume me fait-il aussi du bien. Il semble s'intéresser à tout ce que je dis, et oui, il est vrai qu'il me regarde de manière un peu insistante. Comme si je l'hypnotisais, il marque parfois une pause de deux ou trois secondes avant de répondre à mes questions. À d'autres moments, pour souligner sa réaction à mes propos, il n'hésite pas à me toucher, déposant sa main chaude sur mon poignet. Mathieu a-t-il vu juste? Les hommes ont-ils des antennes pour ce genre de chose? Je me demande si l'attitude de Guillaume n'est pas responsable de cette sérénité qui s'empare tout à coup de moi. L'attention qu'il me témoigne me fait perdre de vue la vraie et misérable raison de mon équipée jusqu'ici et me redonne confiance en moi. Est-ce ainsi que toutes les femmes fonctionnent ? Me sentir désirée par un homme à qui je trouve quelque charme parvient à me faire oublier la galère qu'est mon couple. C'est bête, mais c'est ainsi. Ce mécanisme de défense comporte toutefois ses limites, comme je l'ai expérimenté cette année avec Olivier, et on ne m'y reprendra plus. Pour l'instant, l'essentiel, c'est que je peux rentrer chez moi dans un état d'esprit différent de celui où j'étais en quittant tout à l'heure la rue Saint-Vallier. Je conduirai lentement, déposerai Baboune dans le lit de Charlotte, puis, comme nous sommes invités à bruncher chez les parents de Mathieu demain midi, j'attendrai le soir pour avoir une discussion avec lui. Pourquoi ai-je paniqué en découvrant le bombardement de messages textes de Sophie Hyndman dans son téléphone ? Il y a des mois que je suis au courant de son infidélité. Est-ce l'annonce de la grossesse d'Isabelle hier qui m'a ouvert les yeux sur le manque d'horizon de ma vie de couple ? Ou bien est-ce Noël, cette fête qui ordonne à tout le monde d'être ensemble et heureux, qui a fait paraître la situation dans laquelle je me trouve plus inacceptable que jamais ? J'aurai une discussion avec Mathieu demain soir, c'est certain. Ce n'est qu'une crise à traverser. Paris, après tout, nous attend dans moins d'un mois. Nous nous reconstruirons.

Je me lève d'un bond, appréciant la chaleur qui se dégage de la porcelaine sous mes pieds, et j'annonce que je dois y aller.

— Déjà ? lâche Guillaume.

Il soupire et semble à la fois surpris et déçu. Sa

bouche se déforme en une espèce de sourire désolé. Il reste assis sur son tabouret, à faire tourner sa bouteille de bière entre ses mains, puis il penche les yeux vers le sol et secoue la tête de droite à gauche. Quand je lui demande si tout va bien, il reporte son regard sur moi, fait claquer sa langue contre son palais, et après un court silence, il déclare qu'il connaît l'identité de la personne qui m'envoyait des messages textes étranges et parfois agressifs cet automne.

Le sujet me semble sorti de nulle part.

— Quoi ?

Guillaume et Romane se sont seulement croisés deux ou trois fois chez Penture, et encore, je ne les ai jamais présentés. L'instabilité psychologique de Romane serait-elle plus grave que je l'imaginais ? Serait-elle allée se confier à Guillaume pour une raison que j'ignore ? Je reprends appui sur le tabouret derrière moi.

— C'est vraiment une histoire bizarre, dit Guillaume. Je pensais jamais t'en parler, mais que tu débarques chez moi par surprise au milieu de la nuit, on dirait que c'est un signe.

Il soupire de nouveau, puis il remplit mon verre de vin sans que je le lui demande, ce qui me rend encore plus nerveuse. Je prends une grande gorgée.

— En effet, c'est très bizarre. Explique-toi.

— Quand tu m'as parlé de ton homme de ménage disparu dans la brume, j'ai pas pu me retenir d'enquêter à son sujet parce que je me demandais si c'était lui. Tu sais, avoir du personnel domestique, c'est bien pratique, mais ça comporte des risques. On donne les clés de chez nous à ce monde-là, ils ont accès à notre intimité, mais au fond, est-ce qu'il y pas une gang de Hannibal Lecter parmi eux ? Je suis peut-être un peu zélé, mais j'ai pas voulu courir de risque quand tu m'as parlé de ton cas. C'était pas clair, pis quand quelque chose est pas net, moi, je me méfie. Ça fait que je suis allé rencontrer ton homme de ménage.

— Sylvain ?

— Exact. Sylvain Racicot. Son adresse a été facile à trouver à partir d'informations affichées sur ta page Facebook. Là, tu fais une face vraiment bizarre, mais inquiète-toi pas, je te *stalke* pas. Facebook, dans la police, c'est rendu un outil de recherche comme un autre. En tout cas, après trente secondes à parler avec lui, avec Sylvain, j'ai bien vu qu'il avait rien à voir là-dedans. C'est un bon gars. Il collaborait bien, tout ça. Sauf qu'il m'a appris des choses qui font que la conclusion la plus plausible de ton histoire, c'est que la personne qui t'a envoyé les messages textes, tu la connais. Ou en tout cas, tu la connais au moins par personne interposée. Je sais que tu dois me trouver bizarre d'avoir fait toute cette démarche-là, mais comme je te dis, c'est par déformation professionnelle. L'important, c'est que selon moi, même si les messages textes recommencent, t'as rien à craindre pour ta sécurité. Maintenant, à moins que tu sois prête à entendre toute la vérité, je vais m'arrêter ici.

Je sens la peau autour de mes yeux me brûler tellement elle doit être tendue d'étonnement et je prie Guillaume de continuer son histoire, ne voyant vraiment pas le lien entre mon ancien homme de ménage et ma collègue de travail.

— C'est peut-être pas une bonne idée, dit-il.

— Trop tard. Je veux savoir comment Romane peut être mêlée à ça.

— Elle s'appelle Romane ?

— Peux-tu juste continuer ton histoire ?

— Ouais, mais comme ça risque d'être difficile à entendre, je vais y aller d'un coup sec. Comme quand on enlève un *plaster* à un enfant, OK ?

— S'il te plaît, Guillaume, abrège.

Il prend une grande respiration.

— Sylvain est jamais retourné faire le ménage chez vous parce qu'il a surpris ton chum dans votre lit avec une autre fille pis que ton chum a tellement paniqué qu'il lui a donné six cents piastres pour qu'il se pointe plus jamais la face.

La cuisine se met à bouger : les armoires, les comptoirs, le robinet avec sa douchette extractible, l'évier double, la péninsule, le lave-vaisselle, le réfrigérateur, tout se détache et flotte dans l'espace, comme lorsque je configure un plan en trois dimensions dans mon logiciel. Guillaume reprend son souffle et pose une main sur mon poignet.

— Ça fait que d'après moi, c'est la maîtresse de ton chum qui te harcelait. S'il y a une personne qui doit t'en vouloir d'exister, c'est bien elle. Je suis désolé. Je sais que c'est pas agréable, ce que je viens de t'apprendre. Mais une vérité difficile, c'est mieux qu'une *bullshit* confortable. En tout cas, je pense.

J'aimerais qu'il se taise et j'aimerais aussi me servir un autre verre de vin, mais mon bras tremble tellement que Guillaume doit le faire à ma place.

— Ça va aller ? me demande-t-il avec un air qui traduit de la pitié.

Je ferme les yeux, puis les ouvre et vide mon verre d'un trait. Guillaume me le remplit de nouveau, il se lève, va se chercher une autre bière, l'ouvre – le bruit explose dans mes oreilles –, il lance la capsule dans l'évier, puis se rassoit en silence. Mathieu a donc emmené Sophie Hyndman à la maison, chez nous, dans notre lit, ce même lit dans lequel il voulait que j'aille le rejoindre ce soir. Est-ce la seule fois qu'il l'a fait ? Je me sens dégoûtée et j'ai honte d'avoir toléré cette situation qui, avec ce nouveau détail, me paraît plus humiliante encore. Guillaume pose une fois de plus sa main sur mon poignet et répète :

— Hé, ça va aller ?

Je suis incapable de parler. Je garde les yeux rivés sur le restant de bûche de Noël pendant un moment, puis je regarde Guillaume. La peau de ses joues et de son front est un peu rouge, comme si la situation l'enfiévrait lui aussi. Sa main enserre toujours mon poignet.

— Est-ce que je peux faire quoi que ce soit pour t'aider ?

Sans réfléchir, je me penche vers lui et je presse mes lèvres sur les siennes.

— Magalie, je pense pas que…, bafouille-t-il.

— Je suis désolée. T'as raison.

Mais je continue de l'embrasser et nos langues s'entremêlent. Guillaume goûte la bière et je m'attends à ce qu'il me repousse, mais au contraire, il se lève, me saisit par la taille, puis ses mains pressent mes seins par-dessus mes vêtements, remontent jusqu'à ma nuque et caressent mes cheveux. Ses lèvres chaudes se promènent partout dans mon cou et sur mon décolleté, et il pousse des « ooooh » de béatitude. Je sens son sexe se durcir contre ma cuisse et je plonge une main à l'intérieur de son pantalon de jogging, mais il met un frein à mes caresses en murmurant qu'il ne veut pas prendre trop d'avance. Il défait les boutons de mon chemisier, fouille l'intérieur de mon soutien-gorge avec ses mains et embrasse mon ventre, puis il retrousse ma jupe, empoigne mes fesses, fait descendre mes collants et ma culotte jusqu'à mes genoux, glisse une main à l'intérieur de mes cuisses, et avec ce qu'il vient de m'apprendre au sujet de Mathieu, je m'étonne d'avoir encore la force de frissonner.

— C'est fou, soupire Guillaume.

Il veut me soulever de ses deux bras puissants afin de m'asseoir sur la péninsule, mais trop de vaisselle sale en encombre la surface. Sans cesser de m'embrasser, il me suggère alors le plancher chauffant, mais j'opte pour un endroit plus confortable. En chemin vers le salon, j'enlève mon chemisier, je laisse Guillaume dégrafer mon soutien-gorge, puis je retire mes collants et ma culotte tout en gardant ma jupe, et on termine notre course sur le cuir verni du canapé, où Guillaume s'étend sur moi après avoir descendu la taille élastique de son pantalon de jogging.

— Je pense que j'ai des capotes quelque part dans mon sous-sol, me dit-il au dernier instant.

— T'as pas l'herpès ?

— Ark, non. Toi ?

— Non. J'ai un stérilet. C'est correct.

Je sens la chaleur de son sexe à l'intérieur du mien.

— Ça va ? s'enquiert Guillaume.

Je lui assure que oui, et la question que m'avait posée Mathieu quand il magasinait les gants de jogging de Guillaume cette semaine chez Sports Experts me revient en tête : « *Quelle taille il fait ?* » Pour me venger, comme s'il m'était possible d'avoir une conversation mentale avec Mathieu, je lui réponds : « Une bonne taille ou deux de plus que toi ! » Les yeux de Guillaume s'ouvrent et se referment au gré de ses mouvements, et son visage se contracte d'une telle façon que j'ai tantôt l'impression qu'il a mal quelque part, tantôt qu'il a atteint un stade ultime de délectation. Derrière ses épaules musclées qui vont et viennent et auxquelles je m'agrippe, j'aperçois l'écran plat qui projette toujours cette image figée d'une foule en liesse dans les gradins d'un stade de football. Je suis persuadée que tous ces gens, s'ils connaissaient ma situation, prendraient parti pour moi, et non pour Mathieu. « *Team* Magalie ! », voilà ce qu'ils hurleraient.

Guillaume s'arrête soudainement au-dessus de moi.

— Bouge pus ! gémit-il. Je suis sur le bord. Bouge pus.

Il plonge ses yeux dans les miens avec une expression de totale vulnérabilité, puis ses paupières s'abaissent en même temps que ses lèvres se tordent et me laissent voir ses dents. Cinq ou six secondes passent ainsi, puis Guillaume reprend le contrôle.

— Viens sur moi, suggère-t-il. Ça sera plus *safe.*

On se sourit avec rage, comme pour se signifier l'un à l'autre que le défi sera à présent d'essayer d'échanger nos places sans qu'il ait à se retirer de moi. Il parvient à se mettre en position assise, le dos appuyé contre le bras du canapé. Je me retrouve donc à le chevaucher, et commence à bouger doucement sur lui pour chercher mon plaisir, mais il lâche tout à coup un « tabarnak » effrayé en regardant par-dessus mon épaule. Je me retourne et, au milieu de l'escalier, j'aperçois Julianne. L'air horrifié, les yeux baignés de larmes. Elle tient un verre dans sa main.

— Papaaaaaa ! hurle-t-elle.

Elle lance le verre avec force mais, par chance, il est vide et atterrit dans mes vêtements abandonnés en boule sur le plancher. Puis elle tourne les talons et Guillaume se retire de moi avant de partir à sa suite en relevant l'élastique de son pantalon sur ses fesses.

— Maudit câlisse, bredouille-t-il.

Une porte claque à l'étage, et une fois que Guillaume a disparu lui aussi en gravissant les marches deux par deux, je l'entends murmurer : « Julianne ! Julianne ! » en cognant de façon répétée. Abasourdie, étourdie, *fuck* est le seul mot qui me vient aux lèvres. J'enfile rapidement mes vêtements, dépose le verre de Julianne sur le comptoir, saisis mon sac sur la péninsule, enfonce

Baboune dedans. Je suis dans le vestibule en train de mettre mes bottes quand Guillaume redescend. Il se tient la tête à deux mains.

— Je suis tellement mal.

— Tu m'as dit que tout le monde était reparti. Je pensais qu'elle était retournée dormir chez sa mère.

— Mais non… on brunche chez ma mère demain. J'avais vérifié en allant chercher ton toutou : elle dormait dur.

— Fuck.

— Es-tu fâchée ? Tu peux pas t'en aller comme ça. T'as trop bu.

— Je suis correcte.

— Je suis tellement désolé.

— Pauvre… pauvre… ta fille… tu vas faire quoi ?

— Elle va s'en remettre. Le chum de sa mère dort souvent chez elle. Je peux pas croire qu'elle a jamais rien entendu.

— Mais là, elle a *vu.* C'est épouvantable. On sait même pas depuis quand elle était là. Faut que j'y aille.

Guillaume me retient par la main et s'approche de moi. Il me caresse la nuque et me serre dans ses bras.

— Shit… Dis-moi qu'on va se revoir, Magalie ?

Sa voix réchauffe mon oreille, et tandis qu'on reste enlacés ainsi quelques secondes de plus, je lui rappelle que j'ai, comme il le sait, bien des choses à régler dans ma vie.

Mercredi 28 décembre

Combien d'heures d'affilée un enfant peut-il regarder la télévision sans que cela entraîne des dommages au cerveau ? Et combien de repas de macaroni au fromage en poudre – même s'il s'agit de la version biologique Annie's – peut-il manger sans commencer à souffrir de carences alimentaires ? Couchée par terre sur sa doudou, Charlotte est absorbée par un énième épisode de *Pat'Patrouille* et gratte le fond de son bol, où subsistent quelques coquilles de pâtes engluées dans un coulis grumeleux jaune pâle.

Il y a maintenant trois jours que Mathieu a quitté l'appartement et ma trentaine de messages textes demeurent sans réponse. Pourtant, je ne fais pas que parler de notre situation catastrophique dans mes messages. Hier, j'ai trouvé la force d'emmener Charlotte au Biodôme et j'ai envoyé à Mathieu une photo de notre fille croquée devant le bassin des manchots. Pourquoi le bassin des manchots et non celui des castors ? Peut-être parce que j'avais lu sur la fiche descriptive de cet oiseau qu'il s'agit d'un des rares animaux à être monogame, et que je croyais ainsi apporter un peu de légèreté à la crise que nous traversons. L'humour : la politesse du désespoir.

Lorsque nous nous sommes disputés, j'ai bien sûr reproché à Mathieu l'iniquité de son raisonnement : pourquoi son comportement lui paraissait-il moins répréhensible que le mien ? Comment pouvais-je, de mon côté, être prête à lui pardonner d'avoir entretenu durant des mois cette liaison avec une collègue qu'il avait amenée jusqu'ici, sous notre toit, dans l'intention de coucher avec elle, *dans notre lit,* alors que lui, de son côté, refusait de passer l'éponge sur mes écarts de conduite ? Est-ce que mes infidélités lui semblaient pires parce qu'elles s'étaient produites avec deux hommes, d'abord Olivier, ensuite Guillaume – car quitte à crever l'abcès, j'avais déballé toute la vérité à Mathieu. Mais comment pouvait-il ne pas comprendre que c'était la connaissance de sa propre trahison qui m'avait motivée à lui rendre la pareille ?

Je le trouvais de mauvaise foi.

— Excuse-moi, Maggy, mais je tombe des nues. J'ignorais que je sortais avec une fille qui couche avec tous les gars qu'elle croise, avait tempêté Mathieu vers les quatre heures du matin la nuit de Noël en commençant à fourrer des vêtements dans une valise. Oublie Paris ! T'as tout gâché. C'était fini avec Sophie. Je le lui avais dit à notre party de bureau avant-hier. C'est toi que j'avais choisie.

— C'est pour ça qu'elle continue de t'appeler cinquante fois par jour ?

— Elle a de la peine. Elle est démolie.

Je n'étais pas convaincue de la franchise de Mathieu. En même temps, il était vrai que le nombre exagéré d'appels et de messages textes que j'avais découverts la veille dans son téléphone pouvait être interprété comme un signe de détresse. Mathieu avait-il donc quitté Sophie Hyndman ? Avais-je attendu tout ce temps avant de parler alors même qu'il n'était plus nécessaire de le faire ? Je l'avais imploré de rester. Les convenances étaient de mon côté.

— C'est Noël. Tu peux pas partir comme ça. Tes parents nous attendent pour le brunch. Qu'est-ce qu'on va dire à Charlotte ?

Mathieu avait passé le reste de la nuit sur le canapé et, à une heure pile, on sonnait comme prévu à la porte du bungalow de ses parents à Pierrefonds, les bras chargés de sacs-cadeaux, de bouteilles de vin, de fromages québécois et de chutney aux figues, et pendant que Charlotte se déhanchait à *Just Dance* avec ses cousines dans le boudoir, Mathieu et moi discutions avec ses parents, sa sœur, Anaïs, et son conjoint, Stéphane, comme si cette dernière nuit n'avait jamais eu lieu, allant même jusqu'à noter dans nos téléphones cellulaires les noms de quelques nouveaux restaurants parisiens recommandés par ma belle-sœur, celle-ci se rendant dans la capitale française deux ou trois fois par année pour son travail de joaillière. Mathieu, pendant qu'on aidait ses parents à préparer les cafés dans la cuisine, avait même mentionné notre projet d'emménager dans un plus grand appartement si nous en trouvions un à notre goût durant la prochaine année. Bref, les signes d'un pardon me semblaient s'être manifestés, et c'est pourquoi lorsque Mathieu, une fois de retour à l'appartement, avait poursuivi le remplissage de sa valise, ma confusion avait été encore plus grande. Après tout, ne prétendait-il pas m'avoir choisie, moi, et non elle, et cela pas plus tard qu'avant-hier ? Pourquoi ne voulait-il donc pas me pardonner un comportement semblable au sien ?

— Mathieu, est-ce qu'on peut juste admettre qu'on a été cons tous les deux ?

— Tasse-toi de mon chemin.

— Dis-moi au moins où tu t'en vas et pour combien de temps.

Pour la première fois en presque sept ans de vie commune, Mathieu m'avait menacée, affirmant qu'il allait lui-même m'enlever de son chemin si je ne disparaissais pas de l'espace devant la porte de la chambre à coucher.

— T'es rendu fou ou quoi ?

— Ça te ferait une excuse pour appeler la police. T'aimes ça, la police !

— Dégage. Va brailler chez ta petite conne.

— T'inquiète pas, je vais faire autre chose que brailler.

Charlotte dessinait dans le salon et j'avais entendu Mathieu lui dire qu'il devait s'absenter quelques jours pour aller à Toronto rencontrer de nouveaux témoins dans le cadre d'un dossier sur lequel il travaillait.

— Pour le restaurant de patates frites ? lui avait demandé Charlotte.

Mathieu lui avait probablement parlé d'un de ses clients pris dans l'achat d'une franchise qui avait mal tourné.

— Oui, et de hot-dogs aussi. C'est une urgence.

— Mais tu m'as dit qu'on irait glisser, lui avait reproché Charlotte.

Mathieu lui avait promis qu'ils iraient dès son retour, ajoutant que de toute façon le parc était tout glacé en raison du verglas. Puis il avait passé la porte.

Mon téléphone sonne et je remue les couvertures afin de le déterrer. Sur l'écran brille la photo de ma mère.

— Allô maman.

Je sens que je vais craquer. Mais peut-être cela me fera-t-il du bien, après tout, de me confier, et si je lui épargne les détails de mon histoire – le nom de Guillaume, par exemple –, ma mère m'écoutera sûrement sans trop paniquer ni craindre les répercussions négatives que ma situation risque d'avoir sur la sienne. Car il est clair que pour les cent prochaines années, je ne veux sous aucun prétexte me retrouver en présence sinon du fils d'André, à tout le moins de sa petite-fille.

— Tu as une petite voix, Maggy, je savais que je faisais bien de t'appeler. Ça ne va pas, hein ?

Je me redresse, étourdie. Guillaume n'a quand même pas parlé de nous à son père ? N'ai-je pas répondu à son message texte d'hier, dans lequel il m'invitait à aller prendre un café après son quart de travail, en lui disant que les choses avaient pris une tournure complexe pour moi et m'empêchaient pour l'instant de prévoir quelque rendez-vous que ce soit avec quiconque? N'avait-il pas semblé comprendre en me répondant que, dans ce cas, il attendrait de mes nouvelles? Pourquoi donc serait-il allé se confesser à son père? Je regarde mon lit aux draps défaits : je voudrais m'y ensevelir et ne pas en ressortir avant le 6 janvier, date de mon retour au travail.

— Moi non plus, je ne suis pas dans mon assiette, soupire ma mère. Sept ans aujourd'hui.

Je suis d'abord rassurée de m'être inquiétée pour rien, puis paralysée de tristesse. C'est la première fois que j'oublie l'anniversaire de la mort de mon père. Ma mère et moi nous remémorons quelques bons souvenirs, comme ce dernier long week-end de l'Action de grâces où mon père s'était dit assez en forme pour qu'on entreprenne une escapade dans Charlevoix. La route lui avait donné la nausée et nous ne nous étions pas rendus plus loin que Trois-Rivières, où nous avions tout de même pu admirer le coucher de soleil, étendus côte à côte tous les trois dans des chaises longues sur le toit de l'hôtel Delta. Avant de raccrocher, je demande à ma mère si elle peut garder Charlotte quelques heures demain, mais elle m'annonce qu'André et elle doivent quitter Montréal pour aller passer deux jours dans une auberge de la Mauricie. Je lui souhaite une météo clémente, et nous nous promettons de nous redonner des nouvelles d'ici le jour de l'An.

Quelque temps après la disparition d'Annabelle Juneau, un journaliste spécialisé en affaires criminelles a commenté le dossier à la radio. Les statistiques le démontrent : dans des cas semblables, plus les jours passent, plus les chances de retrouver la victime vivante s'amenuisent. Je ne peux pas m'empêcher de faire un parallèle avec la fuite de Mathieu. Moins vite il revient vers moi, plus l'éventualité qu'il ne revienne jamais me paraît probable. Et pourtant, j'espère encore. Comme le conjoint d'Annabelle Juneau le disait l'autre jour à la télévision, tant que le corps n'est pas retrouvé, les chances qu'elle soit encore vivante ne peuvent pas être écartées. Je me dis un peu la même chose : tant que Mathieu ne répond pas à mes messages pour m'exprimer clairement comment il entrevoit l'avenir, rien ne m'assure que c'est bien la rupture qu'il désire. À l'heure qu'il est, il préfère peut-être encore laisser simplement retomber la poussière et se remettre de ses émotions.

Il est près de six heures et l'appartement est plongé dans la pénombre, que seuls les rayons du téléviseur viennent égayer, quand on sonne à la porte.

— C'est notre poulet, maman ? demande Charlotte.

Je la déçois quand je lui annonce que je n'ai pas encore appelé pour passer la commande. « Oooooh-oooh-ooooh », gémit-elle tandis que je bondis du canapé. Fébrile, j'embrasse ma fille sur le front, allume les lumières du sapin de Noël et fonce dans le corridor. Enfin, Mathieu est de retour. Passer soixante-douze heures avec Sophie Hyndman aura au moins servi à lui prouver que leur histoire lui semblait passionnante uniquement parce que je la lui faisais paraître impossible. Le fait qu'il sonne au lieu d'utiliser ses clés est un signe d'humilité de sa part : il admet ses torts.

J'arrache presque la porte de ses gonds en tirant sur la poignée.

— Ça va ?

Une tuque calée sur les oreilles, une couverture de laine dans les bras, Valérie Delorme me regarde d'un drôle d'air. À ses côtés, sa fille Clara grimace :

— Vite, dit-elle. Il ne faut pas qu'ils aient froid !

Je les fais entrer. Charlotte a-t-elle appelé Clara à mon insu pour l'inviter à venir jouer à la maison ?

— Tu n'avais pas oublié les escargots ? me demande Valérie.

Elle désenroule la couverture qui tient le terrarium au chaud. Je mens :

— Non, non.

Il y a cinq ou six jours – à peine quelques jours, mais qui appartiennent désormais à une autre époque, celle où rien n'était parfait avec Mathieu, mais au moins cette imperfection tenait-elle en place –, Valérie m'avait écrit pour me demander si j'acceptais de prendre soin avec elle des escargots de la classe de nos filles durant les Fêtes. Elle pouvait s'occuper d'eux du 23 au 28 décembre, me les laisser pendant ses vacances en famille au Mexique, puis les reprendre dès son retour le 5 janvier. Quelle raison aurais-je eue de refuser un paquet de mollusques en garde partagée dans ma maison ? Bien sûr, j'avais accepté.

Charlotte apparaît au bout du corridor.

— C'est qui, maman ?

— Allô Charlotte, dit Clara. On vous a apporté les escargots. Pourquoi t'es encore en pyjama ?

Je dépose le terrarium sur le banc de l'entrée et Valérie me tend un sac réutilisable au logo du magasin Rachelle-Béry.

— Il me restait une laitue que j'allais perdre de toute façon, tu peux leur en donner, m'explique-t-elle. Sinon, il y a la feuille avec les instructions de Stéphanie. Je t'ai mis le vaporisateur aussi. Et la vieille brosse à dents pour nettoyer leurs coquilles.

Je regarde à l'intérieur du sac. Le plastique, les poils de nylon bruni, le papier, la verdure, tout s'embrouille. Sans lever la tête, je bredouille :

— Votre avion part cette nuit, c'est ça ?… Es-tu plongée dans les valises ? Avec le bébé, en plus…

Soudain, ma voix se casse et devient chevrotante.

— Clara, enlève tes bottes et va jouer avec Charlotte, OK ? ordonne Valérie à sa fille.

J'entends des petits pas s'éloigner. Des soubresauts secouent mes épaules, mais Valérie Delorme parvient à me prendre dans ses bras.

— Ben voyons donc ! dit-elle.

Lundi 9 janvier

Guillaume,
J'ai trouvé au fond de la valise de Julianne ce matin un jean de la marque 7 for All Mankind. Est-ce que c'est toi qui es allé aux Promenades Saint-Bruno avec elle ? J'aurais apprécié que tu me consultes. Je t'en ai parlé souvent, il me semble. Ce jean-là coûte une fortune et ça fait plusieurs fois que je refuse de me plier à la demande de Julianne. Comme elle l'a déjà lavé, on ne peut pas le rapporter au magasin. Elle m'a dit l'avoir payé avec l'argent que ton père lui a donné à Noël, mais encore une fois, pourquoi l'as-tu laissée faire ? On s'était entendus qu'on garderait tout l'argent qu'elle reçoit à Noël pour financer son voyage à New York avec le collège au mois de septembre. Je ne comprends plus rien. Peux-tu gérer les choses un peu mieux que ça, s'il te plaît ?

Karine

8

Guillaume

Mercredi 18 janvier

— Guillaume ? Guillôôôôôôôôôme ?

La voix de Karine m'est si insupportable, et j'en ai tant perdu l'habitude, que la lame du rasoir m'entaille la joue. Mon ex devrait pourtant se rappeler que parmi les choses qui m'irritaient le plus quand nous étions un couple était cette manie qu'elle avait de m'adresser la parole alors que je me trouvais dans une autre pièce de la maison.

À l'aide d'un carré de papier de toilette, j'éponge la goutte de sang qui perle sur ma peau, je finis de tondre la dernière ombre de poils sur mon menton, puis je m'asperge le visage de lotion après-rasage. « Tu sens bon, ça me fait capoter, tu sens tellement bon », m'avait murmuré Magalie à l'oreille. Était-ce pendant que j'étais sur elle ? ou elle sur moi ? Je n'en suis plus certain. Peu importe. Je m'envoie une deuxième giclée sur le visage. Je sais bien qu'il me sera impossible d'être aussi près de Magalie que je l'ai été la dernière fois que je l'ai vue. Pour se rendre à elle, mon odeur devra franchir une distance que j'estime à un mètre, peut-être un peu moins, mais quand même : aussi bien tout mettre en œuvre pour que cette qualité corporelle qu'elle n'a pas manqué de me reconnaître et qui l'a fait chavirer soit au rendez-vous tout à l'heure.

— Guillôôôôôôôôme !

Au milieu de mon salon, Karine est juchée sur un tabouret de cuisine. Les deux mains sur les hanches, elle penche la tête pour me signifier son mécontentement, ce qui lui donne des allures de poupée désarticulée.

— Qu'est-ce que tu fais perchée de même ? Descends de là.

Ses yeux disparaissent sous les plis de ses paupières tellement elle me fusille du regard.

— Crisse de cordonnier mal chaussé, lâche-t-elle.

Elle me montre l'allumette calcinée qu'elle tient entre ses doigts et je devine qu'elle vient de la faire brûler tout près du détecteur de fumée au-dessus de sa tête.

— Je te l'avais dit de vérifier les piles au dernier changement d'heure. Tu peux bien m'accuser d'être une maudite freak.

— *T'es* une maudite freak.

Sur la table basse, je prends la télécommande du lecteur DVD et j'en extrais les piles. Karine est descendue de son perchoir, mais elle a toujours les deux mains sur les hanches. Je grimpe sur le tabouret et, après avoir retiré les vieilles piles du détecteur, j'insère les nouvelles et l'appareil émet deux bips qui nous défoncent les tympans.

— Contente ?

— Tu vérifieras celui à l'étage aussi. Tu vois pas assez d'accidents comme ça à ta job ? T'aurais pu rôtir vivant avec Julianne.

— Pis toi, t'aurais pu aller chez ta mère au lieu de venir ici. Pourquoi t'es pas au travail ?

— C'est une pédago aujourd'hui. Ayoye, as-tu pris ton bain dans l'*after shave* ou quoi ?

— Est-ce qu'il y a autre chose avant que j'y aille ?

— Faut que tu me fasses mon chèque pour le mois de janvier. J'aimerais ça que tu rajoutes cent cinquante dollars pour le nouveau manteau d'hiver de Julianne.

— T'es pas capable de le payer pour une fois avec tout ce que je te donne déjà ?

— Eille. Tu t'offres une cuisine à vingt mille piastres, je pense que tu peux payer un manteau à ta fille.

— Pis toi, tu te fais bien épiler la noune au laser. Avec le buisson qui te pousse dans ce coin-là, ça doit te coûter une méchante beurrée.

Le visage de Karine s'empourpre. Elle ne me demande pas comment cette information m'est parvenue. Elle hoche simplement la tête et murmure « Ostie de cave », puis elle disparaît en haut des escaliers et claque la porte de la salle de bain, comme à l'époque où nous vivions ensemble.

Avant de quitter la maison, je prends mon iPad sur la péninsule, me connecte à mon compte en banque et transfère six cent cinquante dollars dans celui de Karine, soit cent cinquante de plus que d'habitude. Car peu importe ce qu'en pense mon ex, je suis un bon gars. Après tout, si ce n'était pas le cas, je n'aurais pas accepté de l'héberger cette semaine. Bien entendu, il serait malhonnête de dire que la situation ne m'amuse pas un peu. Son beau François – ou un de ses chiens, le mystère reste entier – a ramené chez lui, après un contrat dans un motel infesté de la Rive-Nord, des punaises de lit. Rien n'indique qu'il y en a aussi chez Karine, mais celle-ci, avec cette manie qu'elle a d'anticiper tous les dangers, a préféré cette fois ne pas faire renifler son condo par les chiens de François et le soumettre plutôt à un traitement-choc d'insecticides, et pour éviter que Julianne et elle soient exposées aux relents chimiques, elle m'a demandé si elle pouvait venir passer quelques jours à la maison. Dans moins de quarante-huit heures, Karine et ses névroses pourront retourner vivre dans leur condo. Alléluia, comme on dit.

Tout est calme dans la salle d'exposition de Penture. Peu de gens doivent avoir envie de magasiner une nouvelle cuisine par un mercredi polaire de janvier. Un filet de musique classique berce la vaste aire ouverte au plafond haut et au plancher de béton. Une odeur de neuf, de renouveau, de promesse de vie à venir flotte dans ce grand espace. Je me demande si c'est Magalie qui a conçu tous ces modèles de cuisines en démonstration. Les styles et les matériaux semblent se décliner à l'infini, il y en a pour tous les goûts. Des armoires aux portes bleu électrique en acrylique luisant comme de l'huile côtoient des comptoirs massifs en bois caramel, au grain noble. Un univers de possibles. À la réception, une femme d'une cinquantaine d'années m'accueille après s'être excusée d'avoir la bouche pleine de laitue. Je me présente et lui demande si Magalie est là. La femme prend le combiné de son téléphone :

— Magalie ? Il y a M. Hamelin du projet de Sainte-Julie qui est là.

Au fond de mes poches, je sens mes mains devenir moites. Magalie est donc là, à l'étage au-dessus de moi, à respirer le même air. La femme raccroche, me sourit, puis m'annonce que Magalie descendra sous peu. Je suis déçu. J'aurais aimé un traitement privilégié : qu'en entendant mon nom elle dise à sa collègue que je pouvais monter la rejoindre dans son bureau situé quelque part sur la mezzanine en acier galvanisé. C'est toujours de là qu'elle descend quand je viens ici.

— Est-ce que ça s'est un peu réchauffé? me demande la femme en jetant un œil dehors.

Les bourrasques de neige qui fouettent la vitrine lui répondent à ma place. Elle se remet à piquer quelques feuilles de laitue avec sa fourchette et les trempe dans une quelconque sauce blanche. Je lui souris et la laisse à son repas.

Je déambule entre les cuisines. Magalie et moi avons échangé plusieurs messages textes ces derniers jours et, bien qu'elle ne l'ait pas écrit noir sur blanc, il est évident que tout est terminé entre Mathieu et elle. Pour prendre soin de Charlotte, ils ont commencé une sorte de garde partagée sous forme de *nesting*. Trois ou quatre soirs par semaine, Magalie reste dans leur appartement de la rue Saint-Vallier et s'occupe de leur fille ; les autres soirs, c'est Mathieu qui y loge, pendant que Magalie va dormir chez sa mère, à Ahuntsic. Mais Mathieu, lui, où habite-t-il quand c'est au tour de Magalie de garder le nid de la rue Saint-Vallier ? Elle ne me l'a pas dit, mais personne n'est dupe : Mathieu va chez sa maîtresse qui, à l'heure qu'il est, ne mérite plus ce titre plus ou moins honteux. Cette fille s'est sans doute approprié, ce qui serait l'aboutissement logique de toute cette histoire, celui de *nouvelle blonde.* D'un point de vue géométrique, cette réorganisation des rôles laisse vacante auprès de Magalie la place de *chum.* Mais pas pour longtemps : cette place, elle m'appartient. Après tout, c'est grâce à moi si elle s'est libérée.

— Allô Guillaume.

Je ferme les yeux. J'ai besoin d'une seconde ou deux pour me recueillir avant de faire face à cette voix qui vient de me paralyser le dos et tous les nerfs qui le traversent. Mais Magalie, dans sa hâte sûrement, me contourne, et quand j'ouvre les yeux, elle est là devant moi, appuyée contre le comptoir de cette fausse cuisine. A-t-elle maigri ? Malgré ses traits tirés et sa peau sèche, elle est toujours aussi belle.

— Salut, lui dis-je.

J'essaie de paraître détendu, mais la vérité, c'est que mes mains dans mes poches sont encore plus moites qu'il y a cinq minutes, comme si je tordais un gant de toilette humide dans chacune d'elles. Je me penche et lui fais la bise sur les deux joues.

— Ça va ? me demande-t-elle.

J'espère que l'odeur de ma transpiration ne prend pas le dessus sur celle de ma lotion après-rasage. À cause de Karine qui hurlait mon nom tout à l'heure pendant que j'apportais les derniers soins à ma toilette, j'ai oublié d'appliquer du déodorant.

— Oui, toi ?

— Je survis.

Déstabilisé, je sonde son regard. *Elle survit.* Cette réponse sous-entend une tristesse que je ne m'explique pas. On survit à un désastre, à un malheur, à une catastrophe. Magalie ne devrait-elle pas plutôt se sentir soulagée ? Délivrée ? Privilégiée, grâce à l'information que je lui ai relayée, de ne pas avoir gâché sa vie en la passant auprès d'un homme qui ne l'aimait pas ? Tôt ou tard, elle aurait frappé un mur. Car peu importe ce qu'on entend parfois dire, un homme, un vrai, quand il aime une femme, n'a pas envie de forniquer avec une autre. Sincèrement, c'est ce que je crois : nous ne sommes pas des animaux. J'avale ma salive et j'essaie de ne pas me laisser démonter par sa réponse si peu engageante. Elle survit, et en attendant, moi, j'espère. Je regarde la salle d'exposition autour de nous, combattant un vertige. Oui, si on était des animaux, on ne rénoverait pas nos cuisines.

— Je suis désolé, que je laisse tomber.

J'essaie de me calmer, de ne pas tout ramener à moi, à nous. Au fond, je devine ce que Magalie redoute le plus. Comme n'importe quelle maman au cœur tendre, elle craint les répercussions négatives de sa séparation sur Charlotte. Elle croit que sa fille va développer un trouble de l'attachement, de l'attention, de l'opposition, de l'apprentissage, de l'appétit, et quoi encore ? Un trouble du traumatisme ? J'aimerais tant dire à Magalie que la garde partagée, qu'elle s'imagine sans doute à ce stade-ci comme une araignée noire et velue qui va lui voler sa fille une semaine sur deux, ressemble en fait beaucoup plus à un chiot plein d'énergie qui fait des roulades, les quatre pattes en l'air, en quête de câlins : bien sûr, Magalie verra Charlotte moins souvent, mais le temps qu'elle passera avec sa fille sera beaucoup plus amusant. Après tout, si Karine, apôtre du bien-être intégral de Julianne, a préféré la garde partagée à une famille unie, c'est que cette épreuve est sans danger, et Magalie s'en rendra vite compte. Mais ce n'est pas mon rôle de la convaincre : conflit d'intérêts. Et puis une séparation saine implique toujours une espèce de traversée du désert, et Magalie doit faire seule un petit bout de cette randonnée pénible avant de s'abreuver à l'oasis que j'incarne.

— C'est pas de ta faute, glisse-t-elle.

Mais en prononçant ces paroles, son visage est agité de petites convulsions, et je ne peux qu'en déduire que son corps n'est pas d'accord avec les paroles qu'elle vient de prononcer. Je lui demande si elle a parlé de nous à Mathieu, mais pour toute réponse, Magalie me demande comment va ma fille.

— Très bien. Elle ne m'a jamais reparlé de... tout ça, tu sais.

Le regard gris perle de Magalie se voile de scepticisme, mais je fais comme si je ne le remarquais pas. En un sens, c'est vrai que ma fille ne m'a pas reparlé de la nuit de Noël. C'est moi qui l'ai fait. En m'inspirant, je dois l'admettre, de l'aventure de Mathieu avec son homme de ménage, j'ai donné mille dollars à Julianne en lui faisant comprendre qu'il serait préférable qu'elle ne raconte pas à sa mère la scène dont elle avait été témoin.

— Julianne a commencé son club de natation la semaine dernière. Elle est en pleine forme. Elle mange bien, se lève avant le soleil. Elle est super motivée.

Je sens que ma tentative de changement de sujet ne sert à rien. L'expression torturée de Magalie déboule jusque sur ses lèvres, qu'elle mordille avant d'ajouter :

— Je suis tellement désolée de lui avoir fait vivre ça.

— Arrête, que je lui dis. C'est pas de ta faute.

Un claquement de talons hauts résonne et me rappelle que nous ne sommes pas seuls. La réceptionniste s'est levée et a quitté son bureau. Cette femme potelée traverse la salle d'exposition et disparaît avec son sac à lunch derrière une porte sur laquelle il est écrit « Employés seulement ». Magalie a toujours son air maussade, alors j'essaie de détendre l'atmosphère.

— En réalité, c'est complètement de ta faute ! Mais ce qui est fait est fait.

Magalie écarquille les yeux, bouche bée. Ses lèvres s'entrouvrent, mais aucun son n'en sort. J'enchaîne, pince-sans-rire :

— Si tu ne m'avais pas fait acheter ce frigo-là, le Whirlpool profondeur comptoir avec le distributeur d'eau intégré, Julianne ne serait jamais descendue se chercher un verre d'eau à la cuisine ; elle aurait rempli son verre en haut, dans la salle de bain, comme elle le faisait toujours avant.

— C'est une joke ? me demande Magalie.

Je la rassure :

— Ben oui.

Je prends néanmoins la peine d'expliquer à Magalie pourquoi je l'ai taquinée : après tout, cette blague a un certain fondement. Quand mon ex a vu le prix de mon nouveau réfrigérateur, même si ça ne la concernait pas du tout, elle m'a reproché d'avoir payé si cher un objet qui une semaine sur deux n'allait servir qu'à abriter des bouteilles de bière et des vieux pots de moutarde et de ketchup, de sorte que j'avais dû me défendre : non seulement je m'alimentais beaucoup mieux qu'elle le croyait, mais comme il s'agissait d'un électroménager haut de gamme, son prix était tout à fait justifié. Par exemple, le distributeur d'eau filtrait quatre-vingt-dix pour cent des impuretés de l'eau du robinet. Ce détail avait dû faire bonne impression sur Karine, car elle était allée lire à ce sujet sur Internet et avait appris que plusieurs résidus des produits pharmacologiques consommés par les gens se retrouvent dans l'eau potable. Les experts les disent sans danger, mais ne prétendaient-ils pas la même chose de la cigarette il y a soixante ans ? Karine avait conseillé à Julianne de cesser de boire l'eau du robinet et de lui préférer celle du distributeur de notre nouveau réfrigérateur, arguant qu'une eau pure comme celle-là aurait certainement un effet bénéfique sur son problème d'acné. Ainsi, si Julianne était descendue la nuit de Noël pour se chercher un verre d'eau à la cuisine, c'était la faute de ce maudit réfrigérateur à profondeur comptoir dont Magalie m'avait vanté les vertus. Parce que ma fille croyait l'eau de ce réfrigérateur capable de faire des miracles et de lui redonner sa peau saine, elle avait assisté à un autre type de miracle.

— Excuse-moi, mais de quel miracle tu parles, Guillaume? me demande Magalie.

Je voudrais lui répondre : « Celui qui opère entre nous », mais je me mords la langue. Trop prétentieux. J'hésite encore : « Le miracle de l'union entre un homme et une femme », mais ça sonnerait creux, comme un documentaire mal doublé sur les origines de l'humanité. Magalie semble de plus en plus agacée, alors je balance :

— Ben, notre chimie, tu sais?

Elle retient son souffle, puis sa poitrine se dégonfle dans un long soupir.

— J'aurais jamais dû me jeter sur toi comme ça quand tu m'as annoncé pourquoi mon homme de ménage avait disparu. C'est de ma faute. Je suis désolée. J'étais bouleversée; j'étais sonnée; j'étais pas dans mon état normal.

Je me demande pourquoi Magalie insiste tant là-dessus : cherche-t-elle à me signifier que de nous deux, j'étais celui qui avait encore un peu de jugement cette nuit-là, et que par conséquent j'aurais dû empêcher ce qui s'est produit? Je me souviens très bien d'avoir repoussé Magalie après son premier baiser. Mais elle était revenue à la charge et, franchement, j'aimerais qu'on me dise qui a envie, quand la vie lui envoie un feu vert, d'attendre qu'il vire au jaune ? Pas moi.

— Mais non, c'est pas de ta faute, lui dis-je.

— Il faut juste pas que tu te fasses d'idées sur nous deux. Tu me textes beaucoup et je réponds pour être gentille, mais je suis zéro prête à m'embarquer dans une nouvelle relation. Ma vie, pour l'instant, c'est un méga-bordel. Je suis désolée.

Je regarde mes pieds et constate que le lacet de ma botte gauche traîne par terre. Je m'accroupis. J'ai quarante-cinq ans ; je sais très bien ce que quelqu'un veut dire quand il affirme ne pas être prêt à s'embarquer dans une nouvelle relation. Magalie vient de me rejeter, et moi, je fais une double boucle.

— J'ai risqué ma job en allant questionner ton homme de ménage, lui dis-je en levant la tête.

Je me redresse, et peut-être que je m'avance un peu trop vers elle, car Magalie recule légèrement et croise les bras.

— Je te jure que je suis vraiment désolée, Guillaume. Est-ce que c'est juste pour me voir que tu es venu ici ou je peux faire quelque chose pour t'aider ? T'as pas eu de mauvaises surprises avec ta cuisine ?

Je hoche la tête et repense au prétexte dont j'avais l'intention de me servir en venant ici. Pourquoi n'ai-je pas abordé d'emblée cette question avec elle ? Pourquoi la discussion a-t-elle sombré si vite dans cette lourdeur ?

— Je suis venu choisir ma sacoche.

— Pardon ?

— Mon dosseret.

Elle m'observe d'un air qui me fait me sentir bizarroïde. Sans doute est-ce ainsi que moi-même je regarde les individus étranges qui m'abordent durant mes patrouilles.

— Tu m'as dit que ta prof appelait ça comme ça à l'université.

— Ben oui, lâche-t-elle. Excuse-moi. Ton dosseret. Viens.

Magalie me précède vers le fond de la salle. Elle porte un long chandail de laine gris sur un legging, ce qui m'empêche d'admirer ses formes. C'est peut-être mieux ainsi. Même avec des espadrilles Adidas roses, elle est sensuelle. Elle jette un œil derrière elle pour s'assurer que je la suis et m'adresse en même temps un sourire. Je me dis que je peux peut-être interpréter ce sourire comme une ouverture de sa part malgré ce qu'elle vient d'affirmer, mais je me rends compte qu'elle ne souriait pas vraiment. Elle tentait plutôt de retenir un éternuement, en vain.

— Atchou ! explose-t-elle. Pardon.

— À tes souhaits ! lui dit la réceptionniste en ressortant de la salle des employés.

J'arrête net et observe Magalie qui continue à marcher vers le fond de la salle d'exposition. Je me souviens tout à coup de cette donnée scientifique à propos du langage corporel apprise dans mon cours « Méthodes d'observation » à l'école de police et selon laquelle un éternuement peut uniquement se produire dans une situation où le sujet est détendu. Par exemple, un suspect qui ment durant son interrogatoire n'éternuera pratiquement jamais. Tout cela a rapport avec l'adrénaline que notre corps sécrète en réponse à un état de stress : cette hormone crée une barrière dans le système nerveux central et empêche celui-ci de céder à un spasme. Aussi, l'éternuement de Magalie me fournit la preuve, si j'en avais encore besoin, que ma présence ici ne la trouble pas plus que celle du poinsettia qui ratatine dans son pot à côté de la vitrine.

Je n'ai pas envie de rester ici une seconde de plus. S'il y a une chose que je peux encore sauver, c'est ma dignité. Et puis je ne dois pas me décourager. Magalie et moi serons réunis de nouveau à l'occasion de fêtes familiales, et peut-être que, d'ici là, elle aura changé d'opinion à mon égard. Pour l'instant, elle espère sûrement que Mathieu lui reviendra, et c'est certain que je ne peux pas me battre à armes égales contre le géniteur de sa fille, aussi dégueulasse soit-il. Mais quand cette possibilité de retour avec lui sera exclue pour de bon, peut-être m'envisagera-t-elle comme un horizon digne d'être exploré.

Magalie se retourne, elle constate que j'ai cessé de la suivre, revient vers moi en me demandant si tout va bien, et juste au moment où je veux lui dire que je m'en vais, son téléphone cellulaire sonne. Elle jette un œil à l'écran et répond.

— Allô maman, est-ce que je peux te rappeler dans…

Magalie se fige et écarquille les yeux. Malgré les

quelques mètres qui nous séparent, j'entends la voix aiguë de Monique vibrer à travers le téléphone. Magalie m'observe d'un drôle d'air, son cellulaire collé contre son oreille, puis elle raccroche après avoir promis à sa mère qu'elle la rappellerait dans une minute.

— Je suis désolée, peux-tu repasser un autre jour pour ton dosseret ?

Magalie s'éloigne déjà et disparaît en haut des marches jusqu'à la mezzanine, où j'entends le souffle d'une porte coulissante se refermer derrière elle. Je reste planté au milieu de la salle d'exposition durant de longues secondes, trop conscient d'avoir raté ma sortie.

La réceptionniste m'arrête quand je passe devant son bureau.

— Monsieur Hamelin ! J'avais une note dans votre dossier.

Agacé, je m'approche et lui dis avoir pourtant réglé la totalité de ma facture avant Noël, mais il ne s'agit pas de cela. Elle me remet plutôt un sac réutilisable au logo de Penture qui contient un exemplaire du livre de recettes *Sous la dent* ainsi qu'une planche à découper en bambou.

— Votre cadeau de fin de projet, m'explique-t-elle.

Pour une fin, c'est toute une fin. Je marmonne un remerciement et pousse la porte. Une berline noire passe à deux doigts de me rouler dessus dans le stationnement et je ne suis pas certain que cela m'aurait fait souffrir davantage que le revers que je viens de subir.

— Oh ben, Guillaume Hamelin, tabarnak !

Je me retourne. Le grand Asiatique qui est sorti de

la berline noire en criant mon nom avec enthousiasme fait claquer la portière du passager et s'approche de moi d'un pas rapide. Le pan de son paletot flotte comme une cape derrière lui, dévoilant un Glock 19 à sa ceinture, dans un étui de cuir. Un policier en civil. Je ne connais pas beaucoup d'Asiatiques, alors ce détail me permet de replacer celui-ci : Trong Wu. Nous étions ensemble durant nos quinze semaines de formation à Nicolet. La dernière fois que j'ai entendu parler de lui, sur Facebook sans doute, il avait quitté ses fonctions de patrouilleur à la SQ pour devenir enquêteur au sein du Service de police de Laval.

— Un peu plus pis on faisait nos retrouvailles au cimetière. On t'a frôlé de proche.

— Ça va ?

— Pas pire. Mais qu'est-ce que tu fais ici ? Es-tu rendu enquêteur ? Le SPVM est pas censé être mêlé à l'enquête.

— Quelle enquête ? J'ai rénové ma cuisine.

Trong Wu opine de la tête, jette un œil méfiant sur mon sac, puis observe l'immeuble de Penture en forme de cube au bout du stationnement.

— Annabelle Juneau, crache-t-il. Je peux pas t'en dire plus.

Il pointe l'homme à la tête grisonnante qui vient de sortir de la berline et parle dans son téléphone. Au même moment, l'homme lève le bras de façon autoritaire pour lui signifier de venir le rejoindre.

— Mon boss m'appelle. On ira prendre une bière bientôt avec d'autres anciens, suggère Trong Wu en me quittant. D'ici là, regarde où tu vas quand tu marches, *man* !

Les deux hommes pénètrent dans l'immeuble et je les vois sortir leur badge pour se présenter à la réceptionniste. Celle-ci ne tarde pas à se diriger vers le fond de la salle d'exposition. Si je me fie à son pas flageolant, cette visite, de toute évidence, n'était pas prévue. C'est sûrement l'emplacement des locaux de Penture qui intéresse tout à coup la police de Laval. Je lève la tête : les grandes fenêtres des bureaux du deuxième étage, où Magalie est sans doute en train de rappeler sa mère, offrent une vue panoramique sur le parc Jarry, là où le conjoint d'Annabelle disputait son match de soccer au moment où elle s'évanouissait dans la nature. L'enquête cherche peut-être à déterminer si un employé de Penture aurait aperçu quelque chose ? Ou bien on souhaite savoir s'il y a des caméras de surveillance à l'extérieur de Penture qui auraient pu capter des images clés ? Ce ne serait pas la première fois qu'un témoin, d'abord écarté de la liste des suspects grâce à un alibi solide, réapparaît tout en haut de celle-ci à la suite de nouveaux indices. Un lien a-t-il été établi entre le conjoint d'Annabelle Juneau et Francis Letendre, mort avant Noël ? Trong Wu se retourne et me regarde à travers la vitrine. Il hausse les épaules dans ma direction, l'air de me demander ce que je fais encore là, dans la grisaille glaciale du stationnement : comme si j'étais une fouine. Bien sûr, maintenant que monsieur est enquêteur, il méprise les patrouilleurs. C'est pourtant moi qui l'ai ramassé à moitié inconscient dans son vomi lors de la fête de la collation des grades. Mon manteau est ouvert et le vent s'engouffre à l'intérieur, dans le collet et au creux des aisselles, et tout le long des manches. Je fonce vers ma voiture.

Dans le vestiaire du poste de police, je reste assis sur le banc devant mon casier. Comme je suis le premier arrivé de l'équipe du soir, je peux réfléchir en paix. Le lien familial qui m'unit à Magalie est la bouée de sauvetage à laquelle je m'accroche. Mon père ne répond pas à son téléphone, mais je lui laisse un message. Sous prétexte que l'hiver commence à m'user les nerfs, je m'enquiers de l'organisation de son séjour en Floride avec Monique. Subtilement, je m'informe : Magalie a-t-elle l'intention d'y aller à Pâques avec sa fille ? Peut-être bien que j'irai moi aussi avec Julianne, puisque nos parents ont dit qu'il y aurait assez de place dans leur condo. « Rappelle-moi s'il te plaît, *dad,* merci. »

La soirée s'annonce tranquille. Jérémie est en vacances à Cuba, alors je patrouille en solo, ce qui m'assure de ne pas avoir à répondre à des appels prioritaires. Pendant le *fall in,* notre sergent n'a que des vieilles fiches à faire circuler autour de la table. Le pickpocket du métro Mont-Royal, la schizophrène qui agresse les brigadiers, la fugueuse abitibienne qui se serait peut-être teint les cheveux en rouge et danserait dans un club de l'avenue du Parc. Une belle galerie. Seul cas inédit : un pitbull abandonné par son maître et qui aurait été aperçu au parc Laurier en matinée. Mon thermos de café rempli, je sillonne les rues désertes. Tout est figé dans la glace : les escaliers en colimaçon des duplex et des triplex, les lampadaires, même les poubelles. Si un crime doit se produire ce soir, c'est à l'intérieur qu'il aura lieu. Vers neuf heures, alors que je me trouve immobilisé à un feu rouge boulevard Saint-Laurent, le vent transporte des cris jusqu'à moi : un itinérant aux cheveux en dreadlocks et vêtu d'un simple t-shirt rugit contre le conducteur d'une déneigeuse de trottoir, qui passe son crâne tatoué par la petite fenêtre de son engin pour lui hurler dessus en retour. Si mon métier m'a appris une chose, c'est que les gens sont soit complètement désorganisés, soit furieux à tout vouloir casser. Je donne un coup de sirène et active les gyrophares, et c'est suffisant pour que chacun continue sa route. À onze heures, je ramène la voiture dans le stationnement du poste, j'assiste au débriefing – Damien et Simon ont capturé le pitbull en cavale et, en attendant les agents de la SPCA, le premier a offert à la bête son sandwich au jambon. Il n'en revient pas encore :

— Ma blonde avait mis de la moutarde de Dijon dans mon sandwich, crisse, de la moutarde forte, pis lui, il a tout dévoré !

Sandrine dit que si elle était la blonde de Damien, c'est de l'arsenic et non de la moutarde qu'elle mettrait dans ses sandwichs, ce à quoi Damien rétorque que s'il était son chum il les mangerait volontiers pour mettre un terme à son calvaire. Tout le monde rit. Je décharge mon arme, je me change, et j'ai passé le pont Jacques-Cartier depuis quelques minutes quand je décide que l'attente a assez duré. Je rappelle mon père. Après tout, il est à peine minuit. Il n'y a pas quarante scénarios possibles : ou bien il dort et il ne répondra pas, ou bien il est encore éveillé. Il décroche rapidement, d'un « oui ! » à l'intonation agitée qui me confirme qu'il était sûrement encore devant sa télé, à regarder une chaîne d'information continue. Je crie au-dessus du volant, ignorant toujours, après quatre ans d'utilisation, l'endroit exact où sont situés les capteurs de son de la technologie Bluetooth dont ma Subaru est équipée :

— 'Pa ? Ça va ? C'est moi.

— Oh, Guillaume. Allô. Oui, oui, ça va.

Mais sa voix, si vive trois secondes plus tôt, me semble maintenant éteinte.

— T'as eu mon message ? La Floride ? Qu'est-ce qui arrive avec ça ?

Mon père marque un court silence.

— On n'y va plus, finit-il par soupirer.

Je lui demande ce qu'il veut dire par là. Il invoque d'abord le coût des assurances voyage pour les soixante-cinq ans et plus, puis il m'avoue l'impensable : Monique a mis un terme à leur relation.

— Tu me fais marcher ?

— C'est comme ça.

— Ben voyons donc. C'est votre première chicane. Vous vous apprivoisez encore. Elle va te rappeler.

Je suis conscient que ces encouragements sont plus destinés à moi qu'à mon père. Les néons des concessionnaires du boulevard Armand-Frappier m'aveuglent.

— Oh non ! Elle me rappellera pas.

— Mais qu'est-ce que tu as fait ?

— Rien. J'ai vécu, c'est ça que j'ai fait.

Ces paroles sibyllines me font craindre le pire : Monique a-t-elle appris les frasques de mon père avec Cynthia, la fille d'Estelle ? Ça expliquerait son appel, qui semblait urgent aujourd'hui, quand j'étais chez Penture. Même si j'ai déjà redouté ce scénario, il ne m'apparaît pas moins surprenant à présent, car comment ce récit aurait-il pu se rendre jusqu'aux oreilles de Monique ? Mon père et elle ont fait connaissance sur un site de rencontre pour retraités. Ils n'ont aucun ami commun. J'ai besoin d'avoir l'heure juste : si leur rupture est sérieuse, ma panique aura raison de l'être elle aussi. Je tapote mon volant du bout des doigts.

— Elle a appris que t'envoyais des photos de ta bizoune à la fille d'Estelle ? C'est ça ? Je connais toute l'histoire, 'pa.

J'entends la respiration de mon père suinter dans les haut-parleurs de ma voiture.

— J'ai toujours su qu'Estelle te l'avait dit. Elle me l'avait mentionné dans un de ses courriels d'insultes. Merci d'avoir été discret tout ce temps-là.

— Laisse faire les remerciements, c'est parce que ça m'écœure que je t'en ai jamais parlé. Monique l'a su, c'est ça ?

Mon père émet un grognement, comme pour acquiescer.

— Tu lui as dit ? Genre, pour te confesser ?

— Es-tu fou ! C'est une des amies de Monique qui

travaillait avec Estelle à la SAAQ qui lui a tout raconté. Le monde est petit.

La discussion m'a tellement mis à l'envers que j'ai garé ma voiture dans l'entrée de mon voisin. Je fais marche arrière et m'immobilise dans la rue puisque la voiture de Karine prend les deux places dans l'allée double de ma maison. Après toutes ces années, mon ex n'a toujours pas pigé comment garer sa voiture convenablement.

— Je suis fatigué, mon gars, je vais aller me coucher, OK ?

Un « bonne nuit » se faufile entre mes dents et mon pouce enfonce le bouton pour mettre fin à la communication.

Jeudi 19 janvier

Le soleil est à peine levé sur le sentier enneigé du rang des Vingt-Cinq. J'ai mis mes chaussures à crampons. Je fixe l'horizon devant moi et j'essaie de faire le vide, je cours, je maintiens la cadence, Coldplay à fond dans mes écouteurs. Le lien familial rompu avec Magalie, je ne vois pas quel événement pourrait faire en sorte que nos routes se croisent de nouveau. Retourner chez Penture pour discuter avec elle de mon dosseret est hors de question. Elle m'a fait part de ses sentiments à mon égard : je ne vais pas me métamorphoser en sangsue. Ma bouche crache des nuages, des glaciers pendouillent au bout de mes narines. Au loin, j'aperçois un homme à la barbe blanche qui traverse la plaine en raquettes avec son labrador qui, lui, s'enfonce dans la neige et doit se débattre pour rester à la surface. La solitude et, avec un peu de chance, peut-être un chien, voilà ce qui m'attend sans doute moi aussi quand j'aurai atteint cet âge.

Je cours et cours, mais ralentis en tournant le coin de ma rue, où j'aperçois la Kia Picanto de Nancy Longpré stationnée en double devant chez moi. Je ne l'ai jamais relancée après notre soirée du mois de novembre au Madame Bovary et, après un moment, elle a dû piger qu'elle ne m'intéressait pas, car ses messages textes se sont espacés, jusqu'à totalement s'interrompre peu avant Noël. Alors, que vient-elle faire ici ? Derrière le volant de sa voiture, elle tripote son cellulaire d'une main et, de l'autre, caresse sa queue de cheval. Je retire les écouteurs de mes oreilles et m'approche de sa voiture. Elle me voit et baisse sa vitre.

— Ça va ? que je lui demande.

— Moyen. Je viens d'apprendre sur Twitter qu'ils ont retrouvé Annabelle Juneau morte dans un shack de pêche passé Mont-Laurier.

Elle me tend son téléphone pour que je lise le gazouillis de la Sûreté du Québec.

— Pauvre fille, ajoute-t-elle. Mautadine. Est-ce qu'on sait c'est qui le fou qui a fait ça ? As-tu des informations de l'intérieur ?

— C'est pour ça que t'es ici ?

Nancy reprend son téléphone et fronce les sourcils. Je crois que c'est la première fois que je la vois sans maquillage et je comprends pourquoi elle a l'habitude d'en mettre autant : un réseau de minuscules vaisseaux sanguins dilatés lui strie les joues.

— Ben non, franchement. On est venus chercher Julianne pour l'entraînement de natation. T'étais pas en copie conforme dans les courriels du club ?

Cela me dit vaguement quelque chose, mais je hausse les épaules. Nancy n'est donc pas obsédée par moi au point de trouver n'importe quel prétexte pour venir m'espionner à l'aube un matin de semaine. Tant mieux. Il n'aurait plus manqué que ça dans ma vie : gérer une cinglée. Je regarde vers la maison et vois la tête de son fils Benjamin dépasser de la fenêtre de la porte d'entrée.

— Julianne devrait pas tarder, alors.

Je lui souris à moitié et sors un mouchoir de ma poche pour m'essuyer le nez.

— T'aurais quand même pu me le dire que je t'intéressais pas parce que tu te remettais avec ton ex.

— Je me remets pas avec mon ex.

— Qu'est-ce que son char fait dans ton entrée de garage, d'abord ?

— Je lui rends service.

— Genre que je te crois, persifle-t-elle.

La porte claque et Benjamin traverse le sentier creusé dans la neige devant la maison, ses bottes Sorel détachées, son capuchon rabattu sur ses oreilles.

— Julianne vient pas nager, lance-t-il en haussant les épaules avant de remonter à bord de la voiture.

Je me penche pour lui parler :

— Comment ça ?

— Je sais pas. Elle est encore couchée.

Nancy roule les yeux et lâche un soupir :

— Vous nous direz si elle vient demain. C'est ben beau le covoiturage, mais nous, ça nous fait un câlic de détour.

Puis elle remonte sa vitre et la voiture s'éloigne.

Dans le salon, Karine est couchée par terre sur le

dos, les genoux repliés au-dessus de ses hanches dans un angle de quatre-vingt-dix degrés, en train de faire des redressements assis en suivant sur son iPad les instructions d'une blonde qui s'exerce au bord de la mer. « *Only five of those left, guys, com'on, hang in there...* » Karine halète pour suivre le rythme.

— Julianne est malade ?

— Hmmf, hmmf, hmmf...

— Pourquoi elle va pas nager ?

Karine s'assoit en tailleur et met la vidéo sur pause, mécontente.

— Est-ce que je te dérange quand tu fais ton jogging, moi ?

Elle se lève, me passe sous le nez en me faisant remarquer que je devrais enlever mes chaussures à crampons pour ne pas abîmer le parquet, puis se dirige vers la cuisine. Karine se sert une tasse de café, me demande si j'en veux une, puis pendant qu'elle verse le liquide fumant, elle m'annonce que Julianne ne souhaite plus faire partie du club de natation.

— Comment ça ?

— Parce que. Elle m'a dit hier soir qu'avec ses études, ça lui fait trop de travail. Puis je pense qu'elle avait sous-estimé c'était quoi, se lever à cinq heures et demie trois matins par semaine. Elle dit que c'est pas pour elle.

— Pis tu lui as dit que c'était correct ?

— Qu'est-ce que tu veux qu'on fasse ? T'étais toi-même pas enthousiaste par rapport à ce projet-là au départ.

— Mais maintenant qu'elle s'est engagée, qu'elle s'accroche ! Tu penses que c'est comme ça qu'on va lui apprendre à persévérer dans la vie, à faire des efforts, à respecter ses objectifs ?

— Crie pas comme ça : elle dort. Et puis on peut quand même pas la forcer à y aller si elle aime pas ça. Je vais envoyer un courriel au club. Ils vont nous rembourser une partie du montant de son inscription.

Karine ouvre les portes françaises du réfrigérateur et plonge la tête à l'intérieur. Son pantalon de yoga lui moule le corps et je remarque que ses fesses et ses hanches se sont élargies, témoignant de son entrée dans la quarantaine. Je la regarde farfouiller dans cet électroménager qui m'a coûté une fortune parce que je ne voulais surtout pas que Magalie pense que j'étais cheap ; je souhaitais suivre chacun de ses conseils et la convaincre qu'elle avait affaire à un homme de goût. Je balaie ma cuisine du regard : le blanc noble des caissons et des portes d'armoires, les électroménagers en *stainless steel*, les comptoirs et la péninsule en quartz, la pierre naturelle du plancher chauffant sur lequel Karine se gratte discrètement le petit orteil. Plus de trente mille dollars, voilà ce que cette opération de charme m'aura coûté. Et qu'est-ce que j'en ai retiré ? Un coït inachevé et, trois semaines plus tard, un rejet sans appel. Certes, je pouvais me consoler : cette dépense était aussi la preuve que j'étais un bon père puisque je l'avais faite après avoir accepté de passer les cinq prochaines années de ma vie à Sainte-Julie pour soutenir Julianne dans ses ambitions sportives. Mais voilà que cette consolation m'échappe tout autant. Pour à peu près l'équivalent de la moitié de votre salaire annuel après impôts, chers messieurs, faites-vous larguer par une femme et mener en bateau par votre fille. En échange, obtenez une nouvelle cuisine dont vous n'avez au fond rien à foutre. Un beau deal.

Karine referme le réfrigérateur, dévisse le bouchon de la pinte de lait et renifle le contenu.

— Hmm... On dirait qu'il a tourné, déclare-t-elle.

Elle saisit la craie dans le tiroir et trace les lettres L-A-I-T sur la colonne enduite de peinture à tableau.

— Ça se passera pas de même !

Karine sursaute.

— C'est juste un aide-mémoire.

Je gravis les marches deux par deux jusqu'à l'étage – j'ai l'impression de voler –, fonce au bout du corridor et entre dans la chambre de Julianne.

— Debout ! que je crie en allumant le plafonnier. Debout, Julianne, t'es en retard !

Je tire sur le cordon de son store horizontal. La tringle se décroche de son support et tombe par terre avec la cantonnière. Ma fille gémit et enfouit sa tête sous les couvertures, mais un bout de sa crinière brune reste visible.

— Va-t'en, papa !

— Lève-toi, Julianne ! Tu t'en vas à la piscine !

— Noooon !

— Je te dis que tu vas y aller.

— J'aime pas ça !

Je tire sur son couvre-lit, mais Julianne agrippe l'autre extrémité et tire de son côté.

— Guillaume ! Laisse-la tranquille ! s'écrie Karine dans le cadre de porte. Lâche-la !

Je continue de tirer.

— Lève-toi ! Je vais te reconduire.

— Non !

— Crisse de malade, Guillaume, laisse-la tranquille !

— Lève-toi, ostie, sinon ça va aller mal.

— Tu vas reprendre ton mille piastres, c'est ça ?

Ma fille lâche son bout du couvre-lit et je me retrouve par terre, un pied de son bureau dans le dos, un amas de tissu sur les cuisses. Julianne pleure, son visage est rouge écarlate. Karine se jette sur elle et la prend dans ses bras. Ainsi enlacées, mon ex et ma fille tournent la tête dans ma direction et me lancent en duo un regard de reproche.

— Quel mille piastres ? demande Karine.

Les sanglots de Julianne repartent de plus belle. Je me relève, laisse le couvre-lit par terre, avec la tringle et la cantonnière, et dévale les escaliers.

— Quel mille piastres ? crie encore Karine.

Mais je ne l'entends plus. Je traverse le rez-de-chaussée comme une bombe et atterris dehors. Je suis en sueur et le froid me pique chaque partie du corps. Quelques oiseaux accueillent la journée en chantant. Je me remets à courir, un pied devant l'autre, sans savoir où je vais, sans itinéraire.

CUISINES PENTURE / SOUS LA DENT INC.
7877, boulevard Saint-Laurent
Montréal (Québec) H2R 1X1

POUR PUBLICATION IMMÉDIATE

MONTRÉAL, LE 15 FÉVRIER – Cuisines Penture et son partenaire d'affaires Sous la dent inc. souhaitent exprimer leur profond regret quant à la négligence dont ils ont fait preuve dans le traitement d'un message laissé le 16 août dernier dans la section des commentaires du site Internet de Sous la dent. Ce message a été supprimé quelques heures après sa publication en raison de son langage inapproprié. Pourtant, son contenu inquiétant aurait dû inciter l'administrateur du site à contacter les autorités afin de leur transmettre ce message pour que son auteur puisse être retrouvé et ainsi recevoir les soins et le soutien nécessaires. Cette démarche n'a pas été entreprise et Cuisines Penture et Sous la dent inc. en sont profondément attristés. Cette insouciance et ce manque de diligence ne reflètent pas nos valeurs et nos principes, et la personne responsable de cette faute n'est plus au service de nos compagnies et ne leur est plus liée d'aucune façon que ce soit.

Isabelle Borduas, fondatrice de Sous la dent inc., tient à faire part, en son nom personnel, de son sincère désarroi quant à cette situation. La mission de Sous la dent n'a jamais été d'assujettir les femmes à un modèle de perfection aliénant. Elle-même entrepreneure et bientôt maman d'un deuxième enfant, Isabelle doit faire face quotidiennement aux multiples défis et difficultés que représente la maternité dans notre monde moderne. Rendre le bien-être et la santé accessibles à toutes et à tous à travers ses recettes, voilà le seul principe qui depuis le début guide sa démarche, et elle est profondément ébranlée que certains aient pu l'interpréter autrement.

Cuisines Penture et Sous la dent inc. ont versé une somme de dix mille dollars à un organisme sans but lucratif qui vient en aide aux femmes souffrant de détresse psychologique.

Source : Romane Trépanier
Relationniste
438 207-8294
romane@sousladent.com

9

Magalie

Samedi 4 mars

L'annonce vient de tomber : notre vol pour Miami aura du retard. Dans l'aire d'attente de l'aéroport Montréal-Trudeau, les voyageurs s'agitent. C'est le début de la relâche scolaire et nous sommes nombreux à nous entasser depuis plus d'une heure sur les bancs face au couloir d'embarquement. Des enfants pleurent, d'autres courent entre les bagages qui jonchent le sol, d'autres encore escaladent le module de jeux sous la verrière puis se laissent choir sur les matelas. Assis par terre, le dos appuyé contre leur sac à dos, des adolescents ont le nez collé à l'écran de leur téléphone cellulaire, les épaules voûtées, absorbés par quelque conversation virtuelle ou jeu vidéo. Des adultes tètent des gobelets de café.

Au cœur de cette foule, Charlotte, la tête appuyée contre mon épaule, mâchonne le biscuit à l'avoine que je lui ai donné il y a plus d'une demi-heure et ma mère, assise bien droite à mes côtés, ses cheveux noués en chignon, remplit les cases d'une énième grille de sudoku. Elle n'est parvenue à annuler sans frais qu'une partie de la réservation du condo en Floride, et c'est ce qui explique notre présence ici. Ma mère semble inébranlable au milieu de cette ambiance survoltée d'aéroport, de départ imminent éclairé au gros néon. Pourtant, je sais qu'elle ne va pas bien. S'il me faut trouver un aspect positif à ma séparation, c'est que celle-ci m'aura permis de me rapprocher de ma mère. Obligée de cohabiter avec elle quelques jours par semaine, j'ai pu constater à quel point il lui était difficile de surmonter sa rupture avec André. Ma mère s'était éteinte. Même une visite de Charlotte ne parvenait pas à ramener un peu de gaieté dans ses yeux. Elle ne lui chantait plus de comptines et la seule idée d'avoir à préparer ses fameuses barres glacées au lait vanillé dont Charlotte raffolait tant l'agaçait : « Les barres glacées, c'est en été, Charlotte. Maintenant, on est en hiver », lui objectait-elle, sans prendre la peine de lui suggérer une autre collation.

Un soir, j'avais appelé Mireille, l'amie de mes parents que j'avais croisée au restaurant quelques mois plus tôt, pour en savoir un peu plus sur les agissements passés d'André, car les propos de ma mère à ce sujet avaient été pour le moins décousus. « Est-ce qu'il t'a déjà envoyé des photos de son pénis ? » C'est la question saugrenue que ma mère m'avait posée, toute paniquée, cette fameuse matinée où Guillaume était venu me relancer chez Penture. Pendant que ce dernier m'observait, ce qui ne manquait pas d'ajouter à mon trouble – j'avais peur qu'il entende ce qu'elle disait –, les paroles se bousculaient dans la bouche de ma mère : « Il a fait ça avec la fille de son ancienne blonde… une fille encore plus jeune que toi, il paraît… Je suis dégoûtée… J'ai soupé avec Mireille hier soir. La femme à qui c'est arrivé travaillait avec elle à la SAAQ. Quand je lui ai parlé d'André, Mireille a fait le lien, il ne pouvait pas y avoir deux André Hamelin, ancien ingénieur du CN… Elle m'a tout raconté. » Au téléphone, Mireille m'avait confirmé le récit de ma mère, lui apportant quelques précisions. Par exemple, cette relation d'André avec la fille de son ancienne conjointe – fille de trente-cinq ans sa cadette – avait été consentante ; c'était même la fille qui avait fait les premiers pas.

Peu importe. Je comprenais ma mère de voir dans ce comportement d'André, même s'il ne la concernait pas, même s'il s'était produit à une époque qui précédait leur rencontre, un motif de rupture. Cette conduite traduisait, de la part de cet homme, un esprit un peu tordu et une propension à la duplicité dont ma mère, il me semble, avait bien raison de se méfier. « Quand je pense que j'ai failli finir ma vie avec un pervers ! » répétait-elle.

Même si c'était ma mère qui avait rompu avec André, cette séparation ne l'en avait pas moins ébranlée. La semaine dernière, j'ai compris que la lassitude qui la rongeait depuis plus d'un mois ne la quitterait pas si facilement – elle ne mangeait presque plus et passait ses journées en robe de chambre. J'ai donc pris rendez-vous pour elle avec la docteure Bédard. Comme je ne travaillais plus chez Penture, je disposais de beaucoup de temps libre : mis à part les trois ou quatre soirs par semaine où je retournais rue Saint-Vallier m'occuper de Charlotte, ainsi que quelques rendez-vous ici et là avec des employeurs potentiels, j'avais peu d'engagements à mon agenda.

— Monique Bouvrette Breton, bureau six.

Quand la docteure Bédard a prononcé le nom de ma mère dans l'interphone, je me suis levée d'un bond pour l'accompagner dans le bureau de notre médecin de famille. Mais ma mère m'a retenue par le bras :

— Je préfère y aller seule.

J'ai donc reposé mes fesses sur la chaise inconfortable et je l'ai regardée disparaître au tournant du corridor. Ce qu'elle a pu dire à la docteure Bédard durant cette consultation d'une quarantaine de minutes, je n'en ai aucune idée. Est-ce que son état d'abattement n'avait en réalité rien à voir avec André, mais prenait plutôt racine dans le deuil de mon père ? Après tout, si ce dernier n'était pas mort, ma mère n'aurait jamais eu envie de rencontrer un autre homme ; elle n'aurait jamais eu à affronter le coup dur qui l'amenait ici aujourd'hui. Se sentait-elle coupable d'avoir cru possible une nouvelle relation ? Avait-elle l'impression d'avoir ainsi trahi sa mémoire et terni leurs trente-six années d'union ? J'ai attendu son retour en me disant qu'au fond ma mère était une femme secrète, et qu'à bien y réfléchir nous l'étions peut-être toutes. N'était-ce pas d'ailleurs ce qu'il fallait retenir de l'histoire d'Annabelle Juneau, dont la résolution avait ébranlé le Québec tout entier, et moi encore plus, mais pour d'autres raisons ? Derrière la vitre du comptoir d'accueil, parmi les réceptionnistes qui tantôt compulsaient des dossiers, tantôt ajustaient le micro de leur casque d'écoute, j'ai reconnu la jeune fille aux cheveux bouclés, celle qui tripotait son téléphone cellulaire lors de ma dernière visite à la clinique. Pendant un moment, je me suis revue, au mois d'août précédent, dans cette même salle aseptisée, attendant ma consultation avec la docteure Bédard. Qui donc était la plus à plaindre, me suis-je demandé : la Magalie de cette époque, ou la Magalie d'aujourd'hui ? Je l'ignorais. Et cela, même si j'avais appris, quelques jours plus tôt, que Mathieu avait eu une liaison avec au moins une autre fille que Sophie Hyndman durant notre vie commune. Une certaine Camille, fille d'un ancien candidat à la mairie de Montréal. C'est Hélène et Bruno, les amis communs chez qui Mathieu et moi avions fait connaissance, qui m'avaient transmis cette information un soir où, ayant eu vent de notre rupture, ils m'avaient invitée à souper. « Charlotte n'avait même pas un an, m'avaient-ils expliqué. On ne savait pas trop s'il fallait s'en mêler. »

— Est-ce qu'on a de l'eau ? me demande ma mère en levant les yeux de sa grille de sudoku.

Je prends dans mon sac la bouteille d'Évian que j'ai achetée après avoir passé la sécurité et la refile à ma mère. Charlotte en profite pour plonger sa main à l'intérieur de mon sac dont elle remue le contenu jusqu'à ce que le visage moqueur de Baboune fasse surface entre un contenant de Purel et un sachet de noix. Ma fille serre sa peluche contre sa poitrine et fait mine de la nourrir avec son biscuit à l'avoine qui commence à avoir des allures de bouillie.

— C'est l'heure de mon bonbon, me précise ma mère.

Bien entendu, la docteure Bédard lui a prescrit des antidépresseurs. Quel autre traitement y aurait-il eu à offrir à une femme dans cet état quasi léthargique, vidée de toute motivation ? Ma mère avale un comprimé avec une gorgée d'eau. En me redonnant la bouteille, elle roule les yeux au plafond, comme si elle ne croyait pas une seconde aux promesses de ce traitement, puis elle reprend sa grille de sudoku.

Charlotte commence à gigoter et à donner des coups de pied dans le vide. Je me lève, m'étire un peu et lui offre de l'emmener faire un tour dans le module de jeux.

Annabelle Juneau aurait-elle dû prendre des antidépresseurs ? Les premiers reportages qui ont suivi sa disparition la décrivaient comme une femme enjouée, comblée et sans histoire, une mère de famille dévouée, et blablabla, toujours disponible envers ses proches et ponctuelle au travail, où elle se montrait d'ailleurs d'une humeur stable et agréable. Un tel portrait, assemblé à partir des témoignages des gens de son entourage, intimes autant que simples connaissances anciennes ou récentes, expliquait pourquoi les policiers avaient longtemps privilégié la piste criminelle dans leurs recherches entourant sa disparition.

Comment les enquêteurs ont-ils fini par comprendre qu'ils faisaient fausse route ? La réponse nous a été communiquée au compte-gouttes depuis la découverte du cadavre d'Annabelle Juneau, il y a de cela un mois et demi. De ce que je comprends des événements, peu de temps après la mort de Francis Letendre, les enquêteurs ont saisi du matériel informatique lui ayant appartenu. C'est de cette façon qu'ils ont découvert des courriels échangés avec une certaine June Ana. En fouillant un peu, ils ont pu établir qu'il s'agissait du pseudonyme qu'Annabelle Juneau s'était inventé en s'ouvrant un compte chez un fournisseur de messagerie électronique, qui n'était bien sûr pas celui qu'elle utilisait à la maison et au travail. C'est sous ce nom d'emprunt qu'Annabelle Juneau avait planifié sa fuite, effeuillant des sites comme Kijiji ou LesPAC afin de trouver ce qu'elle cherchait : un chalet isolé et une voiture pour s'y rendre. Pour ne laisser aucune trace de ses recherches, elle les effectuait à partir d'ordinateurs publics, dans des cafés Internet. Tout porte à croire que son projet était longtemps demeuré pour elle un fantasme. Il y a quelques jours, un article de journal révélait en effet qu'une dizaine de membres de sites de petites annonces affirmaient avoir été approchés, au cours des trois dernières années, par une certaine June Ana, laquelle s'était montrée très intéressée par leur voiture ou leur chalet à louer, mais n'avait plus donné signe de vie par la suite.

L'idée de s'évader germait donc depuis longtemps dans l'esprit d'Annabelle Juneau quand, le lundi 15 août, elle s'était rendue une première fois au Carrefour Laval pour acheter des vêtements à ses enfants en prévision de la rentrée scolaire. Ce sont les factures retrouvées à l'intérieur de ses sacs de magasinage abandonnés dans sa voiture le 21 août, date de sa disparition, qui ont permis de déterminer qu'Annabelle Juneau s'était rendue deux fois dans ce centre commercial en l'espace de quelques jours. Une de ces factures indiquait que, à peine une heure avant de s'évaporer, Annabelle Juneau avait échangé au magasin Gap le pantalon pour enfant acheté le lundi précédent. Comme les caméras de surveillance du Carrefour Laval ne fonctionnaient pas le dimanche de sa disparition, les policiers, dès l'ouverture de l'enquête, avaient tout de même jeté un œil aux bandes vidéo du lundi précédent, celles où on voyait Annabelle Juneau acheter le pantalon qu'elle irait échanger six jours plus tard. Puisque rien dans ces bandes vidéo ne leur paraissait anormal, les policiers les avaient écartées. Toutefois, quand a surgi l'hypothèse selon laquelle Annabelle Juneau avait orchestré elle-même sa disparition, ils les ont à nouveau visionnées, et c'est de cette façon qu'ils ont pu établir qu'en attendant dans la file de clients qui s'agglutinaient aux caisses du magasin Gap lors de sa première visite au Carrefour Laval, Annabelle Juneau s'était retrouvée derrière deux jeunes mamans, gestionnaires du centre commercial, qui profitaient de leur pause du midi pour magasiner elles aussi en prévision de la rentrée scolaire. Interrogées par les policiers, ces deux femmes ont confirmé avoir discuté ce lundi-là, à quelques pas d'Annabelle Juneau, du débranchement des caméras de surveillance prévu dans leur centre commercial le dimanche suivant. C'était donc ainsi qu'Annabelle Juneau avait appris qu'aucune image d'elle ne pourrait être croquée au Carrefour Laval quelques jours plus tard.

Forte de cette information, le soir même, Annabelle Juneau, sous son pseudonyme de June Ana, s'était donc remise à effeuiller les sites Kijiji et LesPAC. Il fallait qu'elle profite de cette panne des caméras de surveillance ; elle se disait sans doute, et l'avenir allait lui donner raison, que disparaître en plein milieu d'un centre commercial bondé où elle se rendait avec un but précis serait le meilleur moyen de ne pas attirer les soupçons sur elle. Dénicher la bicoque non chauffée, près du mont Laurier, où on allait la retrouver pendue plusieurs semaines plus tard, n'avait pas été trop compliqué : Annabelle avait envoyé trois cents dollars à un Ontarien qui y séjournait parfois l'été, pour pêcher, et qui, après avoir reçu son argent, lui avait indiqué où il cachait la clé et conseillé de faire attention aux ours noirs. Il n'avait pas posé plus de questions. Était-ce son désespoir qui la rendait si naïve ? Les démarches d'Annabelle Juneau pour trouver une voiture s'étaient révélées plus complexes. June Ana, comme le démontraient ses échanges électroniques, désirait louer une voiture sans avoir à dévoiler à son locateur quelque information personnelle que ce soit – numéro de permis de conduire ou de carte de crédit. Pour cela, elle était prête à mettre le prix, mais avec de telles conditions, pas étonnant qu'elle se soit retrouvée à faire affaire avec un individu louche. Aussi, ce que Francis Letendre avait probablement dit à Annabelle Juneau pour la mettre en colère quelques minutes avant qu'elle disparaisse – colère qui avait été captée par la caméra du téléphone d'une adolescente et qui avait laissé croire qu'Annabelle avait été harcelée par cet homme en faisant son shopping –, c'était qu'il ne pouvait pas lui garantir que la voiture qu'elle trouverait dans le stationnement du Carrefour Laval après lui avoir remis ses cinq mille dollars n'était pas une voiture volée – ce qui revenait bien sûr à lui avouer qu'elle l'était. Les policiers de la SQ avaient d'ailleurs retrouvé quelques jours plus tard cette Nissan Sentra dans le stationnement d'un camping en bordure de la route 117, sans soupçonner que c'était Annabelle Juneau, dont tous les médias de la province parlaient à présent, qui l'avait abandonnée à cet endroit. Du reste, on devine que c'est la nature criminelle des activités de Francis Letendre qui explique pourquoi il n'est pas allé sur-le-champ, au mois d'août, rencontrer les enquêteurs afin de leur révéler qu'Annabelle Juneau, loin d'avoir été enlevée au Carrefour Laval, avait plutôt quitté ce lieu à grands frais et de manière minutieusement organisée à bord de la voiture volée qu'il lui avait refilée. Parce que des menaces proférées par de hauts personnages de son organisation criminelle pesaient sans doute sur lui, Francis Letendre n'avait rien révélé non plus lors de l'interrogatoire qui avait suivi son arrestation. Est-ce ce secret si lourd à porter qui avait provoqué l'infarctus fatal dont ce petit bandit avait été victime ? Peu importe : on ne se soucie guère de lui dans toute cette histoire, et c'est normal. Celle qui continue d'ébranler l'opinion publique, c'est Annabelle Juneau, comme en témoignent les couvertures de quelques magazines que j'ai pu apercevoir en achetant tout à l'heure ma bouteille d'eau dans le kiosque de l'aire d'attente de l'aéroport.

Depuis plusieurs semaines maintenant, dès que j'aperçois ou que j'entends le nom d'Annabelle Juneau, je suis prise d'une espèce de vertige. Que ce fait divers ait eu des répercussions si directes et explosives sur ma vie me paraît parfois encore relever d'une erreur ou d'un mauvais rêve – mais, au fond, n'est-ce pas ce que je me dis de tout ce qui m'arrive depuis quelque temps ?

— Attrape-moi, maman, attrape-moi ! crie Charlotte, qui a grimpé l'échelle de la glissoire.

Je me penche et ouvre les bras pour l'encourager à se laisser glisser.

Pourquoi Annabelle Juneau a-t-elle voulu fuir sa vie au point d'organiser ainsi sa disparition et, ultimement, sa mort ? Cela demeurerait un mystère si, au mois d'août dernier, soit quelques jours à peine avant de s'éclipser, elle n'avait laissé un message incendiaire – une sorte de testament, ont jugé certains – signé June Ana sur le site Internet de *Sous la dent* afin de critiquer la recette phare de « Brownies tendres et santé » d'Isabelle, où celle-ci suggère de remplacer le beurre par du tofu mou, le sucre par de la purée de dattes, et que sais-je encore ?

Tes crisses de brownies. Deux heures de job pour une gibelotte insipide, trente piastres aux poubelles, maudite mascarade, on est un troupeau de connes, c'est à cause de filles comme toi que je craque par en dedans, modèle de mère parfaite qui nous fait croire qu'on est des sous-merdes si on donne des Whippets à nos enfants, comme si la vie était pas assez compliquée comme ça, je suis tellement écœurée, je vais me tuer quand je vais m'enfuir, au bout d'une corde pis en silence…

Ce message, dont j'ai pris connaissance aux côtés de Romane, s'étirait sur trois paragraphes.

— C'est intense, ai-je glissé à la fin de ma lecture, ne sachant pas encore pourquoi ma collègue m'avait attirée dans son bureau pour me montrer ce texte retranscrit en caractères d'imprimerie sur un bout de papier.

— Sais-tu qui c'est, June Ana ?

Sans me laisser le temps d'y réfléchir, Romane m'a annoncé qu'il s'agissait d'Annabelle Juneau. Nous étions alors le jeudi 19 janvier, et quelques minutes plus tôt, j'avais entendu à la radio que son corps avait été retrouvé à Mont-Laurier. Aucune autre information sur les circonstances de sa mort n'avait toutefois été communiquée au public.

Romane ne me lâchait pas des yeux.

— Tu me niaises ? ai-je balbutié.

— Moi non plus, je n'y croyais pas. Mais pourquoi tu penses que les policiers sont venus hier ? C'est eux qui m'ont remis la transcription du message. Ils se sont pas trompés : j'ai fouillé pis je l'avais encore dans mon ordi, dans mon dossier des commentaires effacés.

— Mais quels policiers ?

Romane a refermé le couvercle de son ordinateur portable d'un geste sec en hochant la tête.

— La police ! T'étais pas au courant ?

— Je sais qu'il y a un policier qui est venu hier, le fils de l'ex de ma mère, mais c'était seulement pour son dosseret de cuisine. Après ça, je suis partie vite parce que, justement, ma mère filait pas.

Perplexe, j'ai regardé Romane se masser les tempes, puis j'ai sorti mon téléphone de ma poche pour joindre Olivier afin qu'il m'en dise davantage. C'était sûrement pour cela qu'il m'avait appelée la veille à plusieurs reprises, mais j'étais tellement occupée à consoler ma mère que je n'avais pas répondu, et il n'avait pas laissé de message.

Romane m'a conseillé de raccrocher.

— Son cell doit être éteint : il est chez le médecin avec Isa pour le test d'amniocentèse. Ils attendent sans doute de te voir pour te le dire en personne. En tout cas, c'est pas encore sorti dans les médias, mais si j'ai bien compris, Annabelle Juneau, c'est pas un meurtre. Pis si j'avais pris son message au sérieux, on aurait peut-être pu éviter le pire.

J'ai eu du mal à y croire. Il y avait plusieurs mois maintenant qu'Annabelle Juneau faisait partie du paysage médiatique. C'était déjà étrange de savoir que son conjoint jouait au soccer dans le parc juste en face de nos bureaux le jour où elle avait disparu ; maintenant, apprendre que ses mots avaient résonné dans nos serveurs informatiques, cela me paraissait encore plus surréaliste.

— C'est un suicide ?

Romane s'en mordait quasiment les lèvres au sang. Ses yeux aussi étaient rougis, signe qu'elle n'avait pas beaucoup dormi.

— Ç'a l'air qu'elle pouvait pas se trancher les veines dans son bain comme tout le monde ! Tu imagines la situation délicate dans laquelle ça nous place ? Le commentaire qu'elle a laissé sur notre site Internet, c'est ce que les psys appellent un « appel à l'aide », mais j'ai rien fait. Je l'ai juste effacé, comme si c'était l'œuvre de n'importe quelle *trollette* qui voulait nous faire chier.

Depuis son aveu du mois de novembre, j'avais préféré me tenir loin de Romane, mais ce matin-là, son désarroi était trop palpable pour me laisser indifférente. J'ai mis une main sur son épaule pour la réconforter.

— C'est facile de dire ça maintenant qu'on connaît la suite des événements. Mais tu pouvais pas savoir, Romane. T'as rien fait de mal.

— Peut-être. Mais en attendant, Isabelle va être dans l'eau chaude si cette histoire-là sort dans les médias pis elle aimera pas ça, tu sais combien elle tient à son image. Elle va passer pour une fille qui se fout du bien-être des autres alors que sa marque prétend le contraire. Ça fait qu'écoute-moi bien. On va lui dire que c'est toi qui as effacé le message de June Ana de la section des commentaires le 16 août.

J'ai retiré ma main de son épaule et Romane a levé vers moi un regard plein d'aplomb : « OK ? »

— Vraiment pas. C'est ton erreur.

Mais Romane avait déjà réfléchi à son plan :

— On va dire à Isa et Oli que j'étais super occupée ce matin-là à cause du lancement du livre qui approchait. Que tu t'es adonnée à passer dans mon bureau entre deux commandes de fournisseurs – tu brettes tout le temps quand tu attends des confirmations –, pis comme j'étais rushée, je t'ai demandé de t'occuper de la mise à jour du site Internet.

Sans me laisser le temps d'objecter quoi que ce soit, Romane a appuyé sur une touche de son téléphone cellulaire : « Pourquoi tu as couché avec Olivier ? » Un silence. « Ça fait longtemps qu'on ne se voit plus. »

J'ai reconnu sa voix et la mienne, et la courte conversation que nous avions eue au mois de novembre. « Ça fait longtemps qu'on ne se voit plus » revenait bien sûr à admettre qu'on s'était vus, Olivier et moi.

J'ai senti la panique me gagner.

— Romane, je viens de me séparer de mon chum. J'ai même plus de maison. J'habite la moitié de la semaine chez ma mère, que je ramasse à la petite cuillère parce qu'elle aussi elle s'est séparée de son chum. Je peux pas perdre ma job. Tu comprends ça ? Tu comprends ? Je suis monoparentale.

— Tu perdras pas ta job, tu es associée dans Penture.

— Je suis minoritaire. Ils peuvent me racheter pis me renvoyer s'ils le veulent.

— Ben tu iras travailler ailleurs comme designer ! Tu as une formation. Moi aussi, mais elle vaut rien. Pas question que je me remette à corriger les fautes d'orthographe des illettrés sur Internet. Mon métier, maintenant, c'est d'être l'ombre d'Isabelle. Pis j'ai pas dit *dans* son ombre. Je *suis* son ombre. Tout ce que je fais est défini par elle. Sans elle, je suis finie. Je suis rien. Ça fait que soit c'est toi qui as effacé le message d'Annabelle Juneau pis peut-être qu'Isabelle sera pas fâchée au point de te mettre dehors, soit elle apprend que t'as couché avec son chum et puis là, c'est sûr qu'elle veut t'arracher la face. Me semble que c'est pas compliqué comme dilemme : d'un côté, t'as des chances d'être épargnée, de l'autre, t'en as zéro.

Comment pouvais-je refuser de me soumettre à sa proposition ?

— Crisse de folle, Romane, lui ai-je dit en quittant son bureau. Olivier voudra pas plus de toi dans un an ni dans dix ans.

Romane m'a pourchassée sur la mezzanine et m'a saisi le bras :

— Tu comprends rien. Je m'en sacre, d'Olivier. C'est Isabelle que j'aime.

Quelques jours plus tard, le Service de police de Laval et la Sûreté du Québec avaient annoncé ne pas traiter le décès d'Annabelle Juneau comme une mort suspecte en raison de certaines informations qui leur étaient parvenues et qui leur laissaient croire à présent que la jeune mère avait organisé elle-même cette mise en scène macabre.

— Il lui manquait des boulons dans la tête à cette fille-là, pestait sans arrêt Isabelle. Ça m'étonne pas qu'elle ait raté mes brownies, elle a dû oublier de les mettre dans le four !

Ni elle ni Olivier n'avaient paru étonnés quand Romane leur avait fait croire que c'était moi qui avais effacé le commentaire de June Ana. Jamais, pourtant, je ne m'étais occupée de ce genre de tâche. Il faut dire qu'Isabelle était trop inquiète de la santé de son fœtus pour se soucier de quoi que ce soit d'autre. Parce que son fils Mikaël avait eu la varicelle avant les Fêtes, soit au tout début de sa grossesse, et qu'Isabelle n'était pas capable de dire avec certitude si le bouton qu'elle avait observé sur son ventre à la même époque n'était pas une lésion due à ce virus, son obstétricien lui avait recommandé de passer un test d'amniocentèse pour éliminer tout risque de malformations fœtales comme il peut s'en produire lorsqu'une femme enceinte contracte une maladie infantile. Ces jours-là, quand je la croisais chez Penture, Isabelle était dans un état d'affolement constant : elle se tenait le ventre à deux mains et textait à tout bout de champ son cousin médecin pour s'assurer que telle petite crampe abdominale n'était pas anormale ; aussi, elle laissait sans cesse des messages à son obstétricien afin de savoir si le résultat de son test était connu.

Le mercredi de la semaine suivante, durant le trajet

qui nous menait au chalet d'un client à Saint-Alphonse-Rodriguez, j'avais pourtant rétabli les faits avec Olivier :

— C'est pas moi qui ai effacé le message d'Annabelle Juneau. C'est Romane.

— Je comprends pas.

— Je t'ai dit cet automne qu'elle était en amour avec toi. En fait, aux dernières nouvelles, c'est d'Isa qu'elle est amoureuse.

— Amoureuse dans le sens…

— Je sais pas. Amoureuse dans le sens qu'elle l'aime.

Olivier avait ravalé un fou rire.

— Wow. Shit.

— Mais ce que je t'ai pas dit cet automne, c'est qu'elle a su pour nous deux.

Le regard d'Olivier s'était tout à coup durci.

— Quoi ? Comment ?

— Aucune idée.

— Elle est mieux de se la fermer. Je suis *dead* sinon.

— Sa condition pour se la fermer, c'est de faire passer sur mon dos la suppression du message. Elle a calculé son affaire : c'est sûr que si ça sort dans les médias et qu'on reproche à Isabelle de ne pas avoir réagi à la lecture d'un SOS comme celui-là, il va falloir que quelqu'un écope. Romane veut pas que ce soit elle.

Olivier m'avait juré que ce détail de l'histoire d'Annabelle Juneau ne serait jamais connu du grand public. Ni Penture ni *Sous la dent* ne risquaient d'être éclaboussés par cette affaire, et personne ne perdrait son emploi. Pourquoi m'inquiéter ? Les enquêteurs de la police de

Laval – un Asiatique et un homme d'une soixantaine d'années – étaient venus nous rencontrer une seconde fois deux jours plus tôt, le 23 janvier, et nous avaient promis que, par respect pour la famille endeuillée, le message signé June Ana laissé sur notre site Internet avant qu'on l'efface ne serait jamais transmis aux médias.

Cela faisait penser à une longue chaîne dont personne ne sait trop si tous les maillons sont bien accrochés : je m'étais sentie rassurée par les paroles d'Olivier puisque lui-même prétendait l'avoir été par celles des policiers. Et pourtant, aujourd'hui, je me dis que la promesse des enquêteurs n'avait peut-être pas tant que cela apaisé les craintes de mon associé. Quelques jours avant que les premiers journalistes nous appellent, n'avait-il pas tenté de devancer la réunion prévue avec l'équipe d'Urbanisia afin d'accélérer la conclusion de l'association du promoteur immobilier avec Penture ? Moi-même, à plusieurs reprises, j'avais questionné Olivier pour savoir où en étaient ces négociations. J'avais besoin d'argent : je n'allais quand même pas demeurer éternellement chez ma mère. Ce printemps, il faudrait que j'achète un appartement dans Rosemont–La Petite-Patrie, pas trop loin de l'école de Charlotte et du condo de la rue Saint-Vallier, où Mathieu comptait continuer d'habiter. J'allais pour cela avoir besoin de toutes mes économies, mais surtout, du montant forfaitaire et de l'augmentation de salaire que cette association avec Urbanisia allait me rapporter à titre d'associée chez Penture.

La bombe – c'est vraiment l'effet que cela a eu – a explosé le jeudi de la semaine suivante, dès les premiers jours du mois de février, après qu'une source policière a transmis à une journaliste connue le message de June Ana. La nouvelle a été relayée par tous les médias de la province. Chaque minute apportait sa nouvelle analyse du commentaire de June Ana, et les titres éclataient de tous les côtés : « *Annabelle Juneau ou la quête mortelle de la perfection* », « Sous la dent : *les représentations de la maternité épanouie vont-elles trop loin ?* » « *Affaire Annabelle Juneau : un poignant message de détresse ignoré* », ou encore : « *Les brownies empoisonnés de* Sous la dent ».

Plusieurs femmes n'ont pas tardé à s'identifier au drame d'Annabelle Juneau ; en quelques heures, celle-ci a cessé d'être l'illuminée du Carrefour Laval qui avait mis en scène sa disparition pour devenir le symbole de toutes ces mères épuisées et écrasées par des idéaux auxquels il est impossible de se conformer. Le mot-clic #jesuisannabelle a fait son apparition sur Twitter, donnant naissance à des milliers de gazouillis où le ras-le-bol maternel était à l'honneur, allant des lunchs sans allergènes à préparer tous les jours, de préférence dans des contenants réutilisables et sans BPA, aux recommandations des dentistes d'appliquer un scellant permanent sur les dents de nos enfants, même si elles sont saines et ne seront peut-être jamais cariées – mais juste au cas où, car un malheur est si vite arrivé. À lire ces témoignages, il apparaissait que c'était encore les femmes, plus que les hommes, qui veillaient au bien-être des enfants et qui, parce qu'elles avaient désormais également une carrière, ou à tout le moins un emploi, avaient l'impression de vivre dans un constant climat d'oppression, d'obligations, de responsabilités et de catastrophes imminentes à éviter. Des voix de grands-mères, dont le seul travail quand leurs enfants étaient petits avait été d'être femmes au foyer, résonnaient dans les tribunes téléphoniques. Ces femmes ne comprenaient pas comment les mères d'aujourd'hui faisaient pour arriver à concilier toutes leurs tâches quotidiennes ; elles aussi auraient craqué s'il avait fallu qu'elles soient partout à la fois. En quelques jours, la mort d'Annabelle Juneau était devenue le symptôme d'un déséquilibre social plus profond. Devions-nous retourner cent ans en arrière ? Ou encore cesser de procréer ? Personne ne connaissait la réponse, les pistes de solutions se multipliaient et s'emmêlaient, la conversation s'étirait. En raison de la tempête que je traversais, j'avais du mal à me situer dans ce débat. La seule chose que je constatais, c'était que la vie semblait difficile et insatisfaisante pour bien des gens.

Pendant ce temps, à la réception de Penture, Johanne avait le lobe d'oreille cramoisi tellement le téléphone n'arrêtait pas de sonner. Les courriels s'accumulaient dans la boîte aux lettres d'Isabelle, et la section des commentaires du site Internet de *Sous la dent* a dû être fermée temporairement, les internautes les plus enragés ne se gênant pas pour accuser Isabelle d'être une meurtrière, les plus dociles se contentant de lui demander comment elle avait pu rester indifférente au message de détresse de June Ana. Puis un montage photo est devenu viral sur Internet : le visage d'Isabelle, surplombé de deux cornes de diable, était apposé au corps de cette énorme dinde qui avait figuré à ses côtés sur la couverture du *Châtelaine.* Je crois que c'est cette image, plus que tout autre événement qui avait pu survenir ces derniers jours, qui a contribué à la mettre hors d'elle lors de cette fatidique réunion d'urgence tenue dans les bureaux de Penture le vendredi matin suivant.

— Je suis le diable dans un corps de crisse de grosse volaille, pis elle, c'est une martyre ? nous a demandé Isabelle. C'est ça que le monde pense ?

D'une main, elle se caressait le ventre et, de l'autre, elle pianotait sur son téléphone cellulaire, constatant, en sautant d'un site Internet à l'autre, les dommages qu'avait subis son image dans la foulée de toute cette affaire. Le résultat du test de l'amniocentèse, qui la veille l'avait rassurée sur le développement de son fœtus, avait redonné à Isabelle un peu de son esprit d'entrepreneure. Elle se rendait compte que le silence dans lequel Penture et *Sous la dent* s'étaient enfermés depuis le début de la crise ne faisait qu'accentuer la pression qui pesait sur nous et, plus particulièrement, sur elle. Il fallait réagir.

— Peux-tu appeler Mathieu pour qu'il nous conseille sur ce qu'on doit faire ? m'avait demandé Isabelle. Il est toujours bon dans ces affaires-là.

C'est avec un nœud dans l'estomac que je lui avais rappelé que nous ne formions plus un couple, Mathieu et moi, et Isabelle s'était excusée de l'avoir oublié, mettant cela sur le compte de son *baby brain.* Pendant que

Romane et Olivier fouillaient Internet à la recherche d'un cabinet qui pourrait nous procurer des conseils légaux, je m'étais demandé si le nœud dans mon estomac était provoqué par mon chagrin d'avoir perdu Mathieu et mon ancrage familial ou bien par l'agacement évident que je lisais sur la physionomie d'Isabelle, comme si le fait que je ne puisse plus la mettre rapidement en contact avec un avocat diminuait ma valeur à ses yeux. Peut-être était-ce un peu des deux. Depuis quelques semaines, en tout cas, j'avais constaté que le simple fait d'apprendre aux gens que j'étais séparée – et, de surcroît, avec un enfant – m'attirait des regards de pitié ou, au mieux, de compassion. Loin d'être réconfortantes, ces réactions me faisaient plutôt entrevoir l'avenir comme un chemin incertain, enveloppé d'un épais brouillard, de sorte qu'il fallait vraiment que mon couple ait été dysfonctionnel pour que je choisisse de m'y hasarder. Or, pour faire partie d'un couple dysfonctionnel, ne fallait-il pas l'être un peu soi-même ? Je me posais la question. Bien entendu, il y avait le sexe : quelque chose ne tournait peut-être pas rond chez moi pour m'avoir laissé croire que la solution à mon problème était de coucher avec d'autres hommes que Mathieu. Pourtant, entre cette réaction et une autre – pleurer dans mon lit en petite boule, par exemple, m'abonner à des cours de CrossFit ou devenir alcoolique –, la différence ne me semblait pas si grande. Je n'avais voulu, au fond, qu'engourdir ma peine et sauver ma famille. Et puis quand le plancher se dérobe sous vos pieds, y a-t-il vraiment une manière intelligente et élégante de s'agripper aux murs ? Les regards apitoyés dont me gratifiaient les autres m'isolaient davantage, et tandis qu'Isabelle était penchée par-dessus l'épaule d'Olivier, qui faisait défiler les firmes d'avocats sur l'écran de sa tablette, j'avais eu envie de lui révéler toute la vérité afin de me sentir un peu moins seule sur mon île. Au lieu de cela, j'avais annoncé avoir rendez-vous avec une cliente dans le Quartier des spectacles – cette même cliente dont j'avais retardé le projet pour prioriser celui de Guillaume – et j'avais laissé mes collègues à leurs recherches.

— Hébert et Tremblay ! avait lancé Romane tandis que je passais la porte. J'ai corrigé leur site avant de travailler pour Isa. Ils étaient gentils. Je les appelle ?

Au retour de mon rendez-vous, en fin d'après-midi, Olivier m'attendait dans mon bureau. Debout devant la fenêtre, les mains dans les poches, les épaules basses, il regardait la neige flotter dans le ciel. Avant même qu'il se retourne et que je voie son air contrit, j'avais deviné quelle décision avait été prise en mon absence. Quelqu'un allait devoir être sacrifié, et ce quelqu'un, c'était moi.

— Je suis désolé, Maggy, avait dit Olivier en me faisant face. Je te promets qu'on va te racheter tes parts à un bon prix.

Il avait fait quelques pas et m'avait prise dans ses bras. Par-dessus son épaule, les arbres anonymes du parc Jarry se balançaient au vent.

— Avec le deuxième bébé qui s'en vient, avait-il ajouté, je peux rien risquer.

Notre vol est enfin prêt pour l'embarquement. Tandis que nous rejoignons la file de voyageurs devant le guichet, Charlotte me demande la permission d'appeler Mathieu pour lui dire au revoir une dernière fois. Ma mère proteste qu'elle l'a déjà fait hier soir, mais je lui adresse de gros yeux et donne mon téléphone à ma fille. J'ignore pourtant où je trouve moi-même la force de ne pas gémir chaque fois que Charlotte exprime le désir d'appeler son père. Peut-être parce que j'ai lu quelque part que dans des cas de séparation, les parents doivent à tout prix éviter d'entraîner leurs enfants dans un conflit de loyauté. Peut-être ai-je aussi la certitude que ma blessure n'est rien comparée à celle de ma fille.

Il y a un peu plus d'un mois – alors qu'avant cela nous mettions la situation sur le compte de nos boulots, Mathieu ayant tout à coup beaucoup de clients à Toronto, et moi, beaucoup de cuisines à rénover dans des campagnes éloignées –, Mathieu et moi nous sommes enfin résolus à annoncer à Charlotte pourquoi il ne nous arrivait plus de nous retrouver tous les trois ensemble à la maison ; pourquoi, quand je dormais à l'appartement, Mathieu dormait ailleurs, et vice versa. Du haut de ses cinq ans, Charlotte tente de comprendre la situation du mieux qu'elle le peut, mais certains éléments ne manquent pas de lui paraître incohérents. Ainsi, il lui arrive souvent de me demander pourquoi Mathieu et moi désirons désormais être des amis au lieu d'être des amoureux puisque, comme nous le lui avions souvent raconté, avant de devenir des amoureux, nous avions été amis quelque temps ; pourquoi, dans ce cas, vouloir refaire le chemin en sens inverse? Aussi, l'idée qu'elle aura bientôt deux maisons ne réjouit pas du tout Charlotte. Elle redoute déjà ces jours où elle devra transporter Baboune dans son sac d'école afin d'avoir sa peluche avec elle tous les soirs. « Emma, avant Noël, elle a apporté en classe Bobby son béluga pour la sieste et elle l'a oublié dans le local de musique et elle ne l'a plus jamais retrouvé même si Stéphanie a cherché partout », m'a-t-elle raconté un matin où je l'accompagnais à l'école, et dans ses yeux, je lisais la terreur que Baboune puisse être victime du même sort. En nous séparant, Mathieu et moi inculquions à notre fille de cinq ans le sentiment de la fragilité de la vie, et nous la mettions face à la menace de perdre ceux qu'elle aime. Allions-nous faire d'elle une angoissée? Nous arrachions un à un, il me semble, les fils de fer barbelé de cette précieuse clôture censée protéger les enfants du gâchis du monde adulte.

Mathieu ne répond pas et Charlotte me remet mon téléphone avec une moue toute triste. Je caresse ses cheveux.

— Il travaille sûrement.

— Pfft, souffle ma mère en même temps qu'elle montre son passeport à l'employée de la compagnie aérienne. Un samedi matin? Pfft.

En débarquant chez ma mère avec mes valises au début du mois de janvier, je lui avais raconté que Mathieu et moi, nous nous quittions en raison de la liaison qu'il entretenait avec une avocate de son cabinet. Ma mère n'avait pas caché sa surprise : « Quoi, Mathieu te trompe, mais pourquoi, depuis quand ? » Elle était bouleversée, mais parce qu'elle avait toujours bien aimé Mathieu, je sentais, dans la tournure de certains de ses propos, qu'elle nourrissait l'espoir qu'on se réconcilie. Son ton avait toutefois changé après sa rupture avec André. Du jour au lendemain, les hommes étaient tous devenus des créatures immondes soumises à la dictature de leur *pinis* ; c'est ainsi qu'elle prononçait le mot.

— Est-ce que c'est une maladie ? se plaisait-elle à répéter. Les hommes ont-ils tous attrapé le même virus ?

Un soir, elle m'avait confié que c'était un miracle si dans sa vie elle avait pu en connaître un, mon père, qui échappait à ce déterminisme. Je trouvais que ma mère généralisait, et qu'elle exagérait, mais j'étais épuisée, si bien que les contre-exemples ne se bousculaient pas dans mon esprit.

Parce que ma mère a perdu toute forme de respect pour les hommes, je préfère ne pas lui parler de l'attitude de Mathieu concernant l'entente financière liée à notre séparation. Si elle était au courant des difficultés et du sentiment de discrédit que cette question représente pour moi, dans l'état où elle se trouve depuis quelques semaines, elle ne se gênerait pas pour l'appeler et lui crier des bêtises. Certes, je ne détenais aucun titre de propriété sur l'appartement de la rue Saint-Vallier ; pourtant, durant six ans, j'avais payé la moitié des taxes et de l'hypothèque, même si ces deux comptes étaient au seul nom de Mathieu, et même si ses revenus avaient toujours été près de trois fois supérieurs aux miens.

Comme cet appartement doit valoir aujourd'hui quatre fois plus cher que le prix auquel Mathieu l'a acheté il y a dix ans, je trouve particulièrement chiche sa décision de ne pas me verser un montant afin de reconnaître ma contribution au paiement de son hypothèque. Mais Mathieu dit que rien ne l'y oblige :

— C'est normal que les gens qui ne sont pas propriétaires paient un loyer.

J'ai eu beau tenter de le faire changer d'idée en lui rappelant que j'avais pris un an de congé parental, alors que le sien n'avait duré que deux semaines, et j'ai eu beau tenter de lui faire admettre qu'au cours des cinq dernières années, c'était moi beaucoup plus que lui qui m'étais occupée de Charlotte, des repas, des courses, de l'organisation des vacances, des rendez-vous médicaux et de tout le reste afin qu'il puisse « travailler » tard en soirée ou même voyager pour le cabinet, cette fois encore, mais peut-être parce que je n'avais pas pu me retenir de mimer les guillemets en prononçant le mot *travailler*, Mathieu n'a rien voulu savoir.

— Tu vas pas commencer à faire ton Annabelle Juneau ! avait-il ironisé.

Hormis la cuisinière à induction et le réfrigérateur Bosch – qui de toute façon étaient à moi, cadeaux d'un fournisseur –, et bien sûr tous mes effets personnels, je ne récupérerai pas grand-chose du condo. Autrement, Mathieu et moi avons calculé, à l'aide d'un logiciel sur Internet, le montant de la pension alimentaire mensuelle qu'il devra me verser pour Charlotte, et nous sommes parvenus au montant de trois cent huit dollars.

Encore là, quand je lui ai dit qu'en raison de ma perte d'emploi mes revenus cette année allaient être moins élevés que ceux de l'an passé sur lesquels ce calcul était basé, il s'est braqué :

— Olivier et Isabelle t'ont racheté tes parts de Penture pour soixante-dix mille dollars. Ça va compter dans le calcul de tes revenus.

J'ai protesté :

— Mais oui, mais soit je vais réinvestir le montant dans une autre compagnie, soit je vais l'utiliser pour une mise de fonds dans un appartement. Deux chambres à coucher, ça va me coûter plus cher qu'une seule.

— Si tu n'as pas les moyens, t'as juste à louer quelque chose au lieu d'acheter.

— Il va me falloir aussi une voiture pour accompagner Charlotte à toutes ses activités. Tu fais trois fois mon salaire, bientôt quatre fois avec la fusion de ton cabinet, et puis c'est parce qu'on a Charlotte que j'ai toutes ces dépenses supplémentaires. On ne peut pas trouver un arrangement qui m'aiderait, au moins le temps que je me replace ? Je n'ai même pas droit au chômage parce que j'étais associée.

Mathieu a froncé les sourcils et griffonné des chiffres sur son bout de papier et je l'ai regardé faire, abasourdie. C'était donc cela que nous étions devenus ? Je me suis rappelé les quelques articles que j'avais lus dans les journaux ces dernières années, dans lesquels des juristes mettaient en garde les conjoints de fait contre le vide juridique qui les guettait en cas de séparation. Parce que Mathieu était avocat, je m'étais crue à l'abri de ces aléas.

— Je vais te donner quatre cents, a-t-il finalement soupiré. Mais tu paies le service de garde.

J'ai tout de même réussi à me dégoter deux petits contrats : le premier avec Fabien et Mireille, les amis de ma mère, et le second avec ma voisine, Valérie Delorme. Mireille compte profiter de sa retraite pour cuisiner, et comme Fabien et elle vont rejoindre ma mère en Floride pour une durée d'un mois dès la semaine prochaine, après que Charlotte et moi serons reparties, elle a jugé que c'était le moment parfait pour rénover cette pièce de sa maison et m'en a confié la configuration, ainsi que la gestion du chantier durant leur absence. Peut-être se sent-elle aussi un peu coupable d'avoir transmis à ma mère l'information qui l'a démolie au sujet d'André, et peut-être cherche-t-elle à se racheter en m'offrant ce contrat. Quant à Valérie Delorme, le matin où, devant la clôture de la cour d'école, je lui ai appris que des déboires professionnels s'ajoutaient à mes infortunes personnelles, elle n'a pas hésité à me proposer le projet de métamorphoser son îlot de cuisine en comptoir-lunch pour ses enfants. Elle m'a même promis que si Xavier parvient un jour à vendre son jeu vidéo à Microsoft – ce qui ne manquerait pas de les rendre millionnaires –, ils mettraient dehors leurs locataires du deuxième étage, convertiraient leur duplex en cottage, et me laisseraient la tâche de leur dessiner la cuisine de leurs rêves au budget illimité. Il me semble avoir trouvé une amie en Valérie. La semaine dernière, un soir où je dormais à l'appartement de la rue Saint-Vallier, elle a confié ses deux plus jeunes à Xavier et est venue me rendre visite avec Clara, que Charlotte, toute contente, a entraînée dans sa chambre pour faire de la pâte à modeler. Valérie et moi avons pris un verre de vin et, pendant que je lui montrais des photos d'îlots et de comptoirs-lunch sur Houzz pour mieux cerner ses goûts, elle m'a raconté avoir surpris, quelques jours plus tôt, un soir où j'étais chez ma mère, Sophie Hyndman – car, enfin, peu avant minuit, ce devait bien être elle – qui gravissait les escaliers de l'appartement.

— C'est possible, lui ai-je dit. Elle vient ici des fois. Quand Charlotte dort, il paraît. Mathieu m'a dit qu'il préfère attendre que notre situation soit réglée avant de faire les présentations officielles. Que j'aie complètement déménagé d'ici. Que je me sois trouvé un appartement et qu'on fasse une vraie garde partagée.

Valérie a écarquillé les yeux et hoché la tête de consternation :

— Est-ce qu'elle va emménager ici ?

— Aucune idée.

— T'es tellement forte.

— C'est pas comme si j'avais le choix.

— Moi, avec trois enfants, si un jour Xavier veut qu'on se sépare, je le tue.

Valérie a rempli son verre de vin en pinçant la bouche d'un air résolu, comme si elle avait une carabine déjà prête cachée au fond de sa garde-robe. Elle ne me parlait jamais de sa relation avec Xavier et notre amitié était trop récente pour que je lui en demande les détails. Aussi, après un bref moment de silence, et sans doute parce que ma çour était déjà pleine, j'ai continué de faire défiler les photos sur l'écran de mon ordinateur tout en lui expliquant les avantages d'une surface de comptoir en quartz.

Après ces deux contrats, j'ignore ce qui m'attend. Vais-je redevenir travailleuse autonome comme je l'étais avant d'avoir Charlotte, avec tout ce que cela implique de précarité ? Les postes de designers-cuisinistes des entreprises que j'ai approchées sont tous pourvus. L'espoir auquel je m'accroche, c'est qu'Urbanisia m'embauche. La semaine dernière, j'ai vu l'annonce d'un de leurs projets de condominiums en construction au nord du marché Jean-Talon. L'emplacement était parfait – à distance de marche de l'école de Charlotte et de l'appartement de la rue Saint-Vallier –, de sorte que j'ai aussitôt composé le numéro de téléphone qui figurait sous la photo de synthèse d'un immeuble aux briques grises. Je suis tombée sur Julia, qui a mis quelques secondes à me reconnaître : j'ai dû lui rappeler notre conversation sur les créatures marines lors de la fête de Noël de Penture. J'ai senti un brin de malaise dans sa voix après avoir prononcé le nom de la compagnie, alors j'ai cru bon d'ajouter qu'à la suite d'un différend avec mes associés je n'y travaillais plus. Julia a semblé se détendre et m'a appris que le partenariat entre Urbanisia et Penture n'avait pas fonctionné. Elle a évoqué la complexité d'un tel modèle d'affaires, mais à son ton très officiel, j'ai deviné que c'était sans doute parce que les noms de Penture et de *Sous la dent* s'étaient retrouvés mêlés au drame d'Annabelle Juneau et avaient ainsi perdu un peu de leur lustre. Je n'ai pas insisté, mais je ne peux pas dire que ça ne m'a pas réjouie d'apprendre qu'Isabelle, Olivier et Romane écopaient eux aussi dans toute cette histoire. Du reste, comme le prix du condo le moins cher dans le projet du marché Jean-Talon d'Urbanisia excédait de plus de deux cent mille dollars ce que j'étais en mesure de me payer pour l'instant – « Je le sais, c'est fou, s'était presque excusée Julia, le marché explose ! Y a des Chinois qui achètent des maisons à Montréal sans même les visiter, *oh my God* ! » –, la suite de la conversation n'a pas duré très longtemps.

Deux jours plus tard, Julia m'a rappelée. En entendant sa voix, j'étais certaine qu'elle voulait me vendre un condo moins cher, sûrement à l'autre bout de la ville, dans un quartier en développement. Après tout, elle était agente d'immeubles. Mais je me trompais.

— Magalie ? Écoute, on a eu une réunion hier au bureau et au lieu de nous associer avec un cuisiniste comme on voulait le faire avec Penture, on veut maintenant avoir une designer de cuisine *in house* pour s'occuper de toute notre flotte de nouveaux condos. C'est sûr que tu ferais du gros volume un peu *straight*, pis sans vouloir te décourager, on se lance aussi dans les résidences pour personnes âgées, mais quand même, dans nos projets haut de gamme, nos penthouses surtout, tu rencontrerais les acheteurs pour concevoir leur cuisine sur mesure. J'ai parlé de toi aux patrons d'Urbanisia, alors si ça t'intéresse, envoie-moi ton CV et le portfolio de tes projets. Et puis si jamais ça fonctionne et que tu te joins à notre équipe, tu ne paierais pas les taxes si tu achètes un de nos condos. Cool ?

Je me suis empressée de préparer tous ces documents et de les lui envoyer par courriel.

Même si j'attends avec impatience des nouvelles d'Urbanisia, je me demande si j'aurai envie de dessiner des cuisines jusqu'à la fin de mes jours. Maintenant que mon foyer a volé en éclats, ma passion d'aider les autres dans la conception de la pièce de leur maison destinée aux moments à partager en famille et au bonheur de se retrouver ensemble s'éteindra-t-elle ? Il y a des jours où je regrette de ne pas m'être plutôt spécialisée dans le design de salle de bain, cette pièce dont la fonction principale fait en sorte que chacun préfère normalement s'y retrouver seul, la porte verrouillée, face à soi-même, et à la vérité qui pue.

Les agents de bord remontent l'allée et font claquer les portes des compartiments de rangement au-dessus de nous. Ma mère feuillette le magazine de la compagnie aérienne. Au micro, la voix granuleuse du commandant de bord s'excuse du retard, prédit quelques turbulences durant ce vol d'une durée de trois heures cinquante-quatre minutes, puis un ciel nuageux et vingt-trois degrés Celsius à notre arrivée à Miami. Dehors, sur le tarmac, deux bagagistes dont les visages sont dissimulés par des casquettes et des verres fumés lancent nos valises dans la soute en riant à gorge déployée, des nuages de vapeur s'échappant de leurs bouches grandes ouvertes.

— Regarde, dis-je à Charlotte. Ils crachent de la fumée, comme des dragons.

Charlotte s'étire pour jeter un œil dehors, puis elle se tourne vers moi. Elle grimace.

— Les dragons crachent du feu. J'ai envie de pipi.

Ma mère déclare qu'elle va l'aider, même si je lui assure que je peux m'en occuper. Elles s'éloignent et je vérifie qu'un sac pour le mal des transports se trouve comme il se doit dans la pochette devant moi. C'est le deuxième voyage de Charlotte en avion ; lors du premier qui, il y a deux ans, nous avait menés au Mexique tous les trois – elle, son père et moi –, Charlotte avait été malade. Pour éviter que cela se reproduise, je lui donnerai une demi-Gravol dans quelques minutes, même si le pharmacien m'a dit hier qu'en plus de risquer de provoquer la somnolence, ce traitement ne fonctionnerait peut-être pas. Mais je préfère mettre toutes les chances de mon côté, ayant encore en mémoire combien Mathieu et moi étions fatigués en débarquant à Ixtapa après avoir passé tout le vol à prendre soin de Charlotte et à courir après les agents de bord pour les supplier de nous apporter du ginger ale. Certes, c'était loin d'être idéal comme début de voyage. Charlotte ne tenait plus debout à notre arrivée à l'hôtel. Mais au moins, nous étions ensemble. Plus jamais, me dis-je tout à coup : plus jamais nous ne voyagerons tous les trois, en famille. Est-ce que Charlotte ira en voyage avec Mathieu et Sophie Hyndman – et leurs enfants, s'ils en ont ?

Les deux bagagistes ont fini de décharger leur chariot et reprennent place dans la voiturette. Mais bien sûr que Mathieu et Sophie Hyndman auront des enfants : autrement, que faisait cet emballage de test de grossesse dans le bac de recyclage sur le balcon de la rue Saint-Vallier, l'autre jour ? Au premier rang des scénarios d'avenir qui me donnent le tournis figure celui dans lequel Mathieu a un ou deux enfants avec Sophie Hyndman. La loi du plus fort l'emportant à tout coup, Charlotte aura sûrement l'impression que sa vraie famille se trouve auprès de cette tribu, et non à mes côtés. Car même si je refais ma vie avec quelqu'un, ne suis-je pas déjà trop vieille pour donner à Charlotte des frères et sœurs biologiques sans courir un certain risque ?

Dans la pochette en face de moi, je range quelques objets qu'il me sera utile d'avoir à ma disposition durant le vol. Bouteille d'eau, collations, paquet de gommes ; il reste à peine de l'espace pour ce livre sur les oiseaux de la Floride emprunté à la bibliothèque. J'ai promis à Charlotte que nous irions visiter une réserve naturelle où se reproduisent et vivent plusieurs espèces, dont nous avons commencé à reconnaître l'allure, le plumage, la forme du bec, et à apprendre les noms : la grue, le cormoran, l'aigrette neigeuse, le tantale d'Amérique. Bien entendu, ma fille aurait préféré aller à Disneyland, mais ce sera pour une autre fois, car il serait surprenant que ma mère soit capable d'affronter la fébrilité des foules, des manèges, et des mascottes de princes charmants.

Au moment où je sors mon cellulaire de mon sac

afin de le mettre en mode avion, il se met à vibrer et une notification Facebook apparaît sur l'écran : « *Guillaume Hamelin a actualisé son statut.* » Je hisse la tête au-dessus du dossier de mon siège et jette un œil en direction des toilettes. Un homme vêtu d'une chemise hawaïenne attend son tour entre les deux cabines de W.-C., mais aucune trace de ma mère ou de Charlotte. Même si je ne suis pas certaine de vouloir savoir ce que Guillaume devient, je fais glisser mon doigt sur la notification. La bannière vert lime de la compagnie DuProprio surplombe une photo que je n'ai aucun mal à reconnaître : il s'agit de la cuisine que j'ai conçue pour Guillaume. « *Je vends ma maison. Piscine. Garage double. Cuisine rénovée. Idéal pour couple ou jeune famille. Secteur de choix à Sainte-Julie. Partagez SVP !* » a écrit Guillaume il y a de cela quelques secondes. J'ouvre l'annonce et fais défiler les photos. Je ressens un malaise à la vue du canapé en cuir noir du salon, un canapé qui semble si inoffensif, photographié ainsi, dans la lumière crue, mais où Guillaume et moi n'aurions jamais dû nous retrouver la nuit de Noël. Je balaie l'écran du doigt et passe en revue le sous-sol meublé d'un tapis roulant et d'un ensemble de poids et haltères, le garage avec des vélos suspendus aux murs, la piscine ceinte d'une terrasse en bois traité, la chambre de Guillaume avec sa literie lustrée couleur bordeaux. À en juger par sa décoration, on devine tout de suite que la deuxième chambre est celle d'une adolescente : sur la porte, il y a un écriteau « Ne pas déranger », et sur les murs sont collées des affiches de *boys bands* dont je suis trop vieille pour connaître les noms. Cette chambre laisse toutefois l'impression de ne pas être habitée, car il n'y a pas de rideaux aux fenêtres. Est-il possible que Julianne ait été si traumatisée par ce qu'elle a vu la nuit de Noël qu'elle préfère ne plus dormir chez son père ? Ce n'est pourtant pas ce que Guillaume m'a laissé entendre quand je lui ai demandé comment se portait sa fille. Je poursuis ma visite virtuelle. Une cuisine rénovée étant toujours un bon argument de vente, le fichier contient cinq photos de celle de Guillaume. Je remarque toutefois que le mur derrière la cuisinière laisse encore voir le gypse : ainsi, il n'aura jamais installé de dosseret ? Je me demande tout à coup pourquoi il vend sa maison. Où ira-t-il habiter ? En raison des activités sportives de Julianne, ne prétendait-il pas ne pas pouvoir déménager sur l'île de Montréal comme il avait prévu le faire ?

J'ai envie de lui envoyer un message. Quelque chose de fou : « *Allô Guillaume, je cherche un appartement moi aussi. On déménage ensemble ? J'aurai ma fille une semaine sur deux et elle aime bien la tienne.* » Mais je m'en abstiens. Guillaume, s'il a déjà eu des sentiments pour moi – et probablement qu'il en a eu, toute son attitude après Noël et même avant le démontre, autrement pourquoi aurait-il risqué son travail en allant interroger mon homme de ménage –, n'en a sans doute plus. Qui pourrait l'en blâmer ? J'ai agi de manière si détachée avec lui quand il est venu me voir chez Penture à la mi-janvier, et même si ce détachement prenait racine dans le choc nerveux que j'avais vécu quelques heures plus tôt en découvrant ce maudit emballage de test de grossesse laissé par Sophie Hyndman dans le bac de recyclage de la rue Saint-Vallier, je comprends que Guillaume a dû m'en vouloir après cela, car il ne m'a plus jamais redonné signe de vie. Et quant à moi, j'ai été trop happée par mes problèmes pour le contacter, ne serait-ce que pour m'assurer qu'il était satisfait de sa cuisine, comme je le fais toujours avec mes clients cinq ou six semaines après que nos installateurs sont passés chez eux. Même une fois renvoyée de chez Penture, j'aurais pu appeler Guillaume et lui offrir d'aller magasiner avec lui son fameux dosseret. Mais de tout cela, je n'ai rien fait. Aussi, certains jours, je me demande s'il m'en a voulu au point d'être cette source policière qui a transmis aux médias le message de détresse d'Annabelle Juneau ignoré par Romane. Il y a deux semaines, en perdant mon temps sur Facebook, j'ai reconnu, parmi les amis de Guillaume, l'enquêteur asiatique de la police de Laval affecté au dossier d'Annabelle Juneau et que j'avais croisé dans nos bureaux lors de la seconde visite des policiers. Comment être certaine que cet homme n'a pas raconté à Guillaume les dessous de leur enquête ainsi que la manière dont Penture et *Sous la dent* s'y trouvaient mêlés, et comment savoir si Guillaume, blessé par mon comportement lors de notre dernière rencontre, n'a pas cherché à me nuire en coulant une information qui, de toute évidence, égratignerait l'image de la compagnie à laquelle j'étais associée ? Je n'ose imaginer qu'il puisse être à l'origine de tout cela, mais en même temps, avec tout ce qui m'arrive ces temps-ci, y a-t-il encore des choses capables de me surprendre ?

J'exagère, sans doute. Et puis les sentiments de Guillaume à mon égard n'ont jamais dû être si prononcés. Autrement, il serait passé par-dessus le rejet que j'ai pu lui faire ressentir la dernière fois que nous nous sommes vus et il m'aurait rappelée, ne serait-ce que pour s'assurer que j'allais bien quand les noms de Penture et *Sous la dent* ont été mêlés à l'affaire Annabelle Juneau. N'est-ce pas ainsi qu'on agit – avec ce souci de l'autre qui dépasse notre propre orgueil – lorsque quelqu'un compte réellement pour nous ? Toujours est-il que quand je repense à lui aujourd'hui, il me semble que si le contexte dans lequel nous nous sommes connus avait été différent, si je n'avais pas été si accrochée à l'idée de vouloir rester en couple à tout prix avec Mathieu malgré ce que je savais de ses agissements, si, au fond, j'avais été plus libre, quelque chose aurait pu éclore de ma relation avec Guillaume. Mais ce sont là bien des suppositions pour une conclusion qui me convient uniquement parce qu'une autre m'a échappé. Du reste, depuis la rupture de nos parents, il est impossible d'envisager que dans deux mois, ou trois, ou même un an, Guillaume et moi reprenions les choses là où on les a laissées. Bien entendu, ma mère affirmerait que, pourvu que sa fille soit heureuse, peu lui importe qu'André soit le père de son nouveau gendre. Mais de mon côté, jamais je n'imposerais à ma mère un lien, aussi ténu soit-il, avec l'homme responsable de son état actuel.

J'entends le pépiement de Charlotte et me retourne : elle remonte l'allée gaiement, Baboune contre sa poitrine. Ma mère la suit de près. Je regarde l'écran de mon téléphone : à quoi bon conserver Guillaume dans mes contacts ? À quoi bon savoir, chaque fois qu'il publie un statut comme il l'a fait ce matin, ce qui se passe dans sa vie ? Je clique sur son profil, dont la photo principale montre un homme, lui probablement, mais c'est difficile d'en être certaine car il est de dos ; un homme qui court et qui s'enfonce dans un sentier liséré d'arbres aux feuilles orangées. Mon doigt appuie sur l'icône d'amitié et sélectionne, parmi les choix qui défilent, celui de la suppression définitive.

André et Guillaume Hamelin : mieux vaut ne plus jamais entendre parler d'eux.

L'avion a décollé il y a plus d'une heure maintenant et Charlotte, bercée par le grondement des moteurs et sans doute aidée par la moitié de Gravol qu'elle a croquée, s'est endormie contre mon épaule. Assise sur le bord de l'allée, chaque fois que je me penche un peu par-dessus ma fille pour observer ma mère à côté du hublot, je remarque qu'elle n'a pas bougé : son chignon amolli écrasé contre sa nuque, elle fixe la ligne d'horizon de lumière cotonneuse. Je me demande si se retrouver ainsi dans le ciel lui donne l'impression d'être plus près de mon père. Si oui, ce rapprochement ne semble pas la consoler. La peau autour de sa bouche est affaissée en une grimace qui tremblote à chacune de ses respirations. L'impression qu'il n'y a que trois scénarios possibles en matière de relations amoureuses me saisit : dans le premier, nous aimons quelqu'un, mais la mort nous agrippe et nous arrache à la personne aimée ; dans le deuxième, nous avons aimé quelqu'un, mais la fatalité nous l'a ravi ; dans le troisième scénario, moins net mais pas moins triste, par manque de chance ou de jugement, nous ne trouvons jamais l'être aimé. Devant ce schéma à trois têtes, il m'apparaît tout à coup que l'amour est un phénomène qui, peu importe notre histoire, doit rarement faire des heureux, et fabrique plutôt des dépossédés.

Charlotte soupire dans son sommeil et se blottit davantage contre moi. Je lui embrasse le front. « Mais ma fille, me dis-je, j'ai cela. » Et pour l'instant, c'est tout ce qui compte.

Remerciements

Pour sa lecture minutieuse de mon manuscrit et tous ses conseils et commentaires, un immense merci à mon premier lecteur et éditeur, François Ricard.

Merci à Marcelle Ricard, Dominique Fortier et Isabelle Daunais, qui ont également lu mon manuscrit : toutes vos remarques m'ont été plus que précieuses.

Et merci à Véronique Brazeau et Isabelle Morin, patrouilleuses au SPVM, pour la matinée passée avec elles.

Crédits et remerciements

Les Éditions du Boréal remercient le Conseil des arts du Canada
ainsi que le gouvernement du Canada pour leur soutien financier.
Canadä

Les Éditions du Boréal sont inscrites au Programme d'aide
aux entreprises du livre et de l'édition spécialisée de la SODEC
et bénéficient du Programme de crédit d'impôt pour l'édition
de livres du gouvernement du Québec.
Québec

Couverture : © Robert Daly / Alamy Stock Photo

EXTRAIT DU CATALOGUE

Gil Adamson
- *À l'aide, Jacques Cousteau*
- *La Veuve*

Emmanuel Aquin
- *Désincarnations*
- *Icare*
- *Incarnations*
- *Réincarnations*

Denys Arcand
- *L'Âge des ténèbres*
- *Le Déclin de l'Empire américain*
- *Les gens adorent les guerres*
- *Les Invasions barbares*
- *Jésus de Montréal*

Gilles Archambault
- *À peine un petit air de jazz*
- *À voix basse*
- *Les Choses d'un jour*
- *Combien de temps encore?*
- *Comme une panthère noire*
- *Courir à sa perte*
- *De l'autre côté du pont*
- *De si douces dérives*
- *Doux dément*
- *Enfances lointaines*
- *En toute reconnaissance*
- *La Fleur aux dents*
- *La Fuite immobile*
- *Lorsque le cœur est sombre*
- *Les Maladresses du cœur*
- *Nous étions jeunes encore*
- *L'Obsédante Obèse et autres agressions*
- *L'Ombre légère*
- *Parlons de moi*
- *Les Pins parasols*
- *Qui de nous deux?*
- *Les Rives prochaines*
- *Stupeurs et autres écrits*
- *Le Tendre Matin*
- *Tu ne me dis jamais que je suis belle*
- *Un après-midi de septembre*
- *Un homme plein d'enfance*
- *Un promeneur en novembre*
- *La Vie à trois*
- *Le Voyageur distrait*

Margaret Atwood
- *Cibles mouvantes*
- *L'Odyssée de Pénélope*

Edem Awumey
- *Explication de la nuit*
- *Mina parmi les ombres*
- *Les Pieds sales*
- *Rose déluge*

Carl Bergeron
- *Voir le monde avec un chapeau*

Nadine Bismuth
- *Êtes-vous mariée à un psychopathe?*
- *Les gens fidèles ne font pas les nouvelles*
- *Scrapbook*
- *Un lien familial*

Neil Bissoondath
- *À l'aube de lendemains précaires*
- *Arracher les montagnes*
- *Cartes postales de l'enfer*
- *La Clameur des ténèbres*
- *Tous ces mondes en elle*
- *Un baume pour le cœur*

Marie-Claire Blais
- *Augustino et le chœur de la destruction*
- *Aux Jardins des Acacias*
- *Dans la foudre et la lumière*
- *Des chants pour Angel*

Le Festin au crépuscule
Le Jeune Homme sans avenir
Mai au bal des prédateurs
Naissance de Rebecca à l'ère des tourments
Noces à midi au-dessus de l'abîme
Soifs
Une réunion près de la mer
Une saison dans la vie d'Emmanuel

Virginie Blanchette-Doucet
117 Nord

Gérard Bouchard
Mistouk
Pikauba
Uashat

Claudine Bourbonnais
Métis Beach

Guillaume Bourque
Jérôme Borromée

Jacques Brault
Agonie

Pierre Breton
Sous le radar
Le zouave qui aimait les vélocipèdes

Chrystine Brouillet
Rouge secret
Zone grise

Natalee Caple
Il était une fois Calamity Jane

André Carpentier
Dylanne et moi
Extraits de cafés
Gésu Retard
Mendiant de l'infini
Moments de parcs
Ruelles, jours ouvrables

Nicolas Charette
Chambres noires
Jour de chance

Jean-François Chassay
L'Angle mort
Laisse
Sous pression
Les Taches solaires

Ying Chen
Blessures
Le Champ dans la mer
Espèces
Immobile
Le Mangeur
Querelle d'un squelette avec son double
La rive est loin
Un enfant à ma porte

Ook Chung
Contes butô
L'Expérience interdite
La Trilogie coréenne

Gil Courtemanche
Je ne veux pas mourir seul
Le Monde, le lézard et moi
Un dimanche à la piscine à Kigali
Une belle mort

Michael Crummey
Du ventre de la baleine

France Daigle
Petites difficultés d'existence
Pour sûr
Un fin passage

Francine D'Amour
Écrire comme un chat
Pour de vrai, pour de faux
Presque rien
Le Retour d'Afrique

Michael Delisle
Le Feu de mon père
Le Palais de la fatigue
Tiroir Nº 24

Louise Desjardins
Cœurs braisés
Le Fils du Che
L'Idole
Rapide-Danseur
So long

Fred Dompierre
Presque 39 ans, bientôt 100

David Dorais et Marie-Ève Mathieu
Plus loin

Christiane Duchesne
L'Homme des silences
L'Île au piano
Mensonges
Mourir par curiosité

Danny Émond
Le Repaire des solitudes

Gloria Escomel
Les Eaux de la mémoire
Pièges

Michel Faber
La Rose pourpre et le Lys

Stéphanie Filion
Grand fauchage intérieur

Richard Ford
Canada

Jonathan Franzen
Les Corrections
Freedom
Purity

Katia Gagnon
Histoires d'ogres
La Réparation

Madeleine Gagnon
Depuis toujours

Robert Gagnon
La Mère morte
Lise Gauvin
Fugitives
Susan Glickman
Les Aventures étranges et surprenantes d'Esther Brandeau, moussaillon
Douglas Glover
Le Pas de l'ourse
Seize sortes de désir
Catherine Eve Groleau
Johnny
Agnès Gruda
Mourir, mais pas trop
Onze petites trahisons
Joanna Gruda
L'enfant qui savait parler la langue des chiens
Ghayas Hachem
Play Boys
Brigitte Haentjens
Un jour je te dirai tout
Louis Hamelin
Autour d'Éva
La Constellation du Lynx
Le Joueur de flûte
Sauvages
Le Soleil des gouffres
Le Voyage en pot
Bruno Hébert
Alice court avec René
C'est pas moi, je le jure !
David Homel
Orages électriques
Michael Ignatieff
L'Album russe
Terre de nos aïeux
Suzanne Jacob
Amour, que veux-tu faire ?
Les Aventures de Pomme Douly
Fugueuses
Histoires de s'entendre
Parlez-moi d'amour
Un dé en bois de chêne
Wells
Renaud Jean
Rénovation
Retraite
Emmanuel Kattan
Le Portrait de la reine
Les Lignes de désir
Nous seuls
Jack Kerouac
La vie est d'hommage
Thomas King
Une brève histoire des Indiens au Canada
Nicole Krauss
La Grande Maison
Bïa Krieger
Les Révolutions de Marina
Marie Laberge
Adélaïde
Annabelle
La Cérémonie des anges
Florent
Gabrielle
Juillet
Le Poids des ombres
Quelques Adieux
Revenir de loin
Sans rien ni personne
Marie-Sissi Labrèche
Amour et autres violences
Borderline
La Brèche
La Lune dans un HLM
Dany Laferrière
L'Art presque perdu de ne rien faire
Chronique de la dérive douce
L'Énigme du retour
Je suis un écrivain japonais
Pays sans chapeau
Vers le sud
Robert Lalonde
À l'état sauvage
C'est le cœur qui meurt en dernier
Des nouvelles d'amis très chers
Espèces en voie de disparition
Le Fou du père
Iotékha'
La Liberté des savanes
Le Monde sur le flanc de la truite
Monsieur Bovary ou mourir au théâtre
Où vont les sizerins flammés en été ?
Le Petit Voleur
Que vais-je devenir jusqu'à ce que je meure ?
Le Seul Instant
Un cœur rouge dans la glace
Un jardin entouré de murailles
Un jour le vieux hangar sera emporté par la débâcle
Un poignard dans un mouchoir de soie
Le Vacarmeur
Nicolas Langelier
Réussir son hypermodernité et sauver le reste de sa vie en 25 étapes faciles
Monique LaRue
Copies conformes
De fil en aiguille
La Démarche du crabe
La Gloire de Cassiodore
L'Œil de Marquise

Rachel Leclerc
Noces de sable
La Patience des fantômes
Le Chien d'ombre
Ruelle Océan
Visions volées
Robert Lévesque
Récits bariolés
Tracey Lindberg
Birdie
Alistair MacLeod
La Perte et le Fracas
André Major
À quoi ça rime?
L'Esprit vagabond
Histoires de déserteurs
La Vie provisoire
Tristan Malavoy
Le Nid de pierres
Gilles Marcotte
Le Manuscrit Phaneuf
La Mort de Maurice Duplessis et autres nouvelles
Une mission difficile
La Vie réelle
Yann Martel
Paul en Finlande
Colin McAdam
Fall
Christian Mistral
Léon, Coco et Mulligan
Sylvia au bout du rouleau ivre
Vacuum
Valium
Vamp
Vautour
Hélène Monette
Le Blanc des yeux
Il y a quelqu'un?
Là où était ici
Où irez-vous armés de chiffres?
Plaisirs et Paysages kitsch
Thérèse pour Joie et Orchestre
Un jardin dans la nuit
Unless
Pierre Monette
Dernier automne
Caroline Montpetit
L'Enfant
Tomber du ciel
Lisa Moore
Alligator
Les Chambres nuptiales
Février
Open
Pierre Morency
Amouraska
Guillaume Morissette
Nouvel onglet
Le Visage originel
Alice Munro
Du côté de Castle Rock
Fugitives
Rien que la vie
Pierre Nepveu
Des mondes peu habités
L'Hiver de Mira Christophe
Josip Novakovich
Infidélités
Poisson d'avril
Trois morts et neuf vies
Grace O'Connell
Foudroyée
Émile Ollivier
La Brûlerie
Michael Ondaatje
Divisadero
Le Fantôme d'Anil
La Table des autres
Michèle Ouimet
L'Heure mauve
La Promesse
Nathalie Petrowski
Il restera toujours le Nebraska
Maman last call
Un été à No Damn Good
Alison Pick
L'Enfant du jeudi
Daniel Poliquin
Cherche rouquine, coupe garçonne
L'Écureuil noir
L'Historien de rien
L'Homme de paille
La Kermesse
Le Vol de l'ange
Monique Proulx
Les Aurores montréales
Ce qu'il reste de moi
Champagne
Le cœur est un muscle involontaire
Homme invisible à la fenêtre
Pascale Quiviger
La Maison des temps rompus
Pages à brûler
Rober Racine
L'Atlas des films de Giotto
Le Cœur de Mattingly
L'Ombre de la Terre
Les Vautours de Barcelone
Mordecai Richler
L'Apprentissage de Duddy Kravitz

Le Cavalier de Saint-Urbain
Joshua
Le Monde selon Barney
Solomon Gursky

Noah Richler
Mon pays, c'est un roman

Yvon Rivard
Le Milieu du jour
Le Siècle de Jeanne
Les Silences du corbeau

Louis-Bernard Robitaille
Le Zoo de Berlin

Alain Roy
Le Grand Respir
L'Impudeur
Quoi mettre dans sa valise?

Simon Roy
Owen Hopkins, Esquire

Lori Saint-Martin
Les Portes closes

Mauricio Segura
Eucalyptus
Bouche-à-bouche
Côte-des-Nègres
Oscar

Alexandre Soublière
Amanita virosa
Charlotte before Christ

Gaétan Soucy
L'Acquittement
Catoblépas
Music-Hall!
La petite fille qui aimait trop les allumettes

Jeet Thayil
Narcopolis

France Théoret
Les apparatchiks vont à la mer Noire
Une belle éducation

Marie José Thériault
Les Demoiselles de Numidie
L'Envoleur de chevaux

Pierre-Yves Thiran
Bal à l'abattoir

Miriam Toews
Drôle de tendresse
Irma Voth
Jamais je ne t'oublierai
Pauvres petits chagrins
Les Troutman volants

Su Tong
Le Mythe de Meng

Emmanuelle Tremblay
Je suis un thriller sentimental

Lise Tremblay
Chemin Saint-Paul
L'Habitude des bêtes
La Sœur de Judith

Marie-Laurence Trépanier
Saints-Damnés

Guillaume Vigneault
Carnets de naufrage
Chercher le vent

Kathleen Winter
Annabel
Nord infini
Onze jours en septembre

Ce livre a été imprimé sur du papier 100 % postconsommation,
traité sans chlore, certifié ÉcoLogo
et fabriqué dans une usine fonctionnant au biogaz.

MISE EN PAGES ET TYPOGRAPHIE :
LES ÉDITIONS DU BORÉAL

CE DEUXIÈME TIRAGE A ÉTÉ ACHEVÉ D'IMPRIMER EN NOVEMBRE 2018
SUR LES PRESSES DE MARQUIS IMPRIMEUR
À MONTMAGNY (QUÉBEC).